LA PROMESSE
PERRICONE

*Ayez l'air plus jeune, vivez plus longtemps
en trois étapes faciles*

Nicholas Perricone, M.D.

Traduit de l'américain par
Christian Hallé

Le programme ci-inclus n'a pas pour but de remplacer les services d'un professionnel de la santé ou de se
substituer aux conseils de votre médecin. Nous vous conseillons de consulter votre professionnel de la santé pour
tout ce qui touche à votre santé, et en particulier si votre condition nécessite un diagnostic ou un suivi médical.

Plusieurs recettes présentées dans ce livre ont été adaptées, avec la permission de l'éditeur, du livre *The Whole
Food Bible : How to Select & Prepare Safe, Healthful Foods* de Chris Kilham, Healing Arts Press, Rochester, VT
05767 Copyright © 1991, 1997 par Chris Kilham www.InnerTraditions.com.

Éditeur : François Doucet
Traduction : Christian Hallé
Révision linguistique : Laurent L'écuyer
Révision : Nancy Coulombe
Graphisme : Sébastien Rougeau
Photographe : King Vincent Storm, Inc.
ISBN 2-89565-352-6
Première impression : 2005
Dépôt légal : troisième trimestre 2005
Bibliothèque Nationale du Québec
Bibliothèque Nationale du Canada

Éditions AdA Inc.
1385, boul. Lionel-Boulet
Varennes, Québec, Canada, J3X 1P7
Téléphone : 450-929-0296
Télécopieur : 450-929-0220
www.ada-inc.com
info@ada-inc.com

Diffusion
Canada :   Éditions AdA Inc.
France :   D.G. Diffusion
              Rue Max Planck, B. P. 734
              31683 Labege Cedex
              Téléphone : 05.61.00.09.99
Suisse :   Transat - 23.42.77.40
Belgique :   D.G. Diffusion - 05.61.00.09.99

Imprimé au Canada

Participation de la SODEC.   SODEC
Nous reconnaissons l'aide financière du gouvernement du Canada par l'entremise du Programme d'aide au
développement de l'industrie de l'édition (PADIÉ) pour nos activités d'édition.
Gouvernement du Québec - Programme de crédit d'impôt pour l'édition de livres - Gestion SODEC.

À mes enfants
Jeffrey, Nicholas et Caitie

Remerciements

Anne Sellaro mérite à nouveau de figurer en tête de ces remerciements. L'enthousiasme infatigable, l'ardeur au travail, la créativité et l'imagination d'Anne, mon amie, mon agente, ma productrice et collaboratrice, m'ont permis de partager mon message et ma mission avec des millions de personnes à travers le monde.

Merci à Diana Baroni, mon extraordinaire éditrice, et à toute l'équipe de Warner Books, sans oublier Jennifer Romanello, publiciste, les représentants des ventes et le personnel du marketing.

Merci à tous mes amis et collègues :

Eddie Magnotti

Tony Tiano, Lennlee Keep, Eli Brown et l'équipe de Santa Fe Productions

The Public Broadcasting Service (PBS-TV)

Desiree Gruber et l'équipe de Full Picture

Richard Post

Nos partenaires de la vente au détail Neiman Marcus, Nordstrom, Sephora, Saks, Henri Bendel et Clyde's sur Madison

Tucker et Josh Greco, Dr Dale Webb, Kevin Gors

Craig Weatherby

Steve Mirabella, père

L'équipe de N. V. Perricone, MD, S.A.R.L.

Mes parents

Mon frère et mes sœurs, Jimmy, Laura, June et Barbara

Mes enfants, Jeffrey, Nicholas et Caitie

Beth et Ken Lazer, et leurs enfants, Kyle, Jack, Dave et Eric

Sharyn Kolberg

Table des matières

8

**Troisième partie — Le programme de 28 jours
du Dr Perricone   235**

Introduction

Ce fut pour moi une joie d'écrire *La Promesse Perricone*, car cela me permet aujourd'hui de vous présenter les dernières découvertes en matière de lutte contre le vieillissement et les maladies liées au vieillissement : les peptides et les neuropeptides.

Que votre but soit de prévenir certaines maladies graves, comme le cancer ou les maladies coronariennes, ou simplement d'avoir une peau sans ride et sans imperfection, les trois étapes faciles présentées dans ce livre vous procureront des bienfaits immédiats et durables.

Ce programme peut sembler quelque peu ambitieux, mais une fois que vous en aurez compris le fonctionnement, vous verrez qu'il est plein de bon sens. Mon but n'est pas de vous vendre un produit miracle, mais de vous redonner la maîtrise de votre organisme et du rythme de son vieillissement ; et de vous aider par le fait même à appuyer sur les freins.

Dans *La Promesse Perricone*, vous découvrirez des substances extraordinairement puissantes, les peptides et les neuropeptides, qui procurent des bienfaits anti-inflammatoires substantiels au niveau cellulaire. (Puisque l'inflammation se produit au niveau cellulaire, nos outils contre l'inflammation doivent également agir au niveau cellulaire.) Ces formidables substances, que l'on retrouve dans divers produits, peuvent être considérées comme :

- Des aliments fonctionnels
- Des suppléments alimentaires
- Des topiques contre le vieillissement

Mais ces produits ne sont pas les seules armes à notre disposition. Les aliments que nous mangeons sont également des outils indispensables et extrêmement efficaces contre l'inflammation. Malheureusement, les rides, les maladies dégénératives et l'accélération du vieillissement sont souvent la conséquence directe de nos choix en matière de nutrition. Je présente donc dans ce livre certains aliments importants, dix super-aliments, ainsi que des herbes et des épices qui gagneraient à faire partie de votre alimentation en raison de leurs bienfaits pour la santé et leurs effets anti-vieillissement. En plus d'être extrêmement goûteux, ces aliments, riches en nutriments et en antioxydants, vous aideront non seulement à vivre plus longtemps, mais aussi à garder une apparence plus jeune.

Les neuropeptides, les peptides, les aliments et les suppléments présentés dans les pages qui suivent procurent aux cellules l'énergie dont elles ont besoin pour fonctionner à un niveau optimal et ainsi vous garder en santé et alerte passé la cinquantaine et longtemps après.

La Promesse Perricone est ma promesse que ces outils vous permettront d'obtenir un visage et un corps plus jeunes en seulement vingt-huit jours. Comment cela est-il possible ? C'est simple. Parce que tous les aliments, les suppléments, les peptides et les neuropeptides, y compris les préparations topiques, présentés dans ce livre, agissent au niveau *physiologique* ; en d'autres termes, ils travaillent avec le corps plutôt que contre lui, afin d'atteindre leurs objectifs.

Quand nous introduisons une substance étrangère (comme un agent pharmaceutique) dans notre organisme, ses bienfaits cessent lorsque nous cessons d'utiliser le produit ou la substance, sans compter que cette dernière peut provoquer une foule d'effets secondaires. Toutefois, lorsque nous fournissons des substances naturelles à notre organisme, leurs effets bénéfiques augmentent chaque fois, amenant ainsi un renforcement et un rajeunissement durables de tous les organes.

Les recommandations de *La Promesse Perricone* agissent en synergie, à l'intérieur comme à l'extérieur de votre organisme, pour redonner à votre peau son éclat de jeunesse ainsi que vitalité et vigueur à votre corps. Mieux encore, les bienfaits augmenteront avec le temps. Étant donné que cette méthode agit au niveau physiologique, notre corps ne développe pas de résistance ou d'immunité à ces super-aliments, neuropeptides, suppléments anti-inflammatoires, et surtout, traitements topiques. Vous commencerez à voir des résultats en aussi peu que trois jours, suivis de changements significatifs au niveau du visage et du corps après vingt-huit jours. Plus vous suivrez le programme longtemps, plus grands seront les bienfaits mentaux et physiques.

En vous souhaitant un voyage passionnant vers plus de santé, de beauté et de bonheur.

Nicholas Perricone, M.D.
Madison, Connecticut
Juin 2004

QU'EST-CE QUE CETTE PROMESSE ?

Qu'allez-vous faire au cours des vingt-huit prochains jours ? Vous pourriez rajeunir de dix ans et ajouter dix ans à votre vie en suivant le programme présenté dans les pages qui suivent.

Dans la première partie de ce livre, vous prendrez connaissance des découvertes qui ont servi de fondements à ce livre. Ces découvertes représentent pour moi l'aboutissement de plusieurs années de recherches, recherches qui m'ont permis d'obtenir la preuve irréfutable qu'il existe un lien entre l'inflammation, le vieillissement et la maladie, et d'établir ce que nous devons faire pour y remédier.

Vous apprendrez à mieux connaître la plus grande découverte médicale des dernières années en matière de lutte contre le vieillissement : des substances ressemblant aux protéines, présentes dans notre organisme, appelées peptides et neuropeptides. Vous découvrirez également comment elles travaillent pour nous et contre nous, et comment nous pouvons exploiter leur bon côté pour réduire l'inflammation, et ainsi renverser le processus de vieillissement.

Ce n'est pas difficile. Suivez les trois étapes présentées dans la deuxième partie (les aliments, les suppléments, les topiques) et adoptez le Programme Perricone présenté dans la troisième partie, et je vous promets qu'en vingt-huit jours (ou moins), vous aurez l'air plus jeune et vous vous sentirez plus en santé que jamais.

La Promesse Perricone

Le monde va si vite que certains jours la personne qui dit qu'une chose est impossible se fait interrompre par la personne qui est en train de la faire.

— ANONYME

L'univers est rempli de choses magiques qui attendent patiemment que nos esprits soient plus aiguisés.

— EDEN PHILLPOTTS

ET SI JE VOUS DISAIS que nous sommes à l'aube d'une révolution qui pourrait nous permettre de renverser les signes du vieillissement ? Et qu'en lisant le livre que vous tenez présentement entre vos mains, en suivant *trois étapes faciles*, vous pouvez, dès aujourd'hui, en retirer les bienfaits ?

Avec *The Wrinkle Cure* et *The Perricone Prescription*, j'ai présenté pour la première fois l'existence d'un lien entre l'inflammation et le vieillissement en démontrant que l'inflammation au niveau cellulaire était la principale cause de l'apparition des signes de vieillissement. Sans parler des liens entre l'inflammation et certaines maladies chroniques, comme l'arthrite, le diabète, l'Alzheimer, le cancer et les maladies cardiaques.

Les recherches intensives et les solutions que j'ai présentées dans ces deux livres sont toujours valables aujourd'hui, et des milliers de

16 personnes m'ont répondu pour me dire à quel point leur apparence et leur santé s'étaient améliorées après avoir suivi mon programme.

Mes recherches auraient pu s'arrêter là, mais je savais qu'il me restait encore beaucoup de choses à apprendre. Je savais que si l'inflammation était à la racine du vieillissement, quelque chose de plus fondamental encore devait être en mesure de limiter cette inflammation. Ce « quelque chose de plus fondamental » s'est révélé être la plus grande découverte médicale anti-vieillissement : des substances ressemblant à des protéines, présentes dans notre organisme, appelées peptides et neuropeptides.

Les *peptides* sont des composés formés d'au moins deux acides aminés (les blocs de construction des protéines), liés entre eux par ce qu'on appelle un lien peptidique.

Les *neuropeptides* sont des peptides libérés par les neurones (cellules cérébrales) pour jouer le rôle de messagers intercellulaires. Certains neuropeptides agissent comme des neurotransmetteurs, d'autres comme des hormones.

Les peptides et les neuropeptides, comme plusieurs substances dans notre organisme (pensez au *cholestérol*), peuvent travailler pour nous ou contre nous. La bonne nouvelle est qu'en suivant le programme de *La Promesse Perricone*, vous pouvez augmenter de façon spectaculaire les effets positifs anti-inflammatoires des peptides et des neuropeptides tout en diminuant grandement leurs effets négatifs.

À la suite de quoi vous constaterez des changements importants non seulement au niveau de votre apparence, mais aussi de votre santé. En seulement vingt-huit jours, vous pourrez effacer de votre visage et de votre corps les marques des dix dernières années. Grâce à *La Promesse Perricone*, vous apprendrez comment renverser le processus de vieillissement et ajouter plusieurs années de jeunesse à votre vie.

Ayez meilleure mine, sentez-vous mieux en trois étapes faciles

En tant que dermatologue, ma principale préoccupation a toujours été l'apparence de mes patients. Votre peau est-elle saine ? Avez-vous le teint clair ? Est-il radieux et lumineux ou terne et cireux ? Votre peau est-elle striée de rides et de plis ou ferme et souple ? Ces préoccupations ne sont pas le signe d'une obsession pour conserver la jeunesse ou l'apparence des mannequins et des vedettes du cinéma. Les réponses à ces questions sont en fait un excellent indicateur de votre état de santé général. Désirer avoir une belle apparence et une image corporelle positive, ce n'est pas de la vanité ; c'est le chemin qui mène à une longue vie, saine et heureuse. C'est l'une des raisons pour lesquelles j'ai choisi de me spécialiser en dermatologie : pour trouver de nouvelles façons d'atteindre ces buts sans avoir à me soucier de l'âge chronologique de mes patients.

Je vous promets que vous atteindrez ces objectifs — avoir l'air plus jeune et vivre plus longtemps — en suivant les trois étapes faciles incluses dans ce livre :

Première étape : ALIMENTATION. Un programme alimentaire révolutionnaire comprenant dix super-aliments qui vous aideront à réduire l'inflammation et à rajeunir votre corps et votre peau.

Deuxième étape : SUPPLÉMENTS. En plus d'une saine alimentation, ces suppléments alimentaires multifonctions et extrêmement efficaces stimuleront la production des peptides et neuropeptides anti-inflammatoires, les armes naturelles de votre organisme contre le vieillissement.

18

Troisième étape : TOPIQUES. Agissant de l'extérieur vers l'intérieur, ces nouvelles crèmes à base de neuropeptides vous procureront une apparence plus jeune presque instantanément.

Dans les pages qui suivent, vous découvrirez différentes façons d'exploiter tout le potentiel des neuropeptides afin :

- D'augmenter la production de collagène et d'élastine.
- De réparer les cicatrices et les rides.
- D'augmenter la circulation sanguine, pour un teint radieux et époustouflant.
- D'accélérer la guérison des blessures.
- De retrouver la peau d'apparence souple et fraîche de votre adolescence.

Mais ce livre ne traite pas uniquement de votre apparence. En suivant ce programme en trois étapes faciles, vous offrirez une véritable cure de jouvence non seulement à votre peau, mais aussi à votre cerveau, à votre humeur et à votre santé en général. Stimuler les effets positifs des peptides vous permettra entre autres :

- De réduire l'inflammation au niveau des organes.
- D'améliorer l'efficacité du métabolisme, et donc la réparation des cellules.
- D'améliorer votre humeur.
- De garder un cœur fort et en santé qui résistera aux maladies.
- De conserver la densité de vos os en vieillissant.
- De diminuer les risques de certaines formes de cancer.
- De réparer votre peau.
- De normaliser votre métabolisme afin de perdre du poids tout en conservant une apparence jeune.
- De renforcer votre système immunitaire.

Le lien cerveau-beauté

Chacune des étapes de ma carrière m'ont mené à découvrir les secrets qui se cachent sous la surface de la peau. Lorsque j'ai commencé à m'intéresser aux peptides et aux neuropeptides, mon but était en fait d'aider mes patients à résoudre leurs problèmes cutanés. Je voulais simplement trouver une façon de les aider à retrouver une peau jeune et en santé.

Quelle ne fut pas ma surprise de découvrir que mes recherches débouchaient sur des bienfaits beaucoup plus grands que je ne l'avais imaginé. Il s'est avéré que les effets positifs des peptides et des neuropeptides aideraient non seulement à avoir l'air plus jeune et plus en santé, mais aussi à maintenir en santé tous les organes de l'organisme et à renverser le processus de vieillissement. Et tout cela, nous le devons au lien cerveau-beauté.

Avant la découverte des neuropeptides, on croyait que les opérations du cerveau et du système nerveux s'effectuaient par l'entremise d'un réseau complexe de neurotransmetteurs (comme la sérotonine et la dopamine), d'hormones (comme l'adrénaline et le cortisol) et d'enzymes.

Aujourd'hui, nous savons que les choses sont infiniment plus complexes. Comme le disait le grand spécialiste du cerveau, le Dr Steve Henricksen : « Nous avons cru que le cerveau était semblable à un ordinateur. À présent, nous croyons que chaque cellule est semblable à un ordinateur, à un ordinateur indépendant. Et chaque cellule individuelle est semblable au cerveau dans son entier. »

Si le cerveau est effectivement semblable à un ensemble d'ordinateurs reliés entre eux par des connexions haute vitesse, les neuropeptides semblent former un réseau de communication électrochimique qui les maintient en équilibre et les fait travailler à l'unisson.

Les cellules cérébrales produisent divers neuropeptides aux fonctions les plus diverses. Leur action, qui peut être proinflammatoire ou anti-inflammatoire, est responsable de plusieurs

20

fonctions organiques : contrôle de l'humeur, du niveau d'énergie, de la perception de la douleur et du plaisir, du poids et de notre capacité à résoudre des problèmes. Les neuropeptides régulent également le système immunitaire et possèdent même une mémoire. Ces petits messagers du cerveau sont également responsables de la fonction cellulaire au niveau de la peau. (Il est intéressant de noter que le système immunitaire est un prolongement du cerveau, et que la peau est un organe immunitaire.)

Une beauté qui n'est pas que superficielle

À l'époque où j'étais étudiant en médecine, j'ai suivi un cours sur l'embryologie durant lequel j'ai appris que chaque organe de notre organisme est recouvert de trois couches de tissu. J'étais particulièrement intrigué par le fait que la couche de tissu responsable de la production des cellules du cerveau était également responsable de la production des cellules cutanées. Et c'est d'ailleurs pourquoi nous améliorons l'apparence de notre peau chaque fois que nous ingérons des aliments ou des suppléments alimentaires ayant un effet thérapeutique sur le cerveau. Cette découverte a influencé une part importante de mes recherches sur le rôle des peptides et des neuropeptides dans la relation entre beauté et cerveau.

Même si le fait de manipuler les neuropeptides, les neuro-transmetteurs et les hormones du cerveau pour obtenir une peau plus belle et d'apparence plus jeune, ajouter des années à votre vie et ralentir le processus de vieillissement semble tout droit sorti d'un roman de Michael Crichton ou de Robin Cook, croyez-moi quand je vous dis que cela est non seulement possible, mais que c'est une réalité.

Les scientifiques savent aujourd'hui que les neuropeptides, les neurotransmetteurs et les hormones sont branchés sur un vaste système de communication cellulaire. Les neuropeptides sont un peu les téléphones « cellulaires » de la nature. Tous les aspects de notre organisme sont contrôlés par un trio d'acteurs qui utilisent les neuropeptides comme messagers. Le cerveau envoie un signal au thymus, la glande maîtresse du système immunitaire (nous y reviendrons au chapitre 2) ; le thymus envoie un signal à la peau ; et la peau renvoie un message au cerveau. Chaque messager envoie son message à un *récepteur*. Ces récepteurs sont appelés *sites récepteurs*. Pensez à un système de « communication cellulaire » : les cellules communiquent entre elles de la même façon que nous communiquons entre nous d'un téléphone (messager) à l'autre (site récepteur). Mais il n'y a pas de répondeur au niveau cellulaire : pour le meilleur ou pour le pire, quelqu'un répond à tous les appels, instantanément.

La nature du message envoyé au récepteur dépend du neuro-peptide, du neurotransmetteur ou de l'hormone dont il provient. Si, par exemple, un taux élevé et potentiellement dangereux de Substance P (une sorte de neuropeptide dont nous reparlerons également au chapitre 2) est libéré dans le cerveau, nous éprouverons une souffrance « psychique » : nous nous sentirons déprimés et anxieux. La Substance P possède des sites récepteurs partout dans l'organisme, y compris au niveau de la peau, alors il est probable que le message envoyé aux récepteurs de la peau soit du genre : « Nous sommes déprimés. Déclenchons un peu d'inflammation au niveau des cellules de la peau aujourd'hui ! »

Résultat ? Accélération du processus de vieillissement de la peau, accompagné d'un renouvellement anormal des cellules et d'une perte de fermeté et d'éclat.

Le cerveau envoie donc des messages à la peau, mais n'oubliez pas que ce « système téléphonique » fonctionne dans les deux sens. Nous savons aujourd'hui que nous pouvons *modifier* le circuit de notre cerveau simplement en touchant notre peau ! Quel extra-ordinaire concept quand on prend le temps d'y réfléchir. Nous croyons d'ordinaire qu'il faut avoir recours à des médicaments puissants ou à une intervention chirurgicale majeure pour modifier

22

significativement notre corps et notre esprit. Toutefois, des études ont démontré qu'un massage quotidien de quinze minutes favorise le gain de poids chez les enfants prématurés, leur permettant ainsi de quitter l'hôpital plus tôt que les autres. Les bébés qui se font masser sont plus détendus, plus actifs et plus alertes. Six mois après leur sortie de l'hôpital, ils possèdent encore une longueur d'avance sur les autres bébés.

Des études menées dans les orphelinats et les hôpitaux nous rappellent chaque fois que les enfants privés de contact peau à peau perdent du poids, tombent malades et finissent même parfois par en mourir. Les enfants qui se font bercer pleurent moins que les autres, ont un meilleur système immunitaire, et gèrent mieux le stress.

Le besoin de contact demeure tout au long de notre vie. Lorsqu'on masse des enfants diabétiques, leur taux de sucre sanguin diminue et il devient alors possible de réduire leur médication. Les enfants asthmatiques ont moins de crises. Les massages aident les enfants souffrant d'autisme, de brûlures, de cancer et d'arthrite. Ces exemples illustrent parfaitement qu'il est possible d'activer les neuropeptides du cerveau en touchant les récepteurs de la peau. Sans compter que la libération de certains neuropeptides, comme l'endorphine, envoie un message positif au cerveau, l'informant que la guérison est en cours.

LES NEUROPEPTIDES MONTRENT DE QUOI ILS SONT CAPABLES

J'ai récemment discuté avec Jim Parker de la fondation Do It Now, qui a bien voulu partager avec moi certaines informations fascinantes sur le monde des neuropeptides à l'époque où on les appelait encore endorphines.

Les neuropeptides étaient censés être la grande découverte de la psychopharmacologie, la clé chimique qui nous permettrait d'accéder aux secrets du plaisir et de la douleur, de la joie et de la tristesse, de la mémoire, de l'intelligence et du comportement humain.

Ils étaient censés tout expliquer, du coup de foudre aux premières phases du sommeil, et on croyait qu'une parfaite compréhension de leurs actions et de leurs effets permettrait de soigner la dépendance à la drogue et les maladies mentales, de réguler l'humeur et l'appétit, et même de stimuler la créativité et l'appétit sexuel.

On donna le nom d'endorphines à ces substances sécrétées par l'organisme, apparentées à la morphine et responsables d'une panoplie d'effets de type médicamenteux, et pendant un temps après leur découverte en 1975, tout le monde se mit à spéculer sur leur véritable nature.

Mais cet engouement ne fit pas long feu. Les choses se compliquèrent avec la publication de résultats de recherche déconcertants, puis carrément contradictoires. Pendant que le nombre des endorphines identifiées augmentait de mois en mois et que les scientifiques apprenaient à mieux connaître leurs nombreux effets, on commença à leur donner le nom d'opioïdes endogènes, puis finalement de neuropeptides ; les endorphines devenant ainsi une sous-catégorie de ces derniers.

Les chercheurs continuèrent à concentrer leurs efforts sur ce groupe d'éléments chimiques aux pouvoirs surprenants, tout en cherchant discrètement à mieux les comprendre ou en s'efforçant du moins de découvrir une façon qui leur permettrait de mieux les comprendre.

Ce faisant, ils parvinrent à les associer à un vaste ensemble de problèmes physiques et émotionnels, à la fois en tant que causes possibles et remèdes potentiels. Il semble aujourd'hui que les neuropeptides se montreront

24

finalement à la hauteur de nos espérances. Pour des millions de gens souffrant de problèmes extrêmement variés, allant de l'alcoolisme à l'obésité, des douleurs chroniques à la schizophrénie, l'étude des neuropeptides s'avère des plus prometteuses.

Botox ? Non merci !

Il n'y a pas de plus grande joie pour un dermatologue que de voir des effets visibles et immédiats lorsqu'un bon traitement est appliqué à un cas particulier. C'est ce qui m'a motivé tout au long de ma carrière, et qui me pousse encore aujourd'hui à passer de longues heures au laboratoire dans l'espoir de trouver l'ingrédient miracle qui produira de véritables résultats.

Pendant trop longtemps, l'industrie de la beauté et des soins de la peau s'est concentrée sur des détails superficiels — comme l'emballage et le parfum de leurs produits — au lieu de vraiment s'intéresser à leur efficacité. Depuis que j'ai introduit sur le marché des préparations topiques contenant des ingrédients hautement actifs comme l'acide alpha-lipoïque (AAL) et le diméthyla-minoéthanol (DMAE), les marchands ont du mal à les conserver en inventaire tant elles sont en demande. Une nouvelle génération d'hommes et de femmes dicte aujourd'hui les règles du marché ; une génération qui non seulement désire, mais *exige* des produits dont les effets se feront sentir à long terme et qui lui permettront de se garder jeune et active le plus longtemps possible. Je crois que c'est là une excellente chose, car cela force à présent de nombreuses compagnies d'importance à investir dans des recherches orientées vers la résolution des problèmes liés au vieillissement de la peau.

Mais je constate également une mode alarmante qui incite les gens à se tourner vers des chirurgies plastiques lourdes de conséquences (et extrêmement coûteuses) à un âge de plus en plus précoce. Allumez votre téléviseur et vous verrez des jeunes femmes, encore adolescentes, rivaliser entre elles pour obtenir cette chirurgie radicale qui les transformera en clone de l'actrice, du mannequin ou de la chanteuse de l'heure. L'Amérique semble avoir succombé à la folie des transformations extrêmes. Selon un article du *New York Times*, « A Lovelier You, With Off-the-Shelf Parts », écrit par Alex Kuczynski (2 mai 2004), les Américains ont subi 8,3 millions de chirurgies cosmétiques en 2003, une augmentation de douze pour cent par rapport à l'année précédente.

En plus de toutes ces chirurgies, de nouvelles matières de remplissage conçues pour remplir les lignes du visage sont lancées sur le marché prématurément. L'utilisation du Botox, une neurotoxine (*neuro* signifie « nerf » ; *toxine* signifie « poison ») qui paralyse les muscles pour adoucir les rides et les lignes d'expression, est devenue une mode effrénée. Kuczynski rapporte dans son article que les interventions non chirurgicales, comme le recours au Botox, ont augmenté de vingt-deux pour cent par rapport à l'année précédente (soit 6,4 millions d'interventions). Ces produits représentent une solution rapide, mais plusieurs chercheurs ont soulevé la question de leur dangerosité à long terme, question qui demeurera sans réponse pendant encore plusieurs années.

Mon but a toujours été de trouver une solution naturelle aux signes et aux symptômes du vieillissement qui affectent notre visage et notre corps. C'est ce qui m'a amené à développer ce qu'on pourrait appeler une toute nouvelle génération de produits pour la peau et le corps à base de peptides et de neuropeptides.

Renverser le processus de vieillissement

Dans *The Wrinkle Cure* et *The Perricone Prescription*, j'ai présenté un des thèmes majeurs de mes recherches : la relation entre inflammation, maladie et vieillissement. Comme l'inflammation contribue massivement à l'accélération du processus de vieillissement, ce phénomène est rapidement devenu l'un des points centraux de mes recherches. Et nous savons aujourd'hui que les peptides et les neuropeptides jouent un rôle important dans la médiation de l'inflammation.

Pour ceux d'entre vous qui n'ont jamais entendu parler de la relation inflammation — vieillissement, voici un bref résumé :

Le terme *inflammation* couvre un large spectre de phénomènes allant du plus visible, comme un coup de soleil écarlate, à l'invisible. C'est à cette inflammation invisible que je fais allusion lorsque j'utilise le terme *inflammation*. Vous ne pouvez ni la voir ni la sentir. Cette inflammation invisible (aussi appelée micro-inflammation) est présente dans toutes nos cellules et mène ultimement à leur décomposition. Elle est également responsable du processus de vieillissement, et donc de l'apparition des rides et de diverses maladies reliées à l'âge comme la maladie d'Alzheimer, le diabète, le cancer, les maladies cardiaques, l'arthrite et les maladies auto-immunes.

Pour dire les choses simplement, si nous voulons réduire nos risques de développer une maladie reliée à l'âge tout en ralentissant le processus de vieillissement, nous devons apprendre à maîtriser l'inflammation. Et la meilleure façon d'y arriver consiste à intervenir sur deux aspects essentiels de notre mode de vie : *l'alimentation* et le *stress*.

ALIMENTATION ET VIEILLISSEMENT : LE RÔLE DU SUCRE

Il y a plusieurs causes au processus de vieillissement et à l'inflammation, mais je crois personnellement que la principale cause est l'alimentation. Les aliments que nous mangeons peuvent avoir un effet proinflammatoire (ils provoquent une réaction inflammatoire) ou anti-inflammatoire (ils suppriment les réactions inflammatoires). Les aliments proinflammatoires provoquent une rapide hausse du taux de glycémie, entraînant par le fait même la libération d'insuline dans le sang. Les principaux coupables ? Les sucres et les aliments qui sont rapidement transformés en sucre dans le sang, comme les pommes de terre, le pain, les pâtes, le jus, les croustilles et les galettes de riz.

Même si elle est cruelle, nous devons comprendre et accepter cette vérité toute simple de la vie : le sucre peut s'avérer toxique. L'ingestion de sucre cause une hausse du taux de glycémie et une explosion de produits chimiques inflammatoires qui se répandront dans tout l'organisme. Pire encore, d'un point de vue dermatologique, le sucre peut se fixer de façon permanente au collagène présent dans notre peau et dans d'autres parties de notre corps par le biais d'un processus appelé *glycation*. Partout où le sucre se fixe, un mécanisme inflammatoire se met en place, jusqu'à ce que le site devienne une source d'inflammation à proprement parler. Cette inflammation produit des enzymes qui décomposent le collagène et provoquent l'apparition des rides. En plus de créer de l'inflammation, la glycation conduit à la formation de liaisons croisées entre les molécules de collagène, les rendant rigides et inflexibles, un peu comme une paire de bottes en cuir laissée sous la pluie qui devient dure, rigide et cassante.

Mais la glycation de la peau n'est pas notre seul souci. La surconsommation de sucre entraîne la formation de liens protéiniques qui s'accumulent dans l'organisme à mesure que nous vieillissons. Le sucre et les molécules de glucose se « collent » au collagène, mais aussi à nos veines, à nos artères, à nos ligaments, à nos os… et même à notre cerveau ! Ce processus entraîne un raidissement des articulations, un durcissement des artères et la défaillance des organes. Le sucre contribue essentiellement à la détérioration de toutes les fonctions organiques.

Il est facile de voir pourquoi nous devons éviter les aliments qui font augmenter le taux de glycémie. Et c'est pourquoi vous trouverez dans *La Promesse Perricone* d'excellents choix d'aliments, des recettes et des repas qui préviendront l'accélération du vieillissement et l'inflammation.

STRESS ET VIEILLISSEMENT : LE RÔLE DE L'ANXIÉTÉ

Le stress est également un important médiateur de l'inflammation. Il existe deux genres de stress — *physique* et *psychique* — et ils provoquent tous deux de l'inflammation. Le stress physique peut être causé par un traumatisme, une blessure, et même par l'étirement de la peau provoqué par la gravité. Il semblerait en effet que l'étirement de la peau provoqué par la gravité, quand vous vous levez de votre lit, par exemple, pourrait déclencher une réaction inflammatoire au niveau de la peau (mon fils me présente souvent cette excuse pour éviter d'aller à l'école).

Le stress mental ou psychique peut être aussi dommageable que le stress physique. Quand vous êtes stressé (quelle qu'en soit la cause), vous produisez des neuropeptides qui ont un effet négatif sur votre cerveau en déclenchant la production de cortisol, une hormone qui peut avoir des conséquences graves pour votre santé si elle est produite en trop grande quantité.

Le cortisol est produit par les glandes surrénales, situées au-dessus des reins. Le cortisol est nécessaire à l'organisme lorsque celui se retrouve dans une situation où son intégrité physique est menacée en lui permettant de survivre grâce à ce qu'on appelle la réaction de lutte ou de fuite. La libération de cortisol envoie aux muscles le carburant dont ils ont besoin pour passer à l'action. Le cortisol est une hormone de dernier recours à laquelle notre organisme fait appel lorsqu'il se retrouve dans une situation désespérée.

Mais à long terme, la circulation dans l'organisme d'un taux élevé de cortisol s'avère extrêmement toxique pour nos organes. Le cortisol détruit les cellules du cerveau, hausse le taux de glycémie (augmentant par le fait même les risques de diabète), affaiblit le système immunitaire (nous rendant plus vulnérables aux infections et au cancer), fait augmenter la pression artérielle, décalcifie les os et amincit la peau.

Plus vous subissez de stress, plus grande est la quantité de cortisol produite par l'organisme. Ces neuropeptides et ces hormones du stress envoient également un message au système immunitaire pour lui dire d'arrêter carrément de fonctionner. Les mêmes neuropeptides envoient par la suite des signaux à la peau et déclenchent une réaction inflammatoire. En fait, plus vous êtes stressé, plus les risques d'inflammation sont élevés dans une partie ou une autre de votre organisme.

Par chance, les deux principales causes de l'inflammation — l'alimentation et le stress — sont également les plus faciles à maîtriser. Dans *La Promesse Perricone*, vous découvrirez de nombreuses stratégies qui vous aideront à supprimer la libération des neuropeptides proinflammatoires (les « méchants ») tout en stimulant la production des neuropeptides anti-inflammatoires (les « bons »).

- Première étape. Il sera d'abord question d'alimentation et des toutes dernières recherches sur les aliments anti-inflammatoires. Vous apprendrez, par exemple, comment utiliser un système de couleurs pour choisir les aliments anti-inflammatoires qui décuplent l'action des peptides.

- Deuxième étape. Vous apprendrez quels sont les suppléments alimentaires qui ont une action anti-inflammatoire significative et découvrirez des aliments qui contiennent de grandes quantités de polysaccharide (peptide), une substance ayant un grand potentiel pour la peau, le corps et le cerveau.

- Troisième étape. Il sera question des produits à usage topique tirant profit des dernières découvertes en matière de lutte contre le vieillissement et l'inflammation. Au cours des vingt dernières années, les chercheurs se sont penchés sur le rôle crucial d'un petit fragment de protéine appelé peptide thymique, aux effets anti-inflammatoires, anti-vieillissement, curatifs et anticarcinogènes. Vous apprendrez quels sont les produits topiques qui contiennent ces substances bénéfiques et comment les appliquer pour en tirer le maximum de profit.

Pour comprendre pourquoi les peptides et les neuropeptides jouent un rôle crucial dans le processus anti-inflammatoire/anti-vieillissement, lisez le chapitre suivant. Il vous aidera à comprendre pourquoi et comment les aliments, les suppléments alimentaires et les topiques que je vous recommande amélioreront votre apparence et votre santé. Entre-temps, je vous encourage fortement à entreprendre sans plus tarder la première étape afin de mettre fin dès aujourd'hui au vieillissement prématuré de votre corps et de votre esprit.

Les données de la science

La science est une lumière à nulle autre pareille, et l'allumer quelque part, c'est l'allumer partout.

— Isaac Asimov

D'où viennent les peptides et les neuropeptides ? Ce chapitre vous donnera un aperçu des organes et des systèmes qui produisent les peptides et les neuropeptides, vous présentera un ou deux peptides très prometteurs au point de vue thérapeutique, et vous mettra en garde contre un autre peptide qui s'est avéré être la source de plusieurs maux et maladies dégénératives affectant notre corps et notre esprit.

Comme je l'ai mentionné au chapitre 1, les peptides et les neuropeptides circulent dans notre corps au sein d'un vaste réseau de communication, fort élaboré et très efficace, dont la complexité excède de beaucoup nos technologies les plus sophistiquées. Ces messagers sont extrêmement importants. Ils nous ont appris que les principaux neurotransmetteurs, comme la sérotonine, la dopamine et la norépinéphrine, ne sont pas les seuls responsables des changements qui affectent notre humeur et notre cerveau. Si les neurotransmetteurs procèdent à un réglage de précision, les neuropeptides procèdent à un réglage encore *plus* précis. Nous savons également que ce vaste réseau intercellulaire, constitué du système endocrinien et du système nerveux, règle la vitesse à laquelle notre cerveau, notre peau et nos organes vieillissent.

C'est pourquoi *La Promesse Perricone* est si passionnante. Une fois que nous avons découvert la cause d'un phénomène, nous pouvons planifier une intervention thérapeutique. Bien sûr, il n'y a pas de remède contre le vieillissement. Mais comme pour la plupart des autres maladies dégénératives, nous pouvons faire tout ce qui est en notre pouvoir pour ralentir ses effets destructeurs. C'est ce que vous faites en suivant le programme en trois étapes présenté dans ce livre : vous utilisez tous les outils disponibles (certains aussi vieux que les aliments et d'autres aussi récents que les extraits thymiques) afin de combattre les ennemis de votre organisme.

Mettre la machine en mouvement

Comme je le disais, certains messagers agissent comme des neurotransmetteurs, et d'autres comme des hormones. Les organes qui produisent des hormones sont appelés glandes endocrines. (Même si le cerveau et les reins produisent des hormones, ils ne sont pas considérés comme des organes endocriniens étant donné que cette activité ne constitue qu'une infime partie de leur fonction.) En grec, *hormone* signifie « mettre en mouvement » ; les hormones sont produites par les glandes endocrines pour régler ou « mettre en mouvement » les autres parties du corps.

Le système endocrinien travaille main dans la main avec le système nerveux. En fait, le système endocrinien et le système nerveux sont si étroitement liés qu'il serait plus adéquat de parler d'un unique système *neuroendocrinien*, responsable de plusieurs tâches fondamentales :

- Maintenir la stabilité des constantes physiologiques (ou homéostasie) (alimentation, métabolisme, excrétion et équilibre sel/eau).
- Réagir aux stimuli externes.
- Réguler la croissance, le développement et la reproduction.
- Produire, utiliser et emmagasiner de l'énergie.

Le système neuroendocrinien est conçu pour protéger l'organisme contre les menaces externes et internes. Les hormones responsables d'accomplir cette tâche sont appelées hormones du stress.

SURVIVRE POUR CONTINUER LA LUTTE…

Notre organisme produit deux types d'hormones : les stéroïdes et les peptides.

Les *hormones stéroïdiennes* comme la testostérone, l'estrogène et le cortisol sont produites par le cortex surrénal, les ovaires et les testicules. Ces hormones sont associées à la reproduction et contribuent par le fait même à assurer la survie des espèces.

Les *peptides*, dans lesquels baigne l'hypophyse, sont fabriqués par les cellules nerveuses de l'hypothalamus (la partie du cerveau chargée de réguler la sécrétion des hormones). Le thymus produit également des hormones ressemblant aux peptides, chargées de déclencher une cascade de réactions chimiques produisant divers effets dans l'ensemble de l'organisme. Ces hormones facilitent le fonctionnement de tous les organes.

Hanté par les hormones de la « mort »

Notre système neuroendocrinien est mis à rude épreuve dans le monde d'aujourd'hui. Non seulement il sert de fondement à notre vie émotive, mais il doit également faire face aux menaces venant de l'extérieur. Le système neuroendocrinien nous affecte avant même que nous ne venions au monde : le stress subi par la mère au cours de la grossesse pourrait en effet avoir un effet sur la formation de l'axe hypothalamus-hypophyse. Les expériences vécues durant l'enfance peuvent affecter la façon dont nous nous comporterons plus tard, et c'est le système hormonal qui va en payer le prix. Les enfants qui grandissent au sein d'une famille dysfonctionnelle peuvent devenir des « accros à l'adrénaline » qui essaieront plus tard de reproduire les situations et les charges émotives qu'ils ont connues au cours de leur enfance afin de retrouver cette hausse du taux d'adrénaline et de cortisol dans le sang. Les personnes qui affichent un taux d'adrénaline et de cortisol chroniquement élevé risquent de souffrir de maladies auto-immunes, de pertes de mémoire, de fatigue chronique et de différents cancers, et vieilliront prématurément.

En vieillissant, la sécrétion et l'efficacité de plusieurs hormones diminuent (quand on les compare unité par unité) à mesure que les récepteurs cellulaires qui acceptent les hormones individuelles deviennent de moins en moins réceptifs. Malheureusement, cette diminution touche les hormones de « jeunesse » (hormones de croissance, stéroïdes sexuels), alors que les hormones de « mort » continuent à augmenter. De plus, les perturbateurs endocriniens omniprésents — comme les produits chimiques, les pesticides et les plastiques — peuvent, en se liant entre eux, cibler les récepteurs cellulaires et bloquer l'accès aux hormones.

À mesure que le niveau de stress augmente, le taux d'hormones de mort augmente simultanément, causant des dommages à l'ensemble de l'organisme qui entraîneront un chaos émotionnel, des pertes de mémoire, un gain de poids, et bien sûr, une augmentation de l'inflammation. Le simple fait de boire une tasse de café peut faire augmenter le taux de cortisol et le maintenir à un niveau élevé tout au long de la journée. Une surabondance de cortisol peut produire des dommages biologiques importants et une accélération du processus de vieillissement. Vous vous disputez avec votre époux en prenant votre café du matin, vous avez une crise de rage au volant en vous rendant au travail, et vous voilà anxieux, distrait, déprimé et prêt à prendre quelques kilos au cours des vingt-quatre prochaines heures !

La cavalerie à la rescousse !

L'une des façons pour notre organisme de contrecarrer les dommages causés par les hormones du stress et notre comportement (une mauvaise alimentation, un excès de caféine, le manque de sommeil ou d'exercice) consiste à réparer le système immunitaire.

Situé derrière le sternum, entre les deux poumons, se trouve le *thymus*, la glande maîtresse, le super-héros du système immunitaire. Malgré sa petite taille, il ne peut être question de la santé de notre organisme, qu'il soit soumis à un stress intense ou non, sans que soit abordée la question du thymus. Cette glande, longtemps négligée par les scientifiques, a commencé à attirer l'attention des chercheurs au cours des années 80, lorsqu'il est devenu évident qu'elle était en fait la clé d'un système immunitaire en santé.

Le thymus produit des peptides thymiques et des hormones thymiques. Les peptides thymiques :

- Sont directement responsables de la maturation des cellules T (globules blancs activés par le thymus jouant un rôle majeur dans la réponse immunitaire de l'organisme).
- Influencent directement les autres fonctions immunitaires, comme la production d'anticorps.
- Jouent un rôle fondamental pour une intégration et une interaction adéquates des systèmes immunitaire, endocrinien et nerveux.

MÉNOPAUSE THYMIQUE

Le thymus continue à se développer après la naissance et atteint sa taille maximale durant la puberté. Après la puberté, on observe un rétrécissement graduel du thymus, phénomène appelé *involution*. Vers l'âge de trente ans, le thymus a généralement perdu les deux tiers de sa masse et 90 % de son contenu en cellules T. À soixante ans, les tissus qui composaient le thymus ont presque entièrement disparu, menaçant potentiellement l'intégrité du système immunitaire vieillissant.

Cet inévitable affaiblissement naturel du système immunitaire est appelé *immunosenescence*. Il s'agit d'une « ménopause thymique » qui affecte autant les hommes que les femmes et qui augmente notre vulnérabilité aux infections, aux maladies auto-immunes et au cancer.

Les promesses anti-vieillissement des peptides thymiques

Le thymus est l'organe qui régule, un peu comme un thermostat, le système immunitaire. Lorsque des envahisseurs étrangers sont identifiés, comme une infection, une tumeur, une bactérie ou un virus, la production de peptides thymiques augmente. Elle est ramenée à la baisse pour prévenir les maladies auto-immunes (lorsque les moyens de défense de l'organisme se retournent contre celui-ci).

Le vieillissement étant une maladie dégénérative progressive, j'ai mené une recherche approfondie sur le thymus afin de voir comment il pourrait renverser plusieurs signes du vieillissement :

- Des études ont démontré les effets bénéfiques des extraits liquides de thymus sur la structure et le fonctionnement du foie chez les animaux vieillissants. De plus, le fonctionnement du foie et de la rate des animaux traités ne s'est pas détérioré avec le temps.
- Des études parallèles ont démontré que les peptides thymiques font baisser le taux d'acides gras oxydés dans les tissus du cerveau et de la rate chez les animaux adultes, améliorant de beaucoup leur longévité.
- Nous savons également que les hormones du thymus améliorent la qualité et la quantité des cellules T, ces dernières étant responsables de la sécrétion des hormones de croissance humaines (HGH pour *human growth hormone*). Les peptides thymiques amènent également l'hypophyse à libérer davantage d'HGH. L'hormone de croissance humaine est la véritable hormone de « jeunesse ». Elle répare les muscles, augmente la vitalité des organes et fait baisser le taux de cortisol, aussi appelé hormone du stress. Il serait souhaitable que l'organisme produise davantage d'HGH, mais plusieurs questions demeurent sans réponse quant aux effets secondaires et aux dangers d'une administration directe d'HGH dans l'organisme. Des études ont démontré qu'il était pour l'instant préférable d'utiliser des peptides thymiques pour amener l'hypophyse à libérer davantage d'HGH.

La conclusion va de soi : *non seulement les peptides thymiques améliorent l'immunité, ils ralentissent et même renversent le processus de vieillissement des organes.*

Les promesses thérapeutiques des extraits thymiques

La découverte que les peptides thymiques ont une influence directe sur le fonctionnement du système immunitaire a mené les scientifiques à se demander comment ils pourraient les extraire et les utiliser pour traiter les problèmes de type immunitaire. De nombreux tests effectués sur des animaux et un nombre restreint d'essais cliniques ont produit des résultats extrêmement prometteurs, qui ont persuadé la plupart des chercheurs du potentiel des extraits de thymus pour le traitement d'une multitude d'affections :

- Maladies auto-immunes (comme le lupus et l'arthrite rhumatoïde).
- Cancers (sein, poumon, larynx, tête/cou, leucémie, lymphomes hodgkiniens et non hodgkiniens).
- Infections chroniques (virales, fongiques, parasitaires).
- Dommages à la cornée.
- Hépatite B et affections du foie.
- Herpès simplex et zoster.
- Immunodéficience (comme le SIDA).
- Maladies inflammatoires de la peau (comme le psoriasis et l'eczéma atopique).
- Infections postchirurgicales.
- Infections respiratoires.
- Allergies respiratoires graves et chroniques.

Ils peuvent également accélérer le processus de cicatrisation, et il semble qu'ils pourraient améliorer l'efficacité de la radiothérapie et de la chimiothérapie et même en réduire les effets secondaires.

Étant donné qu'une ride est essentiellement une blessure, les extraordinaires propriétés curatives des peptides thymiques m'ont incité à explorer dans quelle mesure nous pourrions les utiliser pour renverser plusieurs signes du vieillissement. Comme toujours, j'ai abordé ce problème d'un point de vue holistique, d'abord pour voir quels sont leurs effets systématiques quand on les administre par voie interne, mais aussi pour examiner les effets d'une préparation topique à base de peptides.

Les résultats obtenus sont dans l'ensemble très encourageants, quel que soit le mode d'administration, et c'est pourquoi j'ai décidé de développer un programme nutritionnel ainsi qu'une ligne de suppléments à base de peptides thymiques (nous y reviendrons plus loin). L'histoire de Catherine illustre bien le pouvoir des peptides thymiques.

L'histoire de Catherine

Si vous désirez savoir dans quelle mesure la bonification du fonctionnement des peptides thymiques peut améliorer votre apparence et votre sentiment de bien-être, prenez en considération l'histoire de Catherine.

J'ai rencontré Catherine pour la première fois durant la semaine de la mode à New York. Même si nous étions au début de l'automne, la température se maintenait légèrement au-dessus des trente degrés. Le parc Bryant était entièrement recouvert de tentes, ce qui lui donnait un petit air de foire médiévale.

J'avais préparé une trousse de survie à l'usage des mannequins et des designers comprenant des petites boîtes de saumon, des noix, des bleuets et de l'eau de source, et plusieurs d'entre eux vinrent me remercier au cours de la journée. C'est ainsi que je fis la connaissance de Catherine qui, ce jour-là, même si elle était extrêmement belle, avait l'air vraiment exténuée. Je lui suggérai de faire une pause et lui tendis une bouteille d'eau.

« Merci, Dr Perricone, me dit-elle en acceptant de bonne grâce une place à l'abri du soleil. Je ne sais pas comment je vais faire pour tenir toute la journée ! J'ai l'impression que je pourrais dormir pendant toute une semaine », ajouta-t-elle cherchant ses cigarettes d'un geste nerveux.

Comme bien des mannequins, Catherine fumait comme une cheminée et buvait des litres de café. Elle brûlait la chandelle par les deux bouts, comme on dit, allant de soirée en soirée, d'une boîte de nuit à l'autre comme la plupart des gens de son métier. « D'habitude, je ne manque jamais d'énergie, me confia-t-elle. Mais je ne sais pas comment je vais faire pour tenir jusqu'à la fin de la semaine. Pire encore, on dirait que je ne peux faire deux pas sans attraper le rhume ou la grippe ou faire une crise d'allergie. »

Le fait de fumer, d'être stressée, de boire trop de café et de manquer de sommeil contribuait à maintenir en circulation dans le sang de Catherine un taux élevé de cortisol. On aurait dit qu'elle faisait tout son possible pour perturber le fragile équilibre de son système neuroendocrinien. Catherine semblait carburer uniquement à l'adrénaline.

Je lui expliquai qu'il n'était pas nécessaire de lui rappeler les risques à long terme associés à son mode de vie, mais je continuai en disant qu'elle pouvait commencer immédiatement à neutraliser ces effets négatifs. Même si je ne pus la convaincre d'arrêter de fumer sur-le-champ, elle accepta de réfléchir à une façon de diminuer sa consommation de café et de cigarettes.

Pour l'instant, je lui suggérai de dormir davantage. « Le simple fait de dormir plus longtemps vous procurera l'énergie dont vous aurez besoin au cours de la semaine », lui dis-je.

Compte tenu de l'importance du sommeil, il est essentiel que vous fassiez tout votre possible pour améliorer vos habitudes de sommeil. Si quelques verres d'alcool au cours de la soirée vous rendent somnolent, ce même alcool va rapidement précipiter une explosion de norépinéphrine, une hormone qui augmente l'excitation et le stress. Quelques heures après avoir consommé de l'alcool, il se produit en effet une explosion de norépinéphrine qui vous fait aussitôt reprendre conscience. C'est exactement ce que vivait Catherine : lorsqu'elle sortait le soir, elle buvait deux ou trois « cosmopolitains », s'endormait, puis se réveillait quelques heures plus tard, après une mauvaise nuit de sommeil.

« La consommation de caféine en fin d'après-midi et au cours de la soirée peut également interférer avec vos habitudes de sommeil, lui dis-je. De plus, avant d'aller au lit, vous devriez éviter de manger des aliments qui font rapidement augmenter votre taux de glycémie ; cela perturbe la production des hormones de croissance, vous privant ainsi de ces hormones anti-vieillissement essentielles. Et si vous faites de l'exercice le soir, assurez-vous d'en faire au moins quatre heures avant de vous mettre au lit. » Catherine reconnut qu'elle ne pouvait s'empêcher de danser quand elle sortait le soir. Pas étonnant qu'elle eut l'air aussi fatigué !

Je ne voulais pas empêcher Catherine de boire, de faire la fête ou de danser, mais je lui expliquai qu'il était préférable de ne pas s'adonner à ces activités tous les soirs.

Pour être en mesure de neutraliser les effets négatifs de ses mauvaises habitudes, je fis promettre à Catherine qu'elle mangerait tous les jours une salade au saumon et qu'elle essaierait de suivre le programme de vingt-huit jours de La Promesse Perricone, même si je savais que cela était peu réaliste. Je lui donnai également une boîte contenant des échantillons de mes produits et de mes suppléments pour la peau, car je savais qu'elle n'oublierait pas de les prendre. Elle était particulièrement enthousiaste à l'idée d'essayer les suppléments à base de peptides thymiques, qui devaient servir à équilibrer et réguler les divers systèmes de son organisme qu'elle malmenait si activement. Comme j'avais spécialement conçu ces suppléments pour soutenir la fonction immunitaire, j'étais convaincu qu'ils rendraient Catherine moins vulnérable au rhume, à la grippe et aux allergies.

Environ un mois plus tard, je tombai sur Catherine lors d'une soirée de collecte de fonds. Je fus aussitôt impressionné de voir à quel point elle avait l'air en santé. « Dr Perricone, me dit-elle, je veux vous remercier. Je me sens merveilleusement bien. Je n'ai pas été malade, je déborde d'énergie et mieux encore, je me suis

> *débarrassée de mon stress et de mon anxiété. » Catherine prenait fidèlement ses vitamines et ses suppléments à base de peptides thymiques et sentait qu'ils avaient vraiment fait une différence dans sa vie. Elle n'avait abandonné ni la cigarette ni le café, mais elle en consommait beaucoup moins qu'avant, sans compter qu'elle se souciait davantage de son alimentation. « J'aime bien boire un cosmopolitain à l'occasion, dit-elle en s'esclaffant, mais je dors beaucoup mieux maintenant. »*

Notre organisme est réglé avec une grande précision afin de se maintenir en équilibre, et je crois que les peptides et les neuropeptides, dans une préparation adéquate, peuvent nous aider à maintenir ce fragile équilibre. Les peptides thymiques semblent tout particulièrement prometteurs ; ils stimuleraient le système immunitaire, accéléreraient le processus de cicatrisation, préviendraient de nombreuses maladies et ralentiraient le vieillissement.

Et maintenant la mauvaise nouvelle...

Les éléments chimiques à l'intérieur de notre corps, qu'il s'agisse des neuropeptides, des peptides, des neurotransmetteurs ou des hormones, peuvent produire des effets contraires, parfois positifs, parfois négatifs. Prenez par exemple l'estrogène. L'estrogène nous aide à conserver une peau souple et en santé, et des os solides. Toutefois, un surplus d'estrogène peut aggraver les symptômes du syndrome prémenstruel, qui vont des maux de tête et de la rétention d'eau aux migraines et à la fatigue, des sautes d'humeur et de l'irritabilité aux pensées suicidaires et aux tendances homicides.

Cela est également vrai des peptides et des neuropeptides qui peuvent produire soit des effets proinflammatoires, soit des effets anti-inflammatoires dans l'organisme. L'un de ces neuropeptides, connu sous le nom de *Substance P*, est présent dans plusieurs organes du corps et joue un rôle important dans le bon déroulement de nombreuses fonctions physiques et mentales. La Substance P est bénéfique, car elle contribue à la dilatation des vaisseaux sanguins et à la contraction des intestins et des autres muscles lisses, et joue un rôle dans la production de la salive et de l'urine. Mais on peut également la considérer comme une substance nuisible dans la mesure où elle déclenche l'inflammation cutanée responsable des rides et de l'acné. Pire encore, la Substance P est directement liée à des sujets d'inquiétude apparemment sans rapport entre eux, comme le vieillissement, la dépression, l'obésité, l'alcoolisme et la douleur chronique.

La Substance P fut découverte dans les années 30, mais à l'époque les scientifiques n'avaient aucune idée de son rôle. Ce n'est que des années plus tard qu'on découvrit que la Substance P était impliquée dans la transmission des impulsions associées à la douleur. En fait, on se rendit compte que la Substance P créait une sorte de système de transmission de la douleur chronique entre la moelle épinière et le cerveau. La Substance P est également libérée par certaines terminaisons nerveuses de la peau, et c'est pourquoi vous ressentez de la douleur lorsque vous subissez un traumatisme cutané.

Lorsque la Substance P est libérée dans la peau, elle transmet non seulement des signaux de douleur, mais elle déclenche également une cascade inflammatoire dans l'ensemble de l'organisme. Au chapitre 7, vous découvrirez comment les effets nuisibles de la Substance P affectent votre peau. Pour l'heure, examinons comment le couple Substance P/cerveau amène certaines cellules cérébrales vitales à se détraquer.

44

LA SUBSTANCE P ET LE LIEN CERVEAU-BEAUTÉ

La Substance P est synthétisée et libérée par plusieurs organes, y compris le cerveau. La libération de Substance P dans le cerveau ne peut provoquer de douleur. Cela s'explique facilement : le cerveau est dépourvu de récepteurs de douleur. En fait, il est même possible de procéder à une intervention chirurgicale dans le cerveau sans anesthésie. Toutefois, la libération de Substance P va provoquer des douleurs *psychiques*. Cette douleur psychique ou mentale se manifeste sous la forme d'anxiété et de dépression. Des scientifiques ont administré de la Substance P à des volontaires de façon à ce que leur niveau de Substance P passe au-dessus de la normale. Les volontaires ont rapporté s'être sentis anxieux et déprimés tout de suite après qu'on leur eut administré ce neuropeptide.

La Substance P est impliquée dans la perception du plaisir et de la douleur. Des études ont démontré qu'une réduction de la Substance P réduisait le stress qui mène à la douleur. Si vous réduisez le stress, vous réduisez l'inflammation. Si vous réduisez l'inflammation, vous ralentissez le processus de vieillissement. Mais ce n'est pas tout.

Des recherches menées par Stephen P. Hunt du University College de Londres, montrent que la Substance P est présente dans certaines parties du cerveau associées aux propriétés motivationnelles de diverses « récompenses » réconfortantes comme la nourriture et les drogues récréatives. Réduisez la quantité de Substance P, et vous réduisez le besoin impérieux d'avoir recours à ces récompenses qui détruisent notre santé, nous perturbent sur le plan émotionnel, et nous font sentir et paraître beaucoup plus vieux que nous ne le sommes en réalité.

L'INCROYABLE CERVEAU QUI RÉTRÉCIT

La libération de Substance P est accompagnée d'une surproduction d'acides aminés, comme le glutamate et l'aspartate, qui entraîne à son tour un processus appelé *excitotoxicité*. Le glutamate est un neurotransmetteur essentiel pour l'apprentissage et le bon fonctionnement de notre mémoire à court et à long terme. Le glutamate est généralement présent en très petite quantité dans le fluide extracellulaire. Quand la concentration de glutamate augmente de façon alarmante, les neurones (les cellules du cerveau) se mettent à se comporter de façon anormale. Lorsque la concentration devient trop élevée, les cellules se mettent littéralement à mourir d'excitation, d'où le nom excitotoxicité. La mort de ces cellules peut causer divers troubles neurodégénératifs, comme la SLA (communément appelée maladie de Lou Gehrig) et la maladie d'Alzheimer.

LES ADDITIFS, LES ÉDULCORANTS ET L'EXCITOTOXICITÉ

Un groupe de composés chimiques appelés excitotoxines jouent un rôle majeur dans le développement de plusieurs troubles neurologiques, comme les migraines, les crises nerveuses, les infections, le développement anormal des neurones, certains troubles endocriniens, les troubles neuropsychiatriques, les problèmes d'apprentissage chez les enfants, la démence du SIDA, les épisodes de violence, la borréliose de Lyme, l'encéphalopathie hépatique, certains types d'obésité, et plus spécifiquement, de certaines maladies neurodégénératives, comme la sclérose latérale amyotrophique (SLA), la maladie d'Huntington et l'atrophie olivo-ponto-cérébelleuse. Les nombreuses

preuves cliniques et expérimentales accumulées au cours de la dernière décennie viennent étayer ces découvertes. Pourtant le danger immédiat et à long terme que représente pour le public l'utilisation de ces excitotoxines, comme le glutamate monosodique (MSG), les protéines végétales hydrolysées et l'aspartame, dans la préparation de nos aliments passe complètement inaperçu.

La quantité de neurotoxines ajoutée dans nos aliments a énormément augmenté depuis leur introduction. Ces substances, généralement des acides aminés, réagissent avec les récepteurs spécialisés du cerveau de façon à provoquer la destruction de certains types de neurones. Le glutamate, le neurotransmetteur le plus couramment utilisé par notre cerveau, est également l'une des excitotoxines les plus couramment utilisées par l'industrie alimentaire (le tristement célèbre glutamate monosodique). Vous devriez donc éviter les produits qui contiennent du MSG ou d'autres additifs comme l'aspartame, les extraits de levure, les protéines texturisées et les extraits de protéine de soya, qui doivent tous être considérés comme des excitotoxines. Quelle est la meilleure façon d'y arriver ? Achetez des aliments naturels et préparez-les en ajoutant vos propres herbes et épices.

On sait que l'excitotoxicité qui découle de la libération conjointe de la Substance P, une cause connue de la dépression, et du glutamate, a de nombreux effets négatifs sur les cellules de notre cerveau. La surexcitation des neurones et la dépression qui s'ensuit provoquent non seulement la mort des cellules cérébrales, mais aussi le *rétrécissement* de notre cerveau. Chaque fois que nous sommes stressés, que ce soit parce que nous nous sommes disputés avec notre conjoint ou à cause de notre situation financière, la

Substance P est libérée dans le cerveau, avec tous les effets désastreux que cela comporte.

Et maintenant la bonne nouvelle

Avec toutes ces mises en garde contre les effets néfastes de cette vilaine Substance P, vous vous demandez sûrement ce que votre organisme peut faire pour les contrer. C'est exactement ce dont il sera question dans les dernières pages de ce chapitre et tout au long de ce livre. Une étude est d'ailleurs en cours à ce sujet, et je peux déjà vous indiquer ce que vous devriez faire pour réduire les effets néfastes de la Substance P.

Réducteurs de l'excitotoxicité. Nous savons aujourd'hui que les antidépresseurs peuvent réduire l'excitotoxicité provoquée par la Substance P. On a récemment découvert que plusieurs nutriments, comme le pycnogénol, l'acétyl-L-carnitine et un mélange de coenzyme Q10 et de niacinamide, réduisaient l'excitotoxicité de manière significative. Des expériences préliminaires sur les inhibiteurs de la Substance P dans le cerveau ont montré qu'il est possible de réduire l'anxiété sans avoir recours aux tranquillisants actuels dont les effets secondaires sont bien connus. D'autres essais cliniques sur les inhibiteurs de la Substance P ont également démontré qu'ils étaient parfois plus efficaces que les antidépresseurs traditionnels, comme le Prozac et le Paxil, dans le traitement de certains cas de dépression.

Inhibiteurs de la Substance P. Plusieurs chercheurs travaillent aujourd'hui sur les éléments chimiques capables d'inhiber ou de supprimer des taux élevés de Substance P. L'un de ces inhibiteurs est déjà couramment utilisé : la capsicine, l'ingrédient qui donne du piquant aux piments forts. La capsicine est un inhibiteur naturel de la Substance P, qui peut être consommée sous forme de suppléments ou d'aliments (piments forts, salsa et autres aliments similaires), ou appliquée localement. La crème de capsicine peut aussi être utilisée

48

pour soulager la douleur chronique associée au zona et à l'inflammation qui accompagne l'acné et l'eczéma. Ce n'est pas la panacée, mais plusieurs patients la trouvent très utile. Voir le chapitre 4 pour plus d'information sur la capsicine.

Réduction du stress. Comme vous venez de le voir dans les deux précédents chapitres, un taux élevé de stress fait augmenter la production d'hormones et de neuropeptides nuisibles, y compris celle de la Substance P. Pour neutraliser ce processus, vous devez d'abord trouver une façon de combattre le stress. Essayez d'adopter un programme d'exercices physiques modérés. Presque tous les exercices physiques réduisent significativement l'inflammation au niveau cellulaire. Et rien de mieux pour se détendre qu'un peu d'exercice. Mais rappelez-vous que la modération est la clé du succès. Les exercices physiques qui demandent une grande dépense d'énergie ont un effet proinflammatoire sur l'organisme. Vous devriez également prendre le temps durant la journée (préférablement le soir avant d'aller au lit) de relaxer et de méditer. Profitez de l'occasion pour chasser de votre esprit tous les détails de la journée — bons ou mauvais — ou pour prier, si vous êtes croyant. Le fait d'avoir un animal domestique, affectueux et sans préjugés, est également une merveilleuse façon de se libérer du stress. Ces simples gestes amélioreront grandement votre qualité de vie.

Neuropeptide Y. Les scientifiques cherchent actuellement une façon de stimuler la production du Neuropeptide Y, aussi appelé le peptide « calme et courageux ». Lorsque le Neuropeptide Y est libéré dans le cerveau, il inhibe l'anxiété et la dépression, et peut même creuser l'appétit et améliorer la mémoire. Le Neuropeptide Y contribue également à la constriction des vaisseaux sanguins, à la régulation de la température du corps et de la pression artérielle, et à la libération des hormones sexuelles.

Une découverte qui a particulièrement intrigué les médecins découle d'une étude sur le syndrome de stress post-traumatique (SSPT). Les chercheurs ont noté que le SSPT est quasiment inconnu chez les corps d'élite — comme les SEAL, les Rangers et les autres forces d'intervention spéciale — qui sont pourtant appelés à vivre régulièrement des situations extrêmes sur le plan physique, mental et émotionnel. Apparemment, les soldats qui font partie de ces corps d'élite ont un taux élevé de Neuropeptide Y dans leur système nerveux central. Et même si le stress physique et psychologique peut réduire significativement ce taux, on observe que celui-ci revient rapidement à la normale après chaque période de stress. Ce qui *n'est pas* le cas pour les soldats de l'armée régulière, qui sont beaucoup plus susceptibles de souffrir du SSPT. Les scientifiques croient que ce taux élevé de Neuropeptide Y permet aux soldats d'élite de résister au SSPT et de faire preuve d'un calme et d'un courage remarquables sur le champ de bataille.

De toute évidence, le Neuropeptide Y produit des effets contraires à ceux de la Substance P dont des niveaux élevés sont associés à l'anxiété, à la dépression, à la peur et à la nervosité. Par chance, les mêmes éléments qui inhibent la Substance P font aussi grimper le taux de Neuropeptide Y. Étant donné qu'il faut être un « super-soldat » pour affronter le monde d'aujourd'hui, *La Promesse Perricone* vous présente dans les chapitres suivants des stratégies qui vous aideront à maintenir un taux élevé de Neuropeptide Y tout en inhibant les surplus de Substance P.

Les neuropeptides : l'ADN de la conscience ?

Je ne peux m'empêcher d'être emballé quand je pense à tout ce que les neuropeptides ont encore à nous apprendre. Reste à voir combien de temps nous mettrons à percer le mystère des neuropeptides, et à travers eux, celui du cerveau, de la personnalité et de la conscience.

L'utilisation des neuropeptides s'est énormément diversifiée au cours des dernières années — ils ne servent plus uniquement d'analgésiques ou de médicaments pour la mémoire, les sensations, l'appétit et les émotions — et les scientifiques ont aujourd'hui

50

compris l'immense tâche qui les attend : déchiffrer les codes de la conscience. Depuis que les neuropeptides se sont avérés l'équivalent neurobiologique de l'ADN, les chercheurs ont entrevu l'incroyable potentiel de cette double hélice d'acides aminés présente dans le cerveau et le système nerveux central. Ces éléments chimiques, comme l'ont finalement reconnu les scientifiques, ne sont pas simplement un artéfact découlant de nos pensées, de nos sensations ou de nos émotions ; les neuropeptides *sont* nos pensées, nos sensations et nos émotions. Nous assistons à l'ultime clarification du célèbre argument de Descartes : « Mon cerveau est rempli de neuropeptides, donc je suis. »

Des recherches prometteuses sont en cours, et je suis convaincu que plus nous en apprendrons sur les neuropeptides, plus nous serons en mesure d'améliorer notre mémoire, notre longévité et notre bien-être émotionnel.

Les neuropeptides ont commencé à nous livrer certains de leurs secrets, et ceux-ci sont aujourd'hui à la base du programme de vingt-huit jours de *La Promesse Perricone*. Dans la deuxième partie de ce livre, il sera question de nouvelles découvertes sensationnelles sur les aliments, les suppléments et les crèmes à usage local qui vous aideront à avoir l'air plus jeune et à être plus en santé au cours des nombreuses années à venir.

LES TROIS ÉTAPES

Les concepts fondamentaux présentés dans ce livre — comme l'existence d'un lien entre l'inflammation, le vieillissement et la maladie — sont les mêmes que ceux dont je vous parle depuis des années. La différence, c'est que *La Promesse Perricone* va plus loin que jamais pour mettre à jour les racines du processus inflammatoire : le rôle joué par les peptides et les neuropeptides. Ce livre propose donc une approche holistique contre le vieillissement, car il ne s'agit pas seulement d'avoir l'air plus jeune, mais aussi de vivre plus longtemps.

La meilleure façon de cibler ces peptides et ces neuropeptides, et ainsi de réduire leurs effets négatifs et de renforcer leurs effets positifs, consiste à s'attaquer au problème sous tous ses angles, soit de l'extérieur vers l'intérieur et de l'intérieur vers l'extérieur.

Bien sûr, cela commence par votre alimentation. La façon dont vous vieillissez dépend en grande partie de ce que vous mangez, car les aliments que vous consommez peuvent soit inhiber, soit favoriser l'inflammation. Les chapitres 3, 4 et 5 vous aideront à choisir les meilleurs aliments (et dix super-aliments !) pour réduire l'inflammation et rajeunir votre peau et votre corps.

Au chapitre 6, vous découvrirez des suppléments alimentaires qui vous aideront à fourbir vos armes contre le vieillissement : les polysaccharides. L'utilisation des polysaccharides est une nouvelle façon de stimuler la production d'énergie au plus profond de votre organisme, soit au niveau des cellules elles-mêmes. Le chapitre 7

52

continue sur la même lancée en vous présentant des suppléments alimentaires multifonctions et extrêmement efficaces qui feront augmenter votre taux de peptides et de neuropeptides anti-inflammatoires, les armes naturelles de votre organisme contre le vieillissement.

Le dernier chapitre de cette section est consacré aux topiques. Agissant de l'extérieur vers l'intérieur, ces nouvelles crèmes à base de neuropeptides vous donneront une apparence plus jeune presque instantanément.

L'objectif de ces chapitres est de vous fournir les connaissances dont vous avez besoin pour vivre plus longtemps et en meilleure santé. Savoir, c'est pouvoir, et le savoir que vous acquerrez dans les pages qui suivent vous permettra de conserver toute votre vie une meilleure apparence, tout en étant mieux dans votre peau.

PREMIÈRE ÉTAPE

LES ALIMENTS

L'arc-en-ciel
dans votre assiette
Pour en voir de toutes les couleurs

*Je ne peux faire semblant d'être impartial en matière de couleurs.
Autant les plus éclatantes me réjouissent, autant les pauvres bruns
me font pitié.*

— SIR WINSTON CHURCHILL

TOUT COMME WINSTON CHURCHILL prenant plaisir à peindre en
utilisant des couleurs éclatantes, vous jouirez d'une meilleure santé
et d'une meilleure alimentation en choisissant des aliments aux
couleurs de l'arc-en-ciel. Sir Winston avait toutefois tort de prendre
les « pauvres bruns » en pitié. En effet, ces pigments bruns donnent
aux noix et à une grande variété de fèves et de légumes leurs
extraordinaires propriétés. Quelle heureuse coïncidence que la
couleur des aliments nous informe de leurs bienfaits pour la santé !
Et cela découle de circonstances tout à fait accidentelles. Les
pigments végétaux ne font pas que donner de la couleur aux fruits,
aux légumes et à certains fruits de mer : ils représentent également
une source essentielle de phytonutriments et d'antioxydants connus
pour combattre le vieillissement et l'inflammation. Mère Nature a
pensé à nous simplifier la vie : choisissez simplement des végétaux
et des fruits de mer qui reflètent la riche palette de cette grande
artiste.

L'histoire de Brett

J'ai récemment eu l'honneur de prendre la parole dans le cadre d'une conférence internationale sur l'avenir de la beauté et de la santé. Mon exposé porta sur le lien intrinsèque entre la beauté intérieure et la beauté extérieure. Je discutai en détail du rôle de l'alimentation, des suppléments et des thérapies topiques, puis exposai comment tirer profit de leur synergie pour atteindre ce but.

Après la conférence, je fus présenté à Brett, une jolie brunette qui venait tout juste de célébrer son quarantième anniversaire et qui travaillait pour une multinationale de la beauté. Au bout de quelques minutes de conversation, elle me dit : « J'ai beaucoup aimé votre conférence, Dr Perricone, et je suis fascinée de voir que certains aliments peuvent vraiment avoir un impact sur la beauté d'une personne. Quasiment toutes les femmes que je connais, et je m'inclus dans ce groupe, mangent en pensant à leur poids, et non à leur apparence. » Puis elle ajouta : « Mais je ne peux m'empêcher de constater que ma peau pourrait être beaucoup plus belle. Je pense être la candidate idéale pour votre programme ! » Brett parvenait à cacher ses problèmes cutanés grâce à son talent et aux produits de beauté de sa firme, mais en y regardant de plus près, je me rendis compte que sa peau avait perdu de son éclat et semblait terne et sèche. Des lignes et des rides très fines étaient également apparues autour des yeux et de la bouche.

Brett était à un âge où nous sommes très vulnérables ; les choix qu'elle ferait aujourd'hui reviendraient la hanter (ou la charmer) à l'approche de la cinquantaine.

« La fin de la trentaine et le début de la quarantaine sont des moments très importants dans notre vie, lui dis-je. Les femmes, en particulier, sont confrontées à des changements hormonaux et autres. Il est temps de porter une attention toute particulière à ce que vous mangez, car votre alimentation et votre mode de vie peuvent ralentir le processus de vieillissement ou l'accélérer. Et cela sera d'abord visible sur votre visage. »

Je demandai à Brett de me donner un exemple de ce qu'elle mangeait. À ma grande consternation, Brett reconnut que les galettes de riz — et en particulier celles à saveur de fromage cheddar — étaient l'aliment de base de son alimentation. « Je vis seule et je n'ai pas le courage de préparer un repas gastronomique seulement pour une personne, ajouta-t-elle. Si j'étais convaincue de pouvoir manger de la 'vraie nourriture' sans prendre du poids, croyez-moi, Dr Perricone, je le ferais ! »

J'expliquai à Brett qu'il serait sans doute préférable qu'elle repense sa philosophie alimentaire, car cette petite galette de riz apparemment inoffensive était rapidement transformée en sucre. Pourquoi ? Le riz et le maïs ont un haut indice glycémique (IG), ce qui en fait des aliments proinflammatoires. Pire encore, quand ils sont « soufflés », leur IG monte en flèche ; en fait, leur indice glycémique est plus élevé que celui du sucre blanc ! Manger une galette de riz ou de maïs peut provoquer une réaction insulinique qui nous amène à emmagasiner des graisses au lieu de les brûler. Brett me confia que même si elle consommait peu de calories, elle avait du mal à perdre du poids. « C'est parce que les galettes de riz provoquent une libération d'insuline qui favorise l'emmagasinage des graisses », lui expliquai-je.

Grasse _et_ ridée ?

Comme si cela ne suffisait pas à la convaincre de changer ses habitudes alimentaires, je lui expliquai que le fait d'emmagasiner des graisses n'était pas le seul inconvénient découlant de sa consommation de sucres et de féculents. Lorsque ces aliments sont rapidement transformés en sucre dans le sang, ils entraînent la glycation des protéines dans les tissus organiques, ce qui est en somme l'équivalent du processus qui amène les aliments à se décolorer et à durcir lorsqu'ils sont entreposés trop longtemps. Les molécules de sucre s'attachent aux molécules de collagène, qui s'attachent à leur tour aux autres molécules de collagène adjacentes, provoquant une perte d'élasticité au niveau de la peau et l'apparition de rides prononcées.

« Cela est parfaitement sensé, reconnut Brett. Mais que dois-je faire ? Je mange de cette façon depuis des années ; est-il trop tard pour minimiser les dommages ? » Je lui expliquai qu'il n'est jamais trop tard pour bien faire et qu'il suffisait de suivre mes recommandations, comme s'il s'agissait d'un programme en trois étapes faciles.

Pour mettre fin aux dommages causés par la glycation, je conseillai à Brett de commencer un programme de suppléments anti-inflammatoires tirant profit des effets conjugués des peptides et d'un supplément alimentaire appelé carnosine, un dipeptide (composé de deux acides aminés) connu pour neutraliser les effets de la glycation. J'ajoutai également de la benfotiamine, une vitamine B_1 soluble dans le gras, aux puissantes propriétés anti-vieillissement (nous y reviendrons au chapitre 7). J'expliquai à Brett que je lui enverrais des traitements topiques à base de peptides pour l'aider à venir à bout de ses rides et contrer la perte d'élasticité qui commençait à se manifester au niveau de son visage et de sa gorge.

Mais Brett devait d'abord apprendre à connaître certains antioxydants naturels. « Je ne vais pas vous donner un cours de nutrition ou de biologie moléculaire, lui dis-je. Au lieu de cela, vous allez choisir vos aliments en fonction des couleurs de l'arc-en-ciel. Votre seul critère, quand vous irez acheter votre nourriture, sera de choisir des aliments aux couleurs foncées, intenses et vibrantes. Toutefois, lui dis-je pour la mettre en garde, les colorants artificiels ne comptent pas. Cette règle ne s'applique qu'aux aliments créés par la nature. »

Quatre semaines plus tard, Brett se présenta à mon bureau, débordante de santé et de vitalité. Sa peau était à présent souple et soyeuse, et j'étais ravi de voir que ses joues avaient retrouvé leur rondeur naturelle. En fait, malgré ses liens avec l'industrie des produits de beauté, elle ne portait, pour tout maquillage, qu'un peu de mascara et du brillant à lèvres.

« Si vous saviez comme ces quatre dernières semaines ont été merveilleuses... me confia Brett. J'ai toujours détesté aller au supermarché, mais depuis que je suis vos instructions, j'ai découvert que cela pouvait être amusant. Aller faire les courses est devenu pour moi une occasion d'améliorer mon bien-être. Chaque fois que je vais au supermarché, je me lance pour défi de découvrir de nouveaux aliments aux couleurs de l'arc-en-ciel afin de les ajouter à ma liste qui ne cesse d'ailleurs de s'allonger. J'ai même commencé à tenir un journal ! »

Brett me montra son journal où était relatée sa première visite au supermarché en technicolor. Elle avait commencé par l'allée des légumes où elle avait choisi différentes variétés de laitue, du chou rouge, du brocoli, des fèves vertes, de l'oignon rouge, des tomates encore plus rouges, des gousses d'ail violettes, des poivrons rouges et jaunes, des piments forts, de la luzerne, des choux de Bruxelles, et toutes sortes d'herbes fraîches, comme du basilic, du persil, du thym, du romarin, de la sauge, de l'origan et de l'aneth. Prochain arrêt, l'allée des fruits. Brett avait choisi les bleuets les plus bleus, des mûres éclatantes et des fraises rouge vif. Pour compléter le tout, elle avait pris des citrons d'un jaune vibrant, un cantaloup orange et lumineux, des prunes d'un pourpre royal, quelques pommes du plus beau rouge, et des cerises de France d'un rouge presque noir. Comme accompagnement, Brett avait opté pour une huile d'olive extra-vierge et un assortiment d'olives vertes et noires. Au rayon des aliments en vrac, Brett avait acheté des fèves rouges, des lentilles vertes et jaunes, du blé et de l'orge dorés, des noix et des *amandes aux teintes chaudes, et des graines de citrouille d'un vert étincelant. Finalement, elle s'était arrêtée au rayon des fruits de mer. Elle avait mis la main sur du saumon rouge de l'Alaska, du homard du Maine, quelques pattes de crabe de l'Alaska et des crevettes. « Mieux encore, après seulement quatre semaines, j'ai l'impression d'avoir découvert tout un monde d'aliments arc-en-ciel, ajouta Brett. Chaque visite au supermarché est une nouvelle aventure. Je n'ai plus du tout la même attitude vis-à-vis de mes choix alimentaires. »*

Les bienfaits découlant de sa nouvelle attitude s'étaient manifestés dans d'autres domaines de sa vie. Elle fréquentait Charles, un collègue cadre comme elle, mais le jour où ils ont commencé à cuisiner ensemble et à partager des repas (une toute nouvelle expérience pour Brett), leur relation a vraiment pris son envol. Depuis deux semaines, ils explorent la campagne à la recherche des meilleurs fruits et légumes sur le marché. Et à l'automne, ils ont prévu aller visiter un verger dans le Vermont.

« Vous savez, Dr Perricone, me confia Brett, avant de porter ces lunettes aux couleurs de l'arc-en-ciel que vous m'avez données, ma vie était essentiellement incolore. C'est aujourd'hui un véritable kaléidoscope où chaque journée apporte son lot de découvertes. Je me sens mieux, mon apparence s'est améliorée, c'est à peine croyable ! »

Comme avec tout programme anti-vieillissement et de rajeunissement, vous devez au moins avoir une idée de ce qui fonctionne et pourquoi cela fonctionne, ne serait-ce que pour comprendre pourquoi vous devriez éviter certains aliments. Dans ce chapitre, intitulé avec à propos *Les aliments arc-en-ciel*, il sera question de ce que la science peut nous apprendre sur ces antioxydants naturels. Comme vous le verrez, ces aliments peuvent nous apporter de nombreux bienfaits. Mes recommandations ? Pour tenir *La Promesse Perricone*, consommez ces aliments le plus souvent possible afin de profiter de toutes leurs propriétés anti-vieillissement et antirides.

Les aliments arc-en-ciel : les couleurs de la santé

Au début de ce chapitre, j'ai mentionné que les pigments végétaux contenaient des phytonutriments et des antioxydants qui préviennent les maladies et ralentissent le vieillissement. Mais qu'est-ce donc qu'un phytonutriment ? *Phyto* signifie « végétal », donc un phytonutriment est un nutriment provenant d'une plante. La plupart des phytonutriments sont de puissants antioxydants qui, comme nous le savons, sont les agents anti-inflammatoires de la nature. Et comme l'affirmait le magazine *Time* dans son édition de février 2004 : « Plus ils sont colorés, meilleurs ils sont, car les végétaux les plus colorés sont généralement ceux qui contiennent le plus d'antioxydants. Rien de mieux pour chasser les radicaux libres produits durant l'inflammation. » Il est encourageant de voir que des médias généralistes, comme le magazine *Time*, reconnaissent la validité de ce que j'enseigne depuis longtemps, à savoir que l'inflammation, même si elle est invisible, est la cause de plusieurs maladies associées au vieillissement.

L'un de nos meilleurs moyens de défense contre cet ennemi invisible est une alimentation riche en phytonutriments anti-inflammatoires : les fruits et les légumes de couleurs primaires, ainsi que les noix, les graines, les fèves et les autres légumineuses. C'est une bonne idée de manger une grande variété d'aliments végétaux afin d'obtenir la meilleure protection possible contre diverses affections évitables comme les maladies cardiaques, l'ostéoporose, l'arthrite, les rides et l'affaissement de la peau.

Les chercheurs ont identifié plus de deux mille phytonutriments différents dans des aliments végétaux, plusieurs d'entre eux étant des antioxydants. En fait, les chercheurs du Service de recherche en agriculture du Centre de recherche sur la nutrition humaine et le vieillissement de l'université Tufts de Boston ont développé un test standardisé pour mesurer le potentiel antioxydant des aliments.

J'espère de tout cœur que de nouvelles études nous apprendront bientôt quels sont les aliments qui nous protègent le plus efficacement contre les radicaux libres, l'inflammation et les maladies qu'ils favorisent. En attendant, la capacité d'absorption du radical oxygène (ou ORAC, pour *oxygen radical absorbance capacity* en anglais) nous permet d'identifier les aliments les plus prometteurs en matière de prévention des maladies, du moins en ce qui concerne leurs propriétés antioxydantes. (Notez que même si les raisins secs apparaissent en deuxième position sur cette liste, comme tous les fruits séchés, ils contiennent beaucoup de sucre et peuvent provoquer une hausse indésirable de votre taux de glycémie.)

On recommande généralement aux gens de consommer entre 3 000 et 5 000 unités par jour. Cela peut sembler beaucoup, mais ce n'est pas le cas : une demi-tasse de bleuets, par exemple, contient 2 400 unités. Le mieux est de manger des fruits et des légumes qui vous permettront d'atteindre la marque des 5 000 ORAC par jour. Vous remarquerez également que les vingt premiers aliments comptent parmi les plus colorés.

DES POMMES ET DE L'ORIGAN

Il y a deux points importants à retenir concernant l'indice ORAC. Tout d'abord, l'indice ORAC a été conçu pour indiquer la capacité antioxydante des substances comestibles à l'intérieur d'une catégorie donnée ; par exemple, la capacité antioxydante d'une herbe sera comparée à celle des autres herbes, la capacité antioxydante d'un fruit ou d'un légume sera comparée à celle des autres fruits et légumes. De plus, à poids égal, certaines fines herbes ont une plus grande capacité antioxydante que les fruits et les légumes.

Lorsque vous lirez le chapitre 5, « Mettez du piquant dans votre vie », vous remarquerez que l'indice ORAC des fruits et des légumes semble beaucoup plus élevé que celui des fines herbes, alors qu'en fait, ces fines herbes ont une plus grande capacité antioxydante et contiennent davantage d'antioxydants, à poids égal. Ceci est dû au fait que différents chercheurs utilisent différentes échelles de mesure, parfois incompatibles entre elles.

Les vingt premiers aliments sur l'échelle antioxydante ORAC Unités ORAC par 100 grammes			
FRUITS	UNITÉS ORAC	LÉGUMES	UNITÉS ORAC
Pruneaux	5 770	Chou frisé	1 770
Raisins	2 830	Épinards	1 260
Bleuets	2 400	Choux de Bruxelles	980
Fraises	1 540	Fleurs de brocoli	890
Framboises	1 220	Betteraves	840
Prunes	949	Poivron rouge	710
Oranges	750	Oignon	450
Raisins rouges	739	Maïs	400
Cerises	670	Aubergine	390
Kiwis	602		
Pamplemousses roses	483		

AU SOMMET DE L'ARC-EN-CIEL

Je vous encourage fortement à lire ce chapitre afin d'acquérir une meilleure compréhension des divers phytonutriments, de leurs bienfaits et des aliments qui en contiennent. Pour vous faciliter les choses, voici une liste des principaux aliments arc-en-ciel.

- *Légumes et herbes* : aneth, câpres, brocoli, chou rouge, chou-fleur, choux de Bruxelles, ciboulette, estragon, feuilles de betterave, légumes verts foncés (bette, chou cavalier, chou frisé, épinards, feuilles de moutarde), menthe poivrée, piment fort, poivrons, pollen d'abeille (supplément alimentaire), pousses de luzerne, thym, tomates.
- *Fruits* : abricots, baies (toutes les sortes), cerises, grenades, kiwis, poires, pommes, raisins rouges.
- *Boissons* : jus de grenade, thé blanc, thé noir, thé vert, vin rouge.

Pour vous aider à identifier (et par conséquent à choisir) les meilleurs aliments pour votre peau et votre corps, le reste de ce chapitre a été divisé en deux parties. La première partie se concentre sur les phytonutriments : les différentes catégories de phyto-nutriments, leurs noms (certains vous seront familiers, d'autres non) et leurs bienfaits. La deuxième partie est constituée d'un tableau des aliments arc-en-ciel. Ce tableau regroupe les aliments en fonction de leur couleur et vous indique quels nutriments ils contiennent.

Sur la piste des phytonutriments : colorés à l'extérieur, bons pour la santé à l'intérieur

Comme je le mentionnais plus tôt, les chercheurs ont identifié jusqu'à présent plus de deux mille phytonutriments différents. Dans ce chapitre, nous allons nous concentrer sur les cinq catégories les plus courantes et les plus bénéfiques pour notre santé :

1. Les caroténoïdes
2. Les limonoïdes et les limonènes
3. Les flavonoïdes
4. Les flavonols
5. Les glucosinolates et les indols

Ne vous laissez pas rebuter par leur nom scientifique. Tous ces phytonutriments sont présents dans des aliments que vous mangez probablement déjà. Mais mon but est de vous amener à manger *davantage* d'aliments contenant des éléments antioxydants et anti-inflammatoires qui stimulent la production de peptides, et je suis prêt à parier qu'une fois que vous aurez appris tout ce qu'ils peuvent faire pour vous, vous serez convaincu de la nécessité de les ajouter à votre alimentation quotidienne.

Les caroténoïdes

Les caroténoïdes — baptisés ainsi parce qu'ils donnent aux carottes leur couleur orangée — jouent un rôle important dans la pigmentation de nombreux fruits et légumes. Ce sont eux qui donnent cette couleur jaune-rouge-orangé aux jaunes d'œuf et au saumon de l'Alaska, à certaines espèces de truites, de fruits de mer et à différents oiseaux, comme les flamands roses, qui consomment de grandes quantités d'aliments riches en caroténoïdes. On retrouve également des caroténoïdes dans plusieurs légumes verts, mais leur couleur est masquée par la chlorophylle, un pigment davantage prédominant.

La plupart des êtres vivants tirent leur couleur de pigments naturels. Mais ces couleurs ne servent pas seulement à les mettre en valeur. En effet, les caroténoïdes remplissent également une importante fonction biologique :

- Ils favorisent l'activité de la provitamine A et sont convertis en rétinol ou en vitamine A au besoin.
- Ils réduisent les risques de maladie cardiovasculaire, probablement en raison de leurs propriétés anti-inflammatoires et antioxydantes.
- Ils neutralisent les radicaux libres responsables du stress oxydatif, la principale force derrière l'inflammation.
- Ils réduisent les risques de cancer, comme le cancer du poumon, de la vessie, du sein, de l'œsophage et de l'estomac.
- Ils protègent la rétine contre l'oxydation (en particulier le chou frisé et les épinards), et pourraient prévenir les cataractes et la dégénérescence maculaire.
- Ils bloquent l'inflammation cutanée provoquée par les rayons du soleil, qui entraîne la formation de rides et peut causer divers cancers de la peau.
- Ils contribuent à réduire la douleur et l'inflammation.

La famille des caroténoïdes se divise en deux sous-groupes : les carotènes et les xanthophylles. Pendant plusieurs années, la bêta-carotène a reçu toute l'attention des chercheurs et a été l'objet d'intenses recherches. Mais récemment, les scientifiques se sont mis à s'intéresser à d'autres caroténoïdes et à leurs possibles bienfaits pour la santé. Il est de plus en plus évident qu'il est préférable de consommer un mélange de caroténoïdes plutôt que de fortes doses d'un seul d'entre eux.

La famille des caroténoïdes :

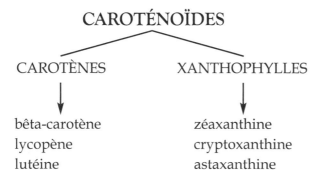

CAROTÈNES

Les carotènes, que l'on retrouve dans les abricots, les poivrons, les piments forts, les tomates, le persil, les feuilles de betterave, les épinards, les bettes, le chou cavalier, le brocoli, le chou frisé et la laitue romaine, renforcent la réaction immunitaire, protègent les cellules de la peau contre les rayons UV et « épargnent » les enzymes du foie qui neutralisent les carcinogènes et les autres toxines. Rappelez-vous toutefois quand vous mangez des sources de carotènes « sucrées » — comme les carottes, les courges, les citrouilles, les betteraves et les fruits qui ont un haut indice glycémique — de les consommer avec modération et de toujours commencer par manger des protéines.

- La bêta-carotène est ce pigment orangé aux propriétés antioxydantes que l'on retrouve dans de nombreuses multivitamines. L'organisme peut facilement transformer la bêta-carotène en vitamine A, mais uniquement pour combler ses besoins. On la considère donc comme une source de vitamine A plus sûre, en particulier pour les femmes enceintes (un surplus de vitamine A peut nuire au fœtus).
- Les lycopènes sont des antioxydants que l'on retrouve en abondance dans les tomates, mais surtout dans les produits faits à base de tomates pressées. Une alimentation riche en

jus, en sauces et en soupes de tomates aide à prévenir le cancer de la prostate, du poumon, de l'estomac et d'autres formes de cancer. Les aliments riches en lycopènes peuvent aussi réduire les risques de maladies cardiovasculaires en faisant baisser le cholestérol LDL (le « mauvais » cholestérol) et la pression artérielle.

- On retrouve de grandes concentrations de lutéine dans les légumes au feuillage vert foncé (comme les épinards, le chou frisé, le chou cavalier, les choux de Bruxelles). Ces aliments réduiraient les risques de cataracte et de dégénérescence maculaire liés à l'âge. La lutéine va également migrer vers la rétine pour protéger les cellules photo réceptrices contre les radicaux oxygènes générés par la lumière. De plus, un taux élevé de lutéine dans le sang va entraîner une diminution des risques de cancer du poumon.

XANTHOPHYLLES

Comme les carotènes, les xanthophylles sont d'excellents anti-oxydants. Les xanthophylles protègeraient également la vitamine A, la vitamine E et les autres caroténoïdes contre l'oxydation. Parmi les membres de la famille des xanthophylles, trois se démarquent pour leurs propriétés antioxydantes : la zéaxanthine, la cryptoxanthine et l'astaxanthine.

- La zéaxanthine, que l'on retrouve dans les poivrons orange, les piments forts, le chou frisé, les épinards, les haricots de Lima, les fèves vertes, le brocoli, les choux de Bruxelles, le chou et la laitue, travaille de concert avec la lutéine pour protéger les yeux contre les rayons du soleil.
- La cryptoxanthine, que l'on retrouve dans les mêmes aliments que la zéaxanthine, pourrait aider à prévenir les cancers vaginaux, utérins et du col de l'utérus.

• L'astaxanthine, aussi appelée « l'or rouge de la mer », est sans conteste la meilleure de toutes les caroténoïdes : elle est dix fois plus puissante que la bêta-carotène et cent fois plus efficace que la vitamine E. Les animaux marins roses et rouges — comme le saumon sauvage de l'Alaska, la truite arc-en-ciel, les crevettes, le homard, les écrevisses et le crabe — doivent leur magnifique couleur à leur alimentation riche en astaxanthine. Le saumon rouge de l'Alaska est le champion en cette matière avec un extraordinaire 4,5 grammes d'astaxanthine par portion de 125 grammes. Pour ce qui est de ses capacités antioxydantes, 4,5 grammes d'astaxanthine représentent l'équivalent de 450 grammes de vitamine E, une quantité largement reconnue comme étant optimale pour la santé. Le saumon de l'Atlantique élevé en captivité contient la moitié, voire le quart des astaxanthines contenues dans le saumon sauvage de l'Alaska. De plus, les poissons d'élevage engraissés à l'aide d'astaxanthine synthétique se développent plus lentement que les poissons qui consomment les mêmes quantités d'astaxanthine provenant de source naturelle. Cela nous indique que l'astaxanthine synthétique n'agit pas de la même façon dans l'organisme des saumons, et probablement dans le nôtre.

LE SAUMON SAUVAGE DE L'ALASKA — LE ROI DES SUPER-ALIMENTS

Comme mes lecteurs le savent, il y a longtemps que j'encourage les gens à manger du saumon sauvage le plus souvent possible, et ce, pour plusieurs raisons :

1. Pour la santé du cœur, le saumon est le meilleur aliment à haute teneur en protéine qui soit.

2. Le saumon est unique parmi les aliments protéiniques en raison de ses puissantes propriétés anti-inflammatoires. Il est également de loin la meilleure source d'acides gras essentiels oméga-3 (EPA, DHA et autres).

3. Le saumon est la meilleure source d'un pigment orange appelé astaxanthine, un antioxydant et un anti-inflammatoire unique et extrêmement puissant, dont il est d'ailleurs question dans ce chapitre.

4. Le saumon est l'une des rares sources alimentaires de DMAE, une substance neurochimique naturelle dont on sait qu'elle améliore le tonus des muscles du visage, réduisant ainsi les rides.

Je recommande toujours l'achat de saumon sauvage de l'Alaska, car il affiche un bien meilleur profil en gras que celui du saumon d'élevage, et contient des quantités négligeables de polluants d'origine humaine (BPC, pesticides) qu'on retrouve en quantités très élevées chez les saumons élevés en captivité. De plus, alors que la pêche commerciale du saumon est universellement reconnue comme étant sécuritaire et durable, les centres de pisciculture ont créé des problèmes environnementaux qui demeurent, pour l'instant, insolubles. Donc, je vous encourage fortement à continuer de manger du saumon sauvage aussi souvent que vous le pouvez.

Prévenir en faisant la grimace :
les limonoïdes et les limonènes

On retrouve des limonoïdes et des limonènes dans les agrumes au goût acide comme les citrons, les limes et les pamplemousses. Bien qu'appartenant à la famille des caroténoïdes, ces phytonutriments ne colorent pas les aliments et n'affichent pas les mêmes propriétés antioxydantes. Ils offrent néanmoins d'autres avantages pour la santé :

- Ils protègent les poumons et soulagent la douleur associée aux maladies respiratoires obstructives chroniques.
- Ils aident à prévenir le cancer, en stimulant l'activité des enzymes hépatiques chargés de la désintoxication de l'organisme.
- Ils font baisser le taux de cholestérol sanguin.
- Ils inhibent le cancer des cellules du sein et du colon chez les animaux de laboratoire.

Favorisez les flavonoïdes

Les flavonoïdes (ou bioflavonoïdes) possèdent plusieurs propriétés avantageuses pour la santé. On utilise généralement le terme *flavonoïde* pour désigner tous les antioxydants qui ne sont pas des caroténoïdes dans les fruits et les légumes.

Parmi les aliments riches en flavonoïdes, on compte les pommes, le pollen d'abeille (supplément alimentaire), le brocoli, le chou, les câpres, les piments forts, la ciboulette, les canneberges, l'aneth, les baies de sureau, le fenouil, le chou frisé, les poireaux, les citrons, les oignons, le persil, les poires, la menthe poivrée, l'estragon et le thym.

Voici un aperçu des propriétés bénéfiques des flavonoïdes :

- Ils combattent les radicaux libres, l'inflammation et les affections inflammatoires comme les allergies.
- Ils contribuent à neutraliser les bactéries et les virus.
- Ils contribuent à protéger contre l'hypertension artérielle et l'agglutination des plaquettes sanguines.
- Ils inhibent la croissance des tumeurs cancéreuses.

- Ils protègent le système vasculaire et renforcent les capillaires qui transportent l'oxygène et les nutriments essentiels vers les cellules.
- Ils aident à prévenir les cataractes.
- Ils sont utilisés pour traiter l'insuffisance veineuse chronique.

La plupart des bienfaits associés aux flavonoïdes découlent de leurs propriétés antioxydantes qui leur permettent de neutraliser l'action des radicaux libres. Leur capacité à faire augmenter le taux de glutathion, notre principal moyen de défense antioxydant et un puissant suppresseur de l'inflammation chronique, est une autre propriété importante des flavonoïdes.

Les flavonoïdes sont également des fortifiants anti-inflammatoires très efficaces en raison de leur effet sur les enzymes cyclooxygénases (COX). Les enzymes COX-1 contribuent à la santé de l'estomac, des reins et des plaquettes sanguines, et protègent les parois de l'intestin. À l'inverse, les enzymes COX-2 provoquent de la douleur et de l'inflammation.

Une façon de réduire l'inflammation consiste à « inhiber » les enzymes COX. L'aspirine, l'ibuprofène et les autres médicaments anti-inflammatoires non stéroïdiens (AINS) inhibent à la fois les enzymes COX-1 et COX-2. Ceci n'est pas souhaitable puisque les effets des enzymes COX-1 sont bénéfiques. De plus, les AINS nous rendent particulièrement vulnérables aux saignements et aux ulcères peptiques qui entraîneraient dans la mort plus de cent mille Américains chaque année ! Les flavonoïdes ne provoquent aucun effet secondaire, puisqu'ils inhibent uniquement la production d'enzymes inflammatoires COX-2.

On retrouve les inhibiteurs de COX-2 dans une grande variété d'herbes connues pour soulager la douleur, et en particulier dans le gingembre et le curcuma (comme nous le verrons au chapitre 5). D'autres flavonoïdes appelés quercétine et myricétine, présents dans les câpres, l'aneth, le fenouil, le sarrasin, le pollen d'abeille, les oignons, le poireau, le persil et les rutabagas, sont également de puissants inhibiteurs de l'enzyme COX-2 et se sont révélés dans bien des cas aussi efficaces que les médicaments vendus sous ordonnance.

Passez aux flavonols pour plus de protection

En 1535, les marins qui participaient à l'expédition de l'explorateur français Jacques Cartier au Canada tombèrent gravement malades du scorbut. Cette maladie dégénérative des tissus conjonctifs était le résultat des habitudes alimentaires des marins de l'époque : viande séchée et biscuits. L'équipage fut sauvé par les natifs du pays qui leur conseillèrent de boire de la tisane d'écorce de pin.

Dans les années 30, quand le composé aujourd'hui appelé vitamine C fut identifié comme étant le fameux nutriment végétal capable de traiter le scorbut, on lui donna le nom d'acide ascorbique (pour « anti-scorbut »). Mais pour les scientifiques qui se sont penchés sur le sauvetage de l'expédition Cartier, les faibles quantités de vitamine C contenues dans l'écorce de pin ont toujours semblé insuffisantes pour expliquer la récupération fulgurante de son équipage ravagé par le scorbut. En fait, Cartier et ses compagnons avaient été sauvés, non pas par la vitamine C contenue dans la tisane d'écorce de pin, mais par une classe d'antioxydants appelés polyphénols.

Si le thé vert est aussi bon pour la santé, c'est en grande partie grâce à la famille des flavonols. Ce sont également ces composés qui donnent leurs extraordinaires propriétés antioxydantes aux baies, à la grenade, aux pommes, au vin rouge et aux raisins.

Les flavonols excellent de quatre façons :

1. Ils protègent contre la dangereuse oxydation du cholestérol LDL, un facteur clé dans la formation de plaque dans les artères.

2. Ils neutralisent les radicaux libres responsables du stress oxydatif général, la principale force derrière l'inflammation.

3. Ils bloquent les dommages génétiques et cellulaires qui peuvent mener au cancer, et inhibent la croissance des tumeurs.

4. Ils bloquent le vieillissement prématuré de la peau causé par les rayons du soleil.

La famille des flavonols :

FLAVONOLS

ANTHOCYANINES   PCO

ANTHOCYANINES

Les anthocyanines sont les pigments antioxydants qui donnent leur couleur aux pommes, aux baies, aux raisins rouges (et par conséquent au vin rouge), au chou rouge, aux aubergines et aux feuilles en automne. Les baies de sureau et un fruit amazonien appelé açayer sont de loin les meilleures sources d'anthocyanines. (Voir chapitre 4 pour plus d'information sur l'açayer — prononcé *a-ça-é* — et une délicieuse boisson à base d'açayer appelée Sambazon.) On retrouve également de bonnes quantités d'anthocyanines dans le thé blanc, le thé vert, le thé noir, les groseilles noires, les bleuets, les mûres, les framboises, les cerises, les fraises, les fèves, les pommes rouges, les abricots, le chou rouge et le sarrasin. Des expériences sur des animaux de laboratoire ont démontré que les anthocyanines procurent de nombreux bienfaits pour la santé :

- Ils protègent contre le cancer en inhibant l'inflammation, la multiplication des cellules cancéreuses et la croissance des tumeurs.
- Ils réduisent le vieillissement prématuré du cerveau et améliorent la mémoire.

- Ils aident à prévenir la dégénérescence maculaire, la principale cause de cécité chez les personnes âgées de plus de soixante-cinq ans.

- Ils réduisent l'oxydation du cholestérol LDL, réduisent l'agglutination des plaquettes sanguines, dilatent les vaisseaux sanguins et améliorent le fonctionnement du cœur.

- Ils stimulent la production d'eicosanoïdes afin de réduire l'inflammation.

THÉ BLANC : MOINS DE CAFÉINE, PLUS D'ANTIOXYDANTS

Le terme *thé blanc* désigne un thé qui a été traité au minimum (séché à l'air et très peu oxydé). De tous les thés (vert, oolong, noir), les thés blancs contiennent les plus hauts taux d'anthocyanines. Les thés blancs doivent être infusés dans une eau chaude au seuil du point d'ébullition (74° C) pendant cinq à six minutes. Ceci vous assurera un thé goûteux contenant un minimum de caféine, soit de 5 à 15 mg par tasse, comparativement à 20 mg pour le thé vert et de 40 à 50 mg pour le thé noir.

PCO

Les PCO (proanthocyanidines oligomériques) se retrouvent en grande concentration dans les graines et les enveloppes extérieures de plusieurs plantes qui, malheureusement, nous arrivent généralement dépourvues de leur enveloppe. Ceci explique pourquoi les extraits de pépin de raisin, les extraits de baie, les extraits de vin rouge et les extraits d'écorce de pin (pycnogénol) sont les meilleures sources de PCO. Les PCO offrent tous les avantages associés aux anthocyanines, en plus de posséder de nombreux attributs thérapeutiques uniques :

- Ils démontrent des propriétés antioxydantes inégalables ; ils sont dix-huit fois plus efficaces que la vitamine C, et cinquante fois plus puissants que la vitamine E.
- Ils régénèrent la capacité antioxydante des molécules de vitamine C et E épuisées par leur activité de neutralisation des radicaux libres. C'est d'ailleurs pourquoi certains chercheurs appellent les PCO la « vitamine C_2 ».
- Ce sont de puissants agents anti-inflammatoires.
- Ils favorisent une peau saine en prévenant la glycation (glycation = rides).
- Ils aident à prévenir le cancer et peuvent même tuer certaines cellules cancéreuses (cancer du sein, du poumon et de l'estomac).
- Ils renforcent les vaisseaux sanguins : depuis 1950, les médecins européens prescrivent à leurs patients des produits à base de PCO pour traiter diverses maladies associées à un affaiblissement des vaisseaux capillaires.
- Ils pourraient prévenir et traiter les infections urinaires.
- Ils contribuent à maintenir le cœur en santé.

RAISINS ET CACAO : LE POUR ET LE CONTRE

Le jus de raisin rouge — une excellente source de flavonols — contient jusqu'à trois fois plus d'antioxydants que les jus d'orange, de tomate et de pamplemousse, qui tirent leur pouvoir antioxydant des caroténoïdes et des flavonoïdes. Un seul verre de 250 ml de jus de raisin Concord contient autant d'antioxydants qu'une pleine portion de légumes et de fruits aux couleurs de l'arc-en-ciel. Les raisins sont également riches en resveratrol, un antioxydant anticarcinogène particulièrement bon pour la santé du cœur.

Les raisins affichent toutefois un haut indice glycémique — et donc un potentiel inflammatoire — qui émousse considérablement leur impact positif. Vous avez avantage à obtenir vos flavonols de suppléments alimentaires contenant des extraits de vin rouge ou une herbe traditionnelle chinoise comme le huzhang. Comme le jus de raisin et le vin rouge, les extraits de huzhang sont extrêmement riches en flavonol et en resveratrol. De plus, des tests menés sur des animaux de laboratoire ont démontré qu'ils protégeaient très efficacement la peau contre les rayons UV. Mais contrairement à ces boissons, les extraits de huzhang ne contiennent ni sucre ni alcool.

La poudre de cacao est également très riche en flavonols. En fait, le cacao contient deux fois plus de flavonols que le vin rouge, et cinq fois plus que le thé vert. Bien que la poudre de cacao soit littéralement indigeste à moins d'être mélangée à du beurre de cacao et/ou du sucre, vous pouvez jouir de ses bienfaits en mangeant à l'occasion, et raisonnablement, de petites quantités de chocolat très noir, juste assez sucré pour être savoureux. Recherchez les chocolats qui contiennent soixante-dix pour cent (ou mieux encore quatre-vingt-cinq pour cent) de cacao, une information disponible sur l'emballage de la plupart des chocolats fins.

Super-antioxydants

L'une des plus excitantes découvertes dans le domaine de la prévention du cancer fut la découverte que les légumes crucifères comme le brocoli, le chou frisé, les choux de Bruxelles, le chou-fleur et le chou contiennent de puissants phyto-nutriments anticarcinogènes appelés indols et glucosinolates. En fait, des études à grande échelle montrent que gramme pour gramme, les propriétés anticarcinogènes des légumes crucifères sont supérieures à celles des autres fruits et légumes, y compris ceux qui contiennent de grandes quantités d'antioxydants.

Trois aliments colorés aux propriétés remarquables : la grenade, les pousses de brocoli et les bleuets

Ces trois aliments particulièrement colorés méritent une mention spéciale en raison de leurs propriétés antioxydantes et anti-inflammatoires supérieures à la moyenne et de leur impact positif sur les peptides.

UN FRUIT ROUGE NOUS VENANT DIRECTEMENT DU JARDIN D'ÉDEN : LE POUVOIR PRÉVENTIF DE LA GRENADE

La grenade est l'un des premiers fruits cultivés par l'homme. Plusieurs témoignages historiques nous suggèrent que les humains ont commencé à planter des grenadiers trois ou quatre mille ans avant Jésus-Christ. Certains historiens croient que la fameuse pomme qu'Ève offrit à Adam dans le Jardin d'Éden était en fait une grenade. Tout au long de l'histoire, ce fruit délicieux et coloré a été vénéré comme le symbole de la santé, de la fertilité et du renouveau. Dans plusieurs versions médiévales du mythe de la licorne, le grenadier auquel on associe l'animal représente la vie éternelle, et dans certaines cultures, on croit que ce fruit possède des pouvoirs guérisseurs mystiques et extrêmement puissants. De nos jours, la science nous indique que nos aïeux n'avaient pas complètement tort.

Le jus de grenade doit être considéré comme un aliment arc-en-ciel supérieur, riche en flavonols. Je recommande toujours aux gens de manger leurs fruits et leurs légumes entiers plutôt qu'en jus, car les jus contiennent généralement moins de fibres et d'antioxydants. Toutefois, compte tenu de son profil extrêmement élevé en antioxydants, le jus de grenade fait d'extraits non sucrés offre presque les mêmes avantages que le fruit entier. Mieux encore, vous n'aurez pas à ramasser les innombrables pépins de ce fruit qui a fait le délice de nos ancêtres !

EN VERT POUR PRÉVENIR LE CANCER

Bien qu'elles ne soient pas aussi connues (ou disponibles), les pousses de brocoli fournissent encore plus de glucosinolates anticarcinogènes (de dix à cent fois plus) et d'antioxydants à poids égal que le brocoli arrivé à maturité. De plus, les pousses de brocoli sont particulièrement riches en glucoraphanine, une substance qui stimule le système de défense antioxydant de l'organisme. Des tests effectués sur des animaux de laboratoire, publiés en 2004 par l'Académie nationale des sciences, montrent qu'une alimentation comprenant des pousses de brocoli riches en glucoraphanine contribue à renforcer le système de défense antioxydant, à diminuer l'inflammation, à faire baisser la pression artérielle et à maintenir le système cardiovasculaire en santé en seulement quatorze semaines. De plus amples informations sur les pousses sont disponibles au chapitre 4.

EN BLEU POUR UN MEILLEUR ÉQUILIBRE ET UN CERVEAU EN SANTÉ

Ce que nous apprenons sur certains aliments est parfois fort surprenant. Prenez par exemple les bleuets. Qui aurait cru que ce petit fruit est l'un des meilleurs aliments arc-en-ciel qui soit ? Et pourtant, c'est bien vrai.

- Les bleuets sont un aliment particulièrement bénéfique pour le cerveau (qui n'est plus désormais la chasse gardée du poisson). Jusqu'à très récemment, on a cru que le déclin des facultés cérébrales, cognitives et motrices, était inévitable et irréversible. Prenez les problèmes d'équilibre, un signe éloquent du vieillissement. Une jeune personne peut généralement demeurer en équilibre sur une jambe, les yeux fermés, beaucoup plus longtemps qu'une personne âgée, qui se mettra à osciller et devra rapidement mettre un pied à terre pour éviter de chuter. Nous maintenons notre posture en corrigeant automatiquement tout mouvement d'oscillation, mais en vieillissant les signaux neuronaux sont transmis moins rapidement et nous perdons facilement notre équilibre. Il s'avère qu'une portion quotidienne de bleuets est le seul traitement connu pour renverser la détérioration des fonctions motrices associées au vieillissement !
- Les substances phytochimiques contenues dans les extraits de bleuet semblent accélérer la communication neuronale. Les neurones qui bénéficient des avantages du bleuet ont plus de facilité à communiquer entre eux.
- Les substances phytochimiques contenues dans les bleuets préviennent la mort des cellules et la réduction du facteur de croissance des nerfs.
- Les bleuets augmentent la capacité de l'organisme à libérer de la dopamine, un neurotransmetteur énergisant et

stimulant. Les bleuets nous protègent également contre la perte des cellules de dopamine qui survient normalement avec l'âge. En augmentant la production d'énergie dans le cerveau et en protégeant nos facultés cognitives et motrices, la dopamine joue un rôle anti-vieillissement extrêmement important. Et puisque la quantité de dopamine diminue avec l'âge, les bleuets deviennent encore plus importants à mesure que nous vieillissons.

Le tableau arc-en-ciel : votre guide multicolore pour manger santé

Le tableau suivant vous offre un arc-en-ciel de choix santé qui vous donneront un teint radieux et éclatant, préviendront les maladies dégénératives et ajouteront plusieurs années à votre vie.

Inutile de préciser qu'il m'a été impossible d'y inclure tous les aliments arc-en-ciel. Ce tableau n'est là que pour vous donner une idée du genre d'aliments que vous devriez ajouter à votre liste d'épicerie. Ces aliments ont été regroupés en fonction de leur couleur, puis en fonction des phytonutriments qu'ils contiennent. Certains aliments sont identifiés comme étant une riche source d'un phytonutriment donné ; d'autres contiennent le phytonutriment, mais en quantité moindre ; d'autres encore contiennent le phytonutriment, mais sont moins recommandables en raison de leur contenu élevé en sucre.

La prochaine fois que vous irez à l'épicerie ou au supermarché, assurez-vous d'avoir le panier le plus coloré possible. Il n'est pas nécessaire d'acheter des aliments de toutes les couleurs lord de votre première visite ; essayez d'égayer votre menu petit à petit. Et assurez-vous d'avoir de la place pour les dix super-aliments présentés au chapitre suivant, des aliments qui vous permettront de préparer encore plus de repas sains et ô combien appétissants.

ALIMENTS ROUGES, ORANGE ET JAUNES

ALIMENT	RICHE EN	MOINS ABONDANT EN	SOURCE MOINS RECOMMANDABLE EN RAISON D'UN HAUT INDICE GLYCÉMIQUE
Abricot	Anthocyanines Bêta-carotène		Zéaxanthine
Ail	Flavonoïdes		
Betteraves			Carotène
Canneberges	Flavonoïdes		
Cantaloup		Bêta-carotène Cryptoxanthine	
Carottes			Bêta-carotène
Cerises	Anthocyanines		
Chou rouge	Anthocyanines		
Citron	Limonoïdes		
Courges			Bêta-carotène Cryptoxanthine Lutéine Zéaxanthine
Crabe	Anthocyanines		
Crevettes	Astaxanthine		
Écrevisses	Anthocyanines		
Extraits de pépin de raisin	PCO		
Fraises	Anthocyanines		

ALIMENTS ROUGES, ORANGE ET JAUNES (SUITE)

ALIMENT	RICHE EN	MOINS ABONDANT EN	SOURCE MOINS RECOMMANDABLE EN RAISON D'UN HAUT INDICE GLYCÉMIQUE
Framboises	Anthocyanines		
Goyave			Lycopène
Grenade	Anthocyanines		
Homard	Anthocyanines		
Ignames			Anthocyanines Bêta-carotène
Maïs			Lutéine Zéaxanthine
Mangue			Lutéine Cryptoxanthine Zéaxanthine
Mandarine			Flavonoïdes
Melon d'eau			Lycopène
Oignon	Flavonoïdes		
Orange			Bêta-carotène Cryptoxanthine Flavonoïdes Limonoïdes Lutéine Zéaxanthine
Pamplemousse	Limonoïdes		
Papaye			Bêta-carotène Cryptoxanthine Lutéine Zéaxanthine

ALIMENTS ROUGES, ORANGE ET JAUNES (SUITE)

ALIMENT	RICHE EN	MOINS ABONDANT EN	SOURCE MOINS RECOMMANDABLE EN RAISON D'UN HAUT INDICE GLYCÉMIQUE
Patate douce			Anthocyanines Bêta-carotène Lutéine
Pêche			Bêta-carotène Cryptoxanthine Lutéine Zéaxanthine
Piment fort	Bêta-carotène Cryptoxanthine Flavonoïdes Zéaxanthine		
Poire	Flavonoïdes		
Poivron	Bêta-carotène Cryptoxanthine Zéaxanthine		
Pollen d'abeille	Flavonoïdes		
Pomme	Anthocyanines Flavonoïdes		
Potiron			Lutéine Zéaxanthine
Raisins rouges	PCO		
Saumon sauvage de l'Alaska	Astaxanthine		

ALIMENTS ROUGES, ORANGE ET JAUNES (SUITE)

ALIMENT	RICHE EN	MOINS ABONDANT EN	SOURCE MOINS RECOMMANDABLE EN RAISON D'UN HAUT INDICE GLYCÉMIQUE
Tomate	Bêta-carotène Lycopène		
Truite arc-en-ciel	Astaxanthine		
Vin rouge	Anthocyanines		

ALIMENTS VERTS

ALIMENT	RICHE EN	MOINS ABONDANT EN	SOURCE MOINS RECOMMANDABLE
Aneth	Flavonoïdes		
Bette		Bêta-carotène Lycopène	
Brocoli	Cryptoxanthine Flavonoïdes Glucosinolate Lutéine Zéaxanthine		
Câpres	Flavonoïdes		
Chou frisé	Cryptoxanthine Flavonoïdes Glucosinolate Zéaxanthine	Carotène Lycopène	

ALIMENTS VERTS (SUITE)			
ALIMENT	RICHE EN	MOINS ABONDANT EN	SOURCE MOINS RECOMMANDABLE
Chou vert	Cryptoxanthine Flavonoïdes Glucosinolate Lutéine Zéaxanthine	Bêta-carotène Lycopène	
Chou-fleur	Glucosinolate		
Ciboulette	Flavonoïdes		
Épinard	Cryptoxanthine Lutéine Zéaxanthine	Bêta-carotène Lycopène	
Estragon	Flavonoïdes		
Feuilles de betterave	Bêta-carotène		
Feuilles de chou vert	Cryptoxanthine Zéaxanthine	Carotène	
Fèves	Anthocyanines		
Fèves de Lima	Cryptoxanthine Lutéine Zéaxanthine	Bêta-carotène Lycopène	
Fèves vertes	Cryptoxanthine Lutéine Zéaxanthine	Bêta-carotène Lycopène	
Kiwi			Bêta-carotène Lutéine Zéaxanthine

ALIMENTS VERTS (SUITE)

ALIMENT	RICHE EN	MOINS ABONDANT EN	SOURCE MOINS RECOMMANDABLE
Laitue	Cryptoxanthine Lutéine Zéaxanthine	Bêta-carotène Lycopène	
Lime	Limonoïdes		
Melon de miel			Bêta-carotène Lutéine Zéaxanthine
Menthe poivrée	Flavonoïdes		
Navet			Glucosinolate
Persil	Bêta-carotène Flavonoïdes		
Poireau	Flavonoïdes		
Pois			Bêta-carotène Lutéine
Pomme	Flavonoïdes		
Pousses de brocoli	Glucosinolate		
Thé vert	Anthocyanines		
Thym	Flavonoïdes		

ALIMENTS BLEUS/MAUVES

ALIMENT	RICHE EN	MOINS ABONDANT EN	SOURCE MOINS RECOMMANDABLE
Açayer	Anthocyanine		
Baies de sureau	Flavonoïdes		
Bleuets	Anthocyanine		
Groseilles noires	Anthocyanine		
Mûres	Anthocyanine		
Pruneaux			Bêta-carotène Cryptoxanthine Lutéine Zéaxanthine
Prunes			Anthocyanine
Raisins			Anthocyanine
Thé noir	Anthocyanine		

 # Dix super-aliments

Que ton aliment soit ton remède, ton remède ton aliment.

— HIPPOCRATE

Notre vie n'est pas entre les mains des dieux, mais entre celles de nos cuisiniers.

— LIN YUTANG, *L'IMPORTANCE DE VIVRE*

À PRÉSENT QUE VOTRE PANIER EST REMPLI d'aliments santé aux couleurs de l'arc-en-ciel, vous êtes probablement prêt à vous mettre à cuisiner. Mais attendez. Avant de mettre au point votre menu, vous devriez ajouter quelques articles sur votre liste. En vous présentant ces dix super-aliments, mon but est avant tout de vous aider à prendre des habitudes alimentaires qui vous permettront de renforcer le pouvoir anti-inflammatoire des peptides, d'améliorer votre système immunitaire, d'obtenir un teint radieux et resplendissant, et de jouir d'une santé extraordinaire.

Bien sûr, il y a plus de dix « super-aliments ». En fait, quasiment tous les fruits et légumes colorés entrent dans cette catégorie, comme les noix, les haricots, les graines, les épices et les herbes aromatiques. On pourrait écrire des pages et des pages sur les propriétés bénéfiques de chacun de ces super-aliments. Les dix présentés dans ce chapitre ont été sélectionnés parce qu'ils sont directement impliqués dans la relation cerveau-beauté. Ces aliments sont riches en acides gras essentiels (AGE), en antioxydants ou en fibres — ou, comme dans le cas de l'açayer, riches en tout ! J'ai également inclus certains aliments connus pour réduire et réguler le taux de glycémie, un facteur extrêmement important pour tous ceux qui se préoccupent de ralentir le processus de vieillissement et de prévenir le diabète, l'obésité, les rides et une foule de maladies dégénératives.

LES BONS GRAS POUR UNE PEAU FABULEUSE

Bien que réduire votre consommation de mauvais gras — en particulier celle de gras saturés, d'huiles végétales autres que l'huile d'olive, et de gras trans — est un but tout à fait louable, il n'est pas souhaitable d'éliminer tous les gras de votre alimentation. En fait, cela peut même s'avérer carrément dangereux pour votre santé, votre cerveau et votre peau. Les matières grasses sont un nutriment essentiel au bon fonctionnement de votre organisme, au même titre que les protéines, les glucides et les vitamines. Les blocs de construction des gras et des huiles sont appelés acides gras. Mais comme notre organisme ne peut produire lui-même certains acides gras appelés acides gras essentiels, nous devons donc les obtenir par le biais des aliments que nous mangeons. Les AGE offrent une grande variété de bienfaits pour la santé :

- Ils protègent contre les maladies du cœur.
- Ils protègent contre la dépression tout en préservant nos facultés cognitives.
- Ils font baisser la pression artérielle.
- Ils réduisent les risques de caillots sanguins.
- Ils réduisent les risques de cancer du colon, du sein et de la prostate.
- Ils réduisent l'inflammation, et en particulier dans les cas de maladies auto-immunes.
- Ils gardent la peau souple et sans ride.

Bien que la plupart de ces aliments apportent des bienfaits thérapeutiques, si vous avez un problème de santé ou des symptômes physiques, rappelez-vous de ne jamais vous diagnostiquer vous-même ou de vous prescrire à vous-même un traitement, même si c'est en ayant recours à un aliment ou à une herbe. En cette matière, faites confiance à votre professionnel de la santé. Toutefois, les dix super-aliments dont il sera question dans ce chapitre sont porteurs d'incroyables bienfaits pour la santé. La liste qui suit ne fait qu'effleurer les nombreuses raisons pour lesquelles vous devriez les inclure dans votre alimentation quotidienne :

- Ils préviennent ou réduisent l'inflammation.
- Ils aident à réguler l'organisme et à brûler des graisses.
- Ils font baisser le taux global de cholestérol.
- Ils font baisser la pression artérielle.
- Ils contribuent à nous protéger des maladies du cœur.
- Ils contribuent à protéger les organes contre les toxines.
- Ils facilitent une bonne digestion.

Premier super-aliment : l'açayer, le fruit énergétique

Il peut paraître étrange de commencer une liste de super-aliments par un fruit dont vous n'avez probablement jamais entendu parler. Mais des études ont démontré que cette petite baie est l'un des aliments les plus nutritifs et les plus puissants au monde ! L'açayer est la baie d'un palmier amazonien très particulier. Récolté dans les forêts pluvieuses du Brésil, l'açayer est un fruit dont le goût rappelle à la fois celui des baies et celui du chocolat. Rempli d'antioxydants, d'acides aminés et d'acides gras essentiels, ce fruit parfait sur le plan énergétique tire ses extraordinaires pouvoirs de ses pigments d'un pourpre royal. Même si l'açayer n'est peut-être pas disponible dans tous les supermarchés, vous pouvez le trouver, souvent sous forme de jus, dans de nombreux magasins d'aliments naturels et dans les épiceries fines, comme les magasins Whole Foods et Wild Oats. Un nouveau produit fait à base de pulpe d'açayer non sucrée est présentement en vente sur le marché ; je vous recommande fortement de consommer l'açayer sous cette forme.

La pulpe d'açayer contient :

- Une remarquable concentration d'antioxydants qui aident à combattre le vieillissement précoce, avec dix fois plus d'antioxydants que les raisins rouges et de dix à trente fois plus d'anthocyanines que le vin rouge.
- Un ensemble de gras monoinsaturés (bons gras), de fibres alimentaires et de phytostérols qui travaillent en synergie pour garder en santé le système cardiovasculaire et le système digestif.
- Un complexe presque parfait d'acides aminés essentiels et d'oligoéléments, vitaux pour les muscles.

COMBATTRE LE CHOLESTÉROL GRÂCE AUX PHYTOSTÉROLS

Les phytostérols sont des composés végétaux similaires au cholestérol sur le plan chimique. Toutefois, le cholestérol provenant de source animale, comme celui que l'on retrouve dans la viande rouge, est facilement absorbé par l'organisme et fait augmenter son taux de cholestérol, alors qu'à l'inverse, les phytostérols sont plus difficiles à absorber et empêchent le cholestérol d'être absorbé dans le flux sanguin. En d'autres termes, ils font baisser le taux de cholestérol. Ils contribuent également à prévenir les maladies cardiaques, à réduire l'inflammation dans les cas d'arthrite et de maladies auto-immunes, et permettent aux diabétiques de mieux contrôler leur taux de glycémie.

Le contenu en acides gras de l'açayer ressemble à celui de l'huile d'olive, riche en acide oléique monoinsaturé. La consommation d'acide oléique est très importante et ce, pour plusieurs raisons. L'acide oléique aide les oméga-3 que l'on retrouve dans les huiles de poisson à pénétrer la membrane cellulaire, et ainsi à la rendre plus souple. Lorsque la membrane cellulaire conserve sa souplesse, les hormones, les neurotransmetteurs et les récepteurs d'insuline fonctionnent plus efficacement. Ceci est particulièrement important, car un taux élevé d'insuline crée de l'inflammation, et, comme vous le savez, l'inflammation est associée au vieillissement.

Deuxième super-aliment : la famille des allium

Si l'açayer est l'aliment le plus exotique de notre liste, les aliments appartenant à la famille des allium sont sans doute les plus humbles. L'ail, l'oignon, le poireau, les échalotes, les oignons verts et la ciboulette contiennent des flavonoïdes qui stimulent la production de glutathion, un tripeptide connu pour être le plus puissant agent de désintoxication du foie. Et comme le glutathion favorise l'élimination des toxines et des carcinogènes, il place les légumes de la famille des allium au sommet de la liste des aliments qui peuvent nous aider à prévenir le cancer. Voici quelques-uns de leurs bienfaits :

AIL

- Fait baisser le taux global de cholestérol (mais fait augmenter le cholestérol HDL, le « bon » cholestérol).
- Réduit les risques d'artériosclérose (durcissement des artères).
- Fait baisser la pression artérielle.
- Réduit les risques de caillots sanguins (responsables de la *majorité* des crises cardiaques).
- Détruit les les bactéries et les virus infectieux.
- Réduit les risques de certains cancers, et en particulier les risques de cancer de l'estomac.

- Produit davantage de « cellules tueuses naturelles » dans le sang pour combattre les tumeurs et les infections.
- Aide à combattre certaines maladies neurologiques comme la maladie d'Alzheimer.
- Améliore le processus de désintoxication en réduisant la quantité de toxines dans l'organisme.

Pour obtenir un effet maximal, mangez de l'ail cru. La cuisson peut détruire certains composés chimiques comme l'allicine, l'élément actif de l'ail.

OIGNONS

- Inhibent la croissance des cellules cancéreuses.
- Font augmenter le taux de cholestérol HDL (surtout lorsqu'on les mange crus).
- Réduisent le taux global de cholestérol.
- Stimulent l'activité de dissolution des caillots.
- Aident à prévenir la formation des caillots.
- Stimulent le système immunitaire.
- Font baisser le taux de glycémie des diabétiques.
- Possèdent des propriétés antibactériennes et antifongiques.
- Réduisent les risques de certains cancers.
- Contribuent à soulager les troubles de l'estomac et du système digestif.

Les oignons contiennent deux puissants antioxydants, le souffre et la quercétine. Ces deux substances contribuent à neutraliser les radicaux libres et à protéger les membranes de l'organisme contre les dommages.

POIREAU

Le poireau possède les mêmes propriétés que les autres membres de la famille des allium énoncées ci-dessus, mais il contient en plus les nutriments suivants :

- Vitamine B_6
- Vitamine C
- Acide folique
- Manganèse
- Fer
- Fibres

Ce mélange particulier de nutriments fait du poireau un aliment capable de stabiliser efficacement le taux de glycémie, car non seulement il contribue à ralentir l'absorption du sucre dans le système digestif, il veille également à ce qu'il soit correctement métabolisé par l'organisme. N'oubliez pas que la stabilisation du taux de glycémie est l'un des plus importants objectifs de La Promesse Perricone. Des hausses soudaines du taux de glycémie accélèrent le processus de vieillissement, la formation des rides et le développement d'une foule de maladies dégénératives.

Nous savons tous que l'ail et l'oignon rehaussent la saveur de nos plats. Mais ajouter du poireau à un plat, c'est passer du délicieux au sublime. Le poireau est particulièrement délicieux avec des poissons comme le flétan, avec le poulet et dans les soupes à base de poisson et de poulet.

Troisième super-aliment : l'orge

Cette céréale qui nous vient de l'Antiquité est malheureusement laissée de côté par les gourous culinaires d'aujourd'hui. Pourtant, en plus d'être délicieuse et pour tous usages, l'orge est l'une des céréales offrant les plus grands bienfaits pour la santé. On peut servir l'orge au petit-déjeuner, en soupe ou en ragoût, et même l'utiliser pour remplacer le riz dans des plats comme le risotto.

L'orge a non seulement un faible indice glycémique, elle contient également de grandes quantités de fibres *solubles* et *insolubles*. Les fibres solubles aident l'organisme à métaboliser les graisses, le cholestérol et les glucides, et réduisent le taux de cholestérol sanguin. Les fibres insolubles — appelées couramment fibres alimentaires — maintiennent le système digestif en santé et réduisent les risques de cancer, comme le cancer du colon.

Les fibres alimentaires sont essentielles à notre santé, et pourtant, rares sont ceux dans nos sociétés modernes qui consomment l'apport quotidien recommandé. Plusieurs experts croient qu'être en bonne santé, c'est avant tout avoir un colon en santé. Or, sans un apport adéquat en fibres, nous risquons de souffrir d'une foule de maladies, allant des hémorroïdes au cancer du colon.

Les fibres contenues dans l'orge fournissent aux bactéries bénéfiques présentes dans le gros intestin la nourriture dont elles ont besoin pour se multiplier. Ceci est particulièrement important, car ces « bonnes » bactéries peuvent surpasser en population les bactéries à l'origine de diverses maladies intestinales, ce qui nous aide à être en meilleure santé et à mieux résister aux maladies.

L'orge se présente sous diverses formes, toutes aussi nutritives les unes que les autres. Toutefois, l'orge qui a conservé son enveloppe extérieure (le son) est plus riche en fibres et contient plus de nutriments que l'orge perlée ou l'orge écossaise, par exemple.

Manger de l'orge entière sur une base régulière :

- Fait baisser le taux de cholestérolémie.
- Protège contre le cancer, car les fibres facilitent le passage des aliments dans le tube digestif. L'orge constitue également une excellente source de sélénium, une substance connue pour réduire significativement les risques de cancer du colon.
- Protège notre cœur en nous fournissant la niacine (vitamine B) dont nous avons besoin.
- Ralentit la digestion des féculents, ce qui facilite la stabilisation du taux de glycémie.

- Nous fournit de grandes concentrations de tocotriénols, une forme supérieure de vitamine E.
- Nous fournit des lignans, des substances phytochimiques aux propriétés antioxydantes. Les femmes qui consomment des lignans (que l'on retrouve également en grande quantité dans la graine de lin) courent moins de risques de développer un cancer du sein.

Quatrième super-aliment : les aliments verts — tout le pouvoir des plantes dans un seul aliment

Quand je parle d'aliments verts, je ne fais pas allusion aux aliments de couleur verte dont il a été question au chapitre précédent. Je fais plutôt allusion à un groupe d'aliments qui comprend les jeunes herbes céréalières comme les jeunes pousses d'orge et de blé et l'algue bleu-vert connue sous le nom de BGA (pour *Blue-green algae* en anglais). Au point de vue nutritionnel, les aliments verts sont de proches cousins des légumes à feuillage vert, mais offrent une plus grande densité de nutriments. En d'autres termes, cent grammes d'aliments verts contiennent plus de phytonutriments que cent grammes de légumes verts.

Les résultats de plusieurs études expérimentales montrent que les aliments verts ont un effet bénéfique marqué sur le cholestérol, la pression artérielle, la réponse immunitaire et la prévention du cancer. Ces effets sont en partie attribuables à leur haute concentration en chlorophylle.

La chlorophylle, cette substance phytochimique qui donne une teinte verte aux feuilles, aux plantes et aux algues, est l'équivalent végétal des globules rouges chargés de transporter l'oxygène dans notre organisme. La chlorophylle alimentaire inhibe les bactéries porteuses de maladies et exerce un effet thérapeutique sur la mauvaise haleine et les odeurs internes.

JEUNES POUSSES DE BLÉ ET D'ORGE

Les jeunes pousses de céréales — en particulier les jeunes pousses de blé et d'orge — se distinguent par leur enveloppe d'un beau vert émeraude. Avant la Deuxième Guerre mondiale, les pharmacies à travers le pays — et en particulier dans la région du Midwest — vendaient des comprimés de pousses de blé et d'orge séchées à titre de suppléments vitaminiques. De nos jours, les jeunes pousses de blé et d'orge sont déshydratées et réduites en poudre puis vendues sous forme de suppléments alimentaires, ou transformées en jus alors qu'elles sont encore fraîches.

Au premier stade de leur développement, la composition des pousses de blé et d'orge est plus proche de celle des légumes que des céréales. Il s'agit d'un détail très important, car bien que je vous déconseille vivement de manger du blé et des produits à base de blé, je crois que les pousses de blé constituent un excellent apport à votre alimentation.

Le profil nutritionnel des céréales vertes change rapidement à mesure qu'elles croissent. Au cours de ce processus, leur contenu en chlorophylle, en protéines et en vitamines chute de façon drastique, tandis que leur contenu en cellulose (fibre indigeste) continue à augmenter. Sur une période de quelques mois, les pousses de céréales perdent leur couleur verte pour donner les graines ambrées que nous récoltons et transformons en farine, un aliment malsain et proinflammatoire.

Sur le plan nutritionnel, il y a très peu de différence entre les pousses de blé et les pousses d'orge, mais il est important de noter que les pousses d'orge neutralisent les radicaux libres et réduisent par le fait même l'inflammation et la douleur, tandis que les pousses de blé contiennent du P4D1, une « gluco-protéine » antioxydante qui réduit l'inflammation. On croit également qu'elles aident l'organisme à s'attaquer aux cellules cancéreuses.

Les pousses de céréales sont disponibles sous forme de poudre ou de comprimés. Les pousses de céréales déshydratées sont sans aucun doute plus faciles à manipuler que les fraîches, qui doivent nécessairement être transformées en jus. Toutefois, le jus de pousses fraîches contient des enzymes bénéfiques que l'on ne retrouve pas dans la poudre, et il est probable que celui-ci contienne également plus de phytonutriments. Plusieurs bars à jus et marchés d'alimentation santé offrent ces types de jus. Vous pouvez consulter notre guide ressource pour trouver des fournisseurs d'équipement et des méthodes pour faire pousser et transformer en jus vos propres pousses de blé et d'orge.

ALGUE BLEU-VERT (BGA) : SPIRULINE, CHLORELLE ET PLUS ENCORE

L'algue bleu-vert (BGA), une plante unicellulaire vendue dans les magasins d'aliments naturels et par les compagnies à paliers multiples, est une source supérieure de protéine, de chlorophylle, de caroténoïdes antioxydants, de vitamines, de minéraux et de phytonutriments aux nombreuses vertus préventives. Il existe plusieurs types de BGA, les plus populaires étant la spiruline et la chlorelle.

La recherche actuelle, bien que déficiente à bien des égards, montre que les BGA produisent des effets préventifs significatifs, voire uniques, probablement en raison de leur contenu en polysaccharides, en antioxydants, en acides nucléiques et en peptides.

La spiruline et la chlorelle peuvent entre autres :

- Contribuer à diminuer les symptômes d'allergie comme ceux du rhume des foins.
- Contribuer à protéger le foie contre les toxines.
- Réduire la pression artérielle et le taux de cholestérol.
- Aider à contrôler les symptômes de la colite ulcéreuse.

- Produire de puissants effets antioxydants et anti-inflammatoires.

Les BGA sont riches en acides gras essentiels, en acide
phénolique, en chlorophylle, en vitamines B, en caroténoïdes et en
minéraux (calcium, fer, magnésium, manganèse, potassium et zinc).
Les BGA — et en particulier la spiruline — sont également une
bonne source d'acide gamma-linolénique (AGL), un acide gras
oméga-6 excellent pour la santé que certaines personnes ont
malheureusement du mal à produire et que l'on retrouve en très
petite quantité dans l'alimentation nord-américaine typique.

Il faut toutefois prendre quelques précautions avec les algues
bleu-vert. On les présente parfois comme une riche source de
protéines. En fait, comme elles contiennent relativement peu de
protéines, il faut en manger de grandes quantités — ce qui
représente un coût élevé — pour obtenir une quantité significative.
Les algues bleu-vert seraient également riches en fer et en
caroténoïdes. C'est peut-être vrai, mais il est beaucoup plus
économique d'obtenir du fer à partir d'autres aliments comme les
œufs, les légumes à feuillage vert ou les suppléments alimentaires,
et vous pouvez obtenir les caroténoïdes dont vous avez besoin en
mangeant du saumon sauvage ou les fruits et les légumes colorés
présentés au chapitre 3.

Selon certains, les algues bleu-vert donneraient de l'énergie et
favoriseraient la perte de poids ; ce sont là des affirmations
extravagantes, car rien pour l'instant ne nous laisse croire que les
algues bleu-vert suppriment l'appétit plus efficacement que d'autres
plantes fibreuses. Et puisque certaines algues bleu-vert (comme la
Microcystis aeruginosa) produisent des toxines appelées micro-
cystines, des toxines qui peuvent causer des dommages au foie et
favoriser le développement des tumeurs, assurez-vous d'acheter
uniquement des produits de marques connues chez un fournisseur
réputé.

Cinquième super-aliment : le sarrasin — une graine débordante d'énergie

Bien qu'on le présente souvent comme une céréale, le sarrasin est en fait la graine d'une plante aux larges feuilles apparentée à la rhubarbe. Même si le sarrasin n'est pas à proprement parler une céréale, on l'utilise comme s'il en était une, mais ses bienfaits pour la santé surpassent de beaucoup ceux du riz, du blé et du maïs, sans compter que ces derniers ont un haut indice glycémique qui provoque des hausses abruptes du taux de glycémie, une cause connue d'inflammation systémique.

Les graines de sarrasin non décortiquées vont du vert au beige pâle, alors que le sarrasin grillé, appelé kacha — un aliment de base en Europe de l'est — est une graine de couleur brun foncé au goût de noisette. Le kasha est souvent cuit à la vapeur avec de l'oignon, de l'huile d'olive et du persil frais, et vous pouvez mélanger une même quantité de sarrasin et d'avoine pour préparer un gruau délicieux auquel vous pourrez ajouter des petits fruits. On cultive le sarrasin depuis au moins dix mille ans en Chine, en Corée et au Japon, où on aime l'apprêter sous forme de nouilles soba, une forme de pâtes de plus en plus populaire dans les pays occidentaux et un excellent substitut aux pâtes à base de blé.

Le sarrasin contient davantage de protéines que le riz, le blé, le millet et le maïs, et représente une excellente source de lysine et d'arginine, deux acides aminés essentiels que l'on retrouve en quantité insuffisante dans la plupart des autres céréales. Son profil en acides aminés absolument unique donne au sarrasin le pouvoir de multiplier la valeur protéinique des haricots et des céréales consommés au cours de la journée. De plus, comme le sarrasin ne contient aucun gluten — la source de protéine dans les véritables céréales — il est sans danger pour les gens allergiques au gluten ou souffrant de maladie coeliaque.

Les protéines du sarrasin possèdent également des propriétés uniques pour la santé :

- Selon les plus récentes recherches, le sarrasin demeure l'aliment par excellence pour ce qui est de réduire le taux de cholestérol.
- Il aide à réduire et à stabiliser le taux de glycémie après les repas — un facteur clé dans la prévention de l'obésité et du diabète.
- À l'instar des médicaments inhibiteurs de l'ECA prescrits pour combattre l'hypertension, les protéines de sarrasin réduisent l'activité de l'enzyme de conversion de l'angiotensine (ECA), et par conséquent réduisent l'hypertension.

POURQUOI LE SARRASIN EST MEILLEUR QUE LES CÉRÉALES

- *Plus de vitamines, plus de minéraux.* Comparé aux véritables céréales, le sarrasin contient davantage de minéraux, en particulier du zinc, du cuivre et du manganèse (treize à quatre-vingt-neuf pour cent de l'apport quotidien recommandé).
- *Un meilleur profil en gras.* Contrairement aux véritables céréales, le faible contenu en gras du sarrasin est principalement constitué en acides gras monoinsaturés, le même type de gras que l'on retrouve dans l'huile d'olive et qui garde le cœur en santé.
- *Un meilleur profil en amidon et en fibres.* Le contenu en fibres des véritables céréales (autres que l'orge) est majoritairement constitué de fibres insolubles, alors qu'une importante portion des fibres alimentaires du sarrasin sont de type soluble. Les fibres solubles, comme celles de l'avoine, gardent le cœur en santé, réduisent le taux de cholestérol et

réduisent les risques de cancer du colon. De plus, le sarrasin est riche en amidon résistant, une substance qui protège le colon et fait baisser le taux de glycémie.

- *Réduit l'hypertension et le taux de cholestérol LDL (le mauvais cholestérol).* On a récemment découvert que les extraits de sarrasin réduisaient significativement le taux de glycémie chez les rats diabétiques, une découverte prometteuse qui va sûrement mener à des recherches similaires chez les humains. Cet effet bénéfique sur le taux de glycémie est attribué à des composés glucidiques rares appelés fagopyritols (particulièrement le D-chiro-inositol), dont le sarrasin est *la meilleure source* connue à ce jour.

- *Contient des flavonoïdes bénéfiques pour le cœur et le système circulatoire.* En plus de ses bienfaits nutritionnels marqués, le sarrasin était traditionnellement considéré comme un aliment qui permettait la reconstruction du sang. Les scientifiques modernes attribuent cette antique réputation à son haut contenu en polyphénols antioxydants, et en particulier en rutine, un bioflavonoïde qui soutient le système circulatoire et aide à prévenir les hémorragies récurrentes provoquées par l'affaiblissement des vaisseaux sanguins, comme dans les cas d'hémorroïdes et de veines variqueuses. Finalement, la rutine agit comme un inhibiteur de l'ECA et contribue à réduire la pression artérielle.

Sixième super-aliment : haricots et lentilles

Ce n'est pas pour rien que les haricots trônent au sommet de la pyramide du guide alimentaire élaboré par le Département de l'agriculture américain. Ils figurent d'abord parmi les aliments riches en protéines, aux côtés des œufs, de la volaille et du poisson, puis en seconde place, avec les légumes riches en vitamines. Les substances phytochimiques présentes dans les haricots possèdent également des propriétés préventives dont la pyramide du guide alimentaire ne tient pas compte. Le pouvoir nutritionnel et préventif de cet aliment aux multiples facettes — une catégorie qui regroupe les haricots (rouges, noirs, bleus, cocos), les pois chiches (*garbanzo*), les fèves de soya, les pois secs et les lentilles — en fait un incontournable dans notre lutte contre le vieillissement.

Les haricots contiennent peu de matières grasses (à l'exception des fèves de soya), de calories et de sodium, mais sont par contre riches en glucides complexes et en fibres alimentaires et présentent de modestes quantités d'acides gras essentiels, principalement des oméga-6 (les fèves de soya sont les seules à offrir une quantité significative en oméga-3). Les haricots sont également une excellente source de protéines ; il suffit de les apprêter avec des céréales comme l'orge ou l'avoine pour obtenir tous les acides aminés nécessaires à un apport complet en protéine, ce qui plaira aux végétariens qui n'ont pas d'autres sources de protéines dans leur alimentation.

Les haricots, en raison de leur faible indice glycémique, sont extrêmement utiles pour les personnes qui doivent suivre un régime pour diabétiques, car ils ne provoquent pas les hausses du taux de glycémie — hausses qui provoquent de l'inflammation et creusent l'appétit — associées aux céréales raffinées, aux produits de boulangerie et aux pâtisseries. Les haricots ont toutes les fibres qu'il vous faut : une tasse de haricots cuits fournit jusqu'à quinze grammes de fibres alimentaires, et comme cette fibre est lentement libérée dans le flux sanguin, les haricots procurent de l'énergie et rassasient pendant longtemps. Toutefois, je vous recommande de ne pas manger plus d'un quart à une demi-tasse de haricots cuits par repas.

Les pois secs et les lentilles sont considérés comme des aliments de base dans plusieurs cuisines du monde entier. Ils ont été pendant des milliers d'années l'un des aliments les plus nutritifs à notre disposition, et ils le seront encore pendant longtemps. Les haricots et les lentilles peuvent être, de plus, cuisinés de toute sortes de manières . On peut les mélanger avec des herbes et des légumes pour concocter des soupes délicieuses ou les servir en salade, en purée ou en pâte à tartiner. Les pois chiches et les lentilles peuvent aussi être moulus en une farine riche en protéines et affichant un faible indice glycémique.

LES BIENFAITS DES HARICOTS

Les haricots sont bénéfiques pour le cœur pour plusieurs raisons, en plus de leur contenu en fibres :

- Ils sont une bonne source de potassium, un élément chimique qui contribue à réduire les risques d'hypertension et de crise cardiaque. Plus de quatre-vingts pour cent des adultes nord-américains ne consomment pas l'apport quotidien recommandé en potassium qui est de 3 500 mg, alors qu'une demi-tasse de pois secs contient jusqu'à 480 mg de potassium et à peine 5 mg de sodium.
- Les pois secs sont une bonne source d'acide folique, une substance qui protège des maladies cardiaques en détruisant un acide aminé appelé homocystéine. (Une tasse de pois secs cuits fournit 264 mcg d'acide folique, soit plus de la moitié de l'apport quotidien recommandé de 400 mcg). Un taux élevé d'homocystéine dans le sang ou une quantité insuffisante d'acide folique peut tripler les risques de crise cardiaque et d'accident vasculaire cérébral. L'acide folique joue un rôle clé dans la prévention des fausses couches et pourrait réduire les risques de plusieurs types de cancer en favorisant une saine division cellulaire et la réparation des cellules endommagées.
- Après une étude menée auprès de plus de dix mille hommes et femmes, des chercheurs ont constaté que les gens qui mangeaient des haricots plus de quatre fois par semaine

réduisaient les risques de maladie coronarienne de vingt pour cent comparativement à ceux qui en mangeaient moins d'une fois par semaine. Ce bienfait semble ne pas dépendre de nos autres habitudes alimentaires, puisque les ajustements apportés pour tenir compte des autres facteurs de risque en matière de maladie cardiovasculaire n'ont modifié que légèrement l'estimation des risques.

- D'autres études montrent qu'en moins de deux ou trois semaines, une alimentation riche en haricots en conserve ou en pois secs (90 à 120 grammes par jour) réduit le taux de cholestérol de dix pour cent ou plus, ce qui peut mener à une réduction de vingt pour cent des risques de maladie coronarienne.

- Les haricots et les lentilles contiennent des substances anti-inflammatoires et antioxydantes — des flavonoïdes et des flavonols — présentes dans le thé, les fruits, les raisins rouges, le vin rouge et les fèves de cacao. Les pigments rougeâtres qui colorent l'enveloppe des haricots et des lentilles exercent une activité antioxydante cinquante fois supérieure à celle de la vitamine E, protègent les lipides membranaires des cellules contre l'oxydation, gardent le collagène et le cartilage en santé, et redonnent leur pouvoir antioxydant aux vitamines C et E après qu'elles aient combattu les radicaux libres.

- Les haricots sont l'une des plus riches sources alimentaires de saponines, un élément chimique qui prévient les mutations génétiques indésirables.

PRÉPARATION DES HARICOTS

De façon générale, plus les haricots sont gros, plus il faut les faire tremper longtemps ; et plus vous faites tremper longtemps vos haricots, plus vite ils cuiront. Les pois chiches, les haricots et les pois secs doivent tremper environ huit heures.

Si vous avez oublié de les faire tremper la veille, faites-le avant de partir au travail le lendemain matin et ils seront prêts lorsque vous rentrerez le soir. Ou encore ajoutez trois parts d'eau pour chaque part de haricots, amenez à ébullition, puis retirez du feu et laissez reposer pendant une heure. Jetez l'eau de trempage et faites cuire les haricots comme d'habitude. Vous pouvez également utiliser une cocotte-minute, ce qui réduira le temps de cuisson de plus de la moitié, en plus de réduire la perte de nutriments. (Bien sûr, vous pouvez égoutter et rincer des haricots en conserve et les ajoutez directement dans vos salades, vos soupes ou vos currys). Vous pouvez également en préparer de grandes quantités à l'avance et les faire congeler en portions individuelles ; les haricots se congèlent très bien.

Des haricots qui ont trempé suffisamment longtemps prennent de quarante à soixante minutes de cuisson, tout dépendant de leur variété. Faites cuire les haricots jusqu'à ce qu'ils soient tendres, puis rincez-les à fond, car les résidus d'amidon à la surface des haricots alimenteront des bactéries inoffensives dans vos intestins qui provoqueront à leur tour la libération de gaz. Comme une partie de cet amidon demeure dans l'eau de trempage, il est préférable de ne pas l'utiliser pour la cuisson.

Vous pouvez prévenir la formation de gaz en incorporant progressivement les haricots à votre alimentation. Commencez par en manger quelques bouchées par jour, jusqu'à ce que votre corps s'adapte. Boire beaucoup de liquide facilitera également leur digestion. Vous pouvez aussi prendre des suppléments d'enzymes comme le produit Beano, en vente dans les supermarchés, qui digéreront les sucres à l'origine de ces gaz. Mettez-en simplement quelques gouttes sur votre première bouchée de nourriture.

PRÉPARATION DES LENTILLES

Comme les autres légumineuses, les lentilles contiennent peu de matières grasses et sont riches en protéines et en fibres, mais présentent l'avantage de cuire rapidement. Mieux encore, il n'est pas nécessaire de les faire tremper avant la cuisson. Retirez simplement les débris, rincez-les et faites-les bouillir. Les lentilles rouges ne nécessitent que vingt minutes de cuisson, les vertes de trente à quarante-cinq minutes, et comptez de quarante-cinq à soixante minutes pour les lentilles brunes. N'ajoutez pas de sel durant la cuisson, cela les ferait durcir. Comme les haricots, les lentilles se conservent presque indéfiniment dans un endroit frais et sec. Il se peut qu'elles soient légèrement décolorées après un long entreposage, mais leur goût et leur valeur nutritive seront intacts. Les lentilles sont une excellente façon d'ajouter des protéines et des fibres à vos repas, tout en jouissant des bienfaits antioxydants de ce groupe d'aliments. Les lentilles sont délicieuses et se marient facilement à une foule d'épices et d'herbes, en particulier au curcuma et au gingembre.

Septième super-aliment : les piments forts

Le terme *piment* regroupe une variété de plantes, allant des doux poivrons rouges et verts aux brûlants habaneros et scotch bonnets. Lorsque Christophe Colomb goûta aux petites baies « piquantes » qu'il avait découvertes lors de ses voyages dans les Caraïbes, il se crut en Inde, pays qui approvisionnait alors l'Europe en épices de toutes sortes. En fait, on estime que les peuples autochtones des Amériques cultivaient et mangeaient des poivrons et des piments depuis près de sept mille ans. Peu de temps après que les navires de Colomb les eurent introduits en Espagne, les commerçants se mirent à les expédier partout à travers le monde, transformant ainsi nombre de cuisines nationales, du Maroc à la Hongrie, de l'Inde à la Chine, tout en améliorant les conditions de santé de ces populations.

Les piments — les poivrons doux comme les piments forts — appartiennent tous à la famille des *capsicum*, un terme dérivé du mot grec *kapto*, qui signifie « mordant ».

Tous les piments contiennent un composé appelé capsaicinoïde. Ce dernier est particulièrement concentré dans les piments rouges qui tirent leur côté piquant — de même que leurs extraordinaires propriétés anti-inflammatoires, analgésiques, anticancéreuses et préventives — de leur taux élevé de capsaicinoïdes, dont la forme la plus courante est la capsicine.

En plus de la capsicine, les piments rouges contiennent de grandes quantités de carotène et de flavonoïdes antioxydants, et deux fois plus de vitamine C que les agrumes. Presque tous les plats — soupes, ragoûts, piments sautés, salades et salsas — peuvent être rehaussés par l'ajout d'un peu de piment rouge.

LES BIENFAITS DE LA CAPSICINE

- *Maux de tête*. Comme vous l'avez appris au chapitre 2, la Substance P est l'élément clé dans la transmission de la douleur vers le cerveau. En fait, la Substance P est le principal mécanisme dont dispose notre organisme pour produire de l'enflure et de la douleur à travers le nerf trigéminal, un nerf qui passe par la tête, les tempes et les cavités des sinus. Lorsque les fibres nerveuses entrent en contact avec la Substance P, elles réagissent en enflant, ce qui provoque des maux de tête et des symptômes au niveau des sinus. Des recherches ont montré que le fait de manger des aliments contenant de la capsicine peut supprimer la production de Substance P. Des essais cliniques ont montré que la capsicine soulage et prévient efficacement les migraines, les maux de tête associés à la congestion des sinus et les algies vasculaires de la face.

- *Arthrite*. Les gens qui souffrent d'arthrite ont généralement un taux élevé de Substance P dans le sang et dans le liquide synovial dans lequel baignent les articulations. Le fait de manger des aliments qui contiennent de la capsicine — ou d'appliquer localement des crèmes contenant de la capsicine — peut soulager la douleur associée à cette affection.

- *Capsicine pour le soulagement des sinus*. La capsicine possède également de puissantes propriétés antibactériennes et s'avère très efficace pour combattre et prévenir les infections chroniques des sinus (sinusite). Cette substance chimique entièrement naturelle, qui peut décongestionner les voies nasales comme aucun autre produit, est aussi très utile dans le traitement des symptômes reliés au sinus. Il a été démontré qu'une petite dose quotidienne de capsicine peut prévenir la congestion nasale chronique.

- *Anti-inflammatoire*. Récemment, les chercheurs ont découvert que la capsicine est un puissant anti-inflammatoire, et ont même mis le doigt sur la façon dont elle combat l'inflammation chronique. Le noyau des cellules humaines contient des substances chimiques appelées facteurs de transcription nucléaire (FTN) ; deux d'entre eux — la protéine activatrice

1 (AP-1) et NF-kappa-B — sont des cibles particulièrement importantes pour la prévention du cancer et du vieillissement prématuré de la peau. Chacun de ces facteurs peut être « activé » par les rayons ultraviolets et les radicaux libres, provoquant une réaction en chaîne proinflammatoire qui favorise le vieillissement prématuré et une grande variété de maladies dégénératives. L'acide alpha-lipoïque (AAL) est extraordinairement efficace pour ce qui est d'empêcher ces deux facteurs FTN de déclencher une cascade proinflammatoire. (C'est pourquoi j'utilise abondamment l'AAL dans la préparation de mes traitements topiques et le recommande sous forme de supplément alimentaire.) Et il s'avère que la nature nous offre de nombreux autres bloqueurs de FTN, comme la capsicine des piments forts et le pigment jaune du curcuma.

- *Soulagement gastrique.* Une étude récente sur les troubles gastriques, conduite par des chercheurs de l'université Duke, montre que la capsicine pourrait mener à la découverte d'un traitement contre certaines maladies intestinales. Les chercheurs de l'université Duke ont découvert qu'un récepteur des cellules nerveuses semble jouer un rôle crucial dans le développement de l'affection abdominale inflammatoire (AAI), un terme général désignant une grande variété de troubles chroniques associés à une inflammation intestinale qui provoque des crampes abdominales chroniques, de la douleur et des diarrhées. On ne connaît pas la cause de l'AAI, mais on estime qu'un à deux millions d'Américains souffriraient de ce trouble abdominal.

- *Capsicine et cancer.* Plusieurs études récentes ont montré que la capsicine pourrait éventuellement prévenir le développement de certains types de cancer. Plusieurs essais cliniques menés en Chine et au Japon montrent que la capsicine naturelle inhibe la croissance des cellules leucémiques. Même si ces études utilisaient de la capsicine pure directement injectée dans des cellules malades isolées en laboratoire, les scientifiques ont néanmoins conclu que la consommation quotidienne de piments forts (contenant de la capsicine) pourrait prévenir certains types de cancer. Partout en Amérique du Sud, le taux de cancer des intestins, de l'estomac et du colon est très bas comparé à celui observé aux États-Unis. Les experts médicaux s'entendent pour dire que ce faible taux de cancer serait lié à la grande quantité de capsicine contenue dans l'alimentation des Latino-Américains, qui consomment presque à tous les repas des aliments contenant de la capsicine, que ce soit du poivre de Cayenne ou des piments forts jalapeòo. Bien sûr, nous devons tenir compte du fait que ces populations consomment également des haricots riches en fibres sur une base quotidienne.

- *Brûler des graisses*. La capsicine est l'ingrédient actif dans plusieurs des suppléments « brûle graisse » les plus populaires sur le marché. En tant qu'agent thermogénique, la capsicine fait augmenter l'activité métabolique et aide ainsi l'organisme à brûler des calories et des graisses. Depuis que la Food and Drug Administration (FDA) a interdit la vente d'éphédra, les fabricants de suppléments sont à la recherche d'un ingrédient thermogénique de remplacement, et plusieurs d'entre eux ont choisi d'ajouter des piments forts à leurs mélanges. Bien que la capsicine reproduise certains des effets métaboliques de l'éphédra, elle ne provoque pas les effets néfastes de cette herbe sur la fréquence cardiaque. En fait, la capsicine est un supplément qui garde le cœur en santé.

L'ÉCHELLE DE SCOVILLE : FORT, TRÈS FORT,
ET ENCORE PLUS FORT

On trouve de la capsicine dans la plupart des piments forts appartenant à la famille des *Capsicum*. Bien que la plupart des variétés de piment nous viennent de l'Amérique du Sud, on trouve également de la capsicine dans certains piments africains, indiens et même chinois. Comme les poivrons, qui appartiennent aussi à la famille des capsicum, tous les piments ne sont pas forcément piquants. Par exemple, le paprika est un membre de la famille des capsicum, mais il est plutôt doux. À l'inverse, la Cayenne, un cousin du paprika, est extrêmement fort. Tout dépend de l'intensité de chaque plante.

Les piments forts possèdent leur propre échelle d'intensité, appelé échelle de Scoville. Surtout utilisée par l'industrie alimentaire, l'échelle de Scoville est considérée comme la façon la plus précise de mesurer l'intensité des piments. Développées en 1912 par le botaniste Wilbur Scoville, les unités Scoville sont établies en diluant de la poudre de piment dans une certaine quantité d'eau, jusqu'à ce qu'il devienne impossible de détecter son goût piquant. Les unités Scoville mesurent la perception d'intensité en multiples de cent ; les poivrons représentent le degré zéro d'intensité, la capsicine pure mesure plus de seize millions d'unités Scoville, alors que les piments les plus populaires comptent environ trente mille unités Scoville. Jusqu'à tout récemment, les piments habaneros détenaient le record du monde, certains atteignant jusqu'à trois cent mille unités Scoville. Toutefois, en 2000, des chercheurs indiens ont mesuré un piment fort appelé Naga Jolokia, provenant de la lointaine province du Assam, dans le nord-est de l'Inde. Ce piment diaboliquement puissant détient aujourd'hui le triste honneur d'être le plus fort du monde, avec un résultat de huit cent cinquante-cinq mille unités Scoville.

Environ quatre-vingts pour cent de la capsicine des piments est concentrée dans la membrane et dans les pépins, qu'on peut donc retirer pour en réduire l'intensité. La capsicine est de plus distribuée de façon inégale, en plus petites quantités, dans la chair des piments forts.

Les aérosols à la capsicine, mieux connus sous le nom de vaporisateurs de poivre de Cayenne (généralement utilisés pour repousser d'éventuels assaillants), sont aujourd'hui utilisés pour traiter les sinusites, les allergies et les maux de tête, grâce à un nouveau vaporisateur nasal contenant des extraits de piment fort. Pour plus d'information, consultez le guide ressource à la fin du livre.

Soyez toujours extrêmement prudent lorsque vous manipulez des piments forts et choisissez des piments dont le degré d'intensité convient à votre palais. Utilisez des gants en caoutchouc pour les couper et les épépiner, et ne vous touchez jamais les yeux durant la préparation : l'huile contenue dans les piments forts provoque une sensation de brûlure intense, et je sais de quoi je parle pour en avoir fait la douloureuse expérience !

Huitième super-aliment : noix et graines

Si vous voulez réduire de façon spectaculaire vos risques de cancer, de maladies cardiaques et de diabète, maîtriser votre poids sans souffrir de la faim et réduire les signes du vieillissement comme les rides et l'affaissement de la peau, je vous recommande fortement de manger des noix et des graines.

- Quand il vous arrive de penser à manger entre les repas, savourez une poignée de noix non salées. Elles sont extrêmement nourrissantes et délicieuses, et excellentes pour la santé.
- Ajoutez des noix à vos repas réguliers ; une cuillère à table d'amandes hachées dans votre gruau, une cuillère à table de noix dans votre salade du midi ou un filet de saumon sauvage aux noisettes (voir la recette à l'appendice A). Les noix se prêtent à toutes sortes d'usages ; elles peuvent remplacer la farine et la chapelure, en plus d'être savoureuses et bonnes pour la santé. Rappelez-vous toutefois, comme en toute chose, de faire preuve de modération.

NOIX, GRAINES ET SANTÉ DU CŒUR

Des études menées auprès de plus de 220 000 personnes montrent qu'une alimentation riche en noix réduit les risques de maladie cardiaque, la principale cause de décès chez les hommes et les femmes aux États-Unis. Cela ne devrait pas nous étonner : les noix contiennent de puissantes substances antioxydantes et anti-inflammatoires, et comme tant d'autres maladies, les maladies cardiaques sont une affection inflammatoire.

Prenez en considération ces découvertes :

- La célèbre étude menée auprès de plus de trente mille membres de l'Église des Adventistes du septième jour s'est échelonnée sur une période de douze ans. Les résultats montrent que même parmi les membres de cette communauté en santé et majoritairement végétarienne, ceux qui mangeaient des noix au moins cinq fois par semaine réduisaient leur risque de mourir d'une maladie coronarienne de 48 %, comparativement à ceux qui en mangeaient moins d'une fois par semaine. Ils réduisaient également leur risque de souffrir d'une crise cardiaque non fatale de 51 %.

- Une étude portant sur plus de trois mille hommes et femmes d'origine afro-américaine montre que ceux qui consommaient des noix au moins cinq fois par semaine réduisaient leur risque de mourir d'une maladie coronarienne de 44 %, comparativement à ceux qui en consommaient moins d'une fois par semaine.

- Les résultats d'une étude de quatorze ans menée auprès de quatre-vingt-six infirmières montrent que les femmes qui consomment plus de cent cinquante grammes de noix par semaine réduisent leur risque de maladie coronarienne de 35 %, comparativement à celles qui mangent moins de trente grammes de noix par mois. (On observa la même réduction des risques de mort en ce qui a trait aux maladies coronariennes et aux crises cardiaques non fatales.) Une autre étude de dix-sept ans, menée cette fois auprès de plus de soixante et un médecins, montre que ceux qui consommaient des noix au moins deux fois par semaine réduisaient leur risque de mourir d'une crise cardiaque de 53 %, comparativement à ceux qui en mangeaient rarement. (On n'observa pas de diminution significative des risques de crises cardiaques et de maladies coronariennes non fatales.)

Les noix contribuent à maintenir le cœur en santé en raison de leur profil en protéines, en gras, en stérols et en vitamines absolument unique :

- *Protéines*. La plupart des noix sont riches en arginine, un acide aminé qui réduit le taux de cholestérol et dilate, en tant que précurseur de l'oxyde nitrique, les vaisseaux sanguins, réduisant ainsi la pression artérielle et les risques d'angine, d'insuffisance cardiaque congestive et de crise cardiaque.

- *Gras*. La plupart des matières grasses contenues dans les noix sont des acides gras oméga-3 et oméga-6 polyinsaturés qui réduisent le taux de cholestérol. De nombreux essais cliniques ont montré que les amandes, les noisettes, les noix de macadamia, les arachides, les pacanes, les pistaches et les noix réduisent le taux total de cholestérol et de cholestérol LDL chez les gens qui ont un taux normal ou élevé de cholestérol. De plus, les phytostérols contenus dans les noix inhibent l'accumulation de gras sur les parois des artères, accumulation qui augmente les risques d'angine, d'accident vasculaire cérébral et de crise cardiaque.

- *Vitamines*. La vitamine E — un antioxydant que l'on retrouve en grande quantité dans les amandes — aide à prévenir l'oxydation du cholestérol qui mène éventuellement à l'accumulation de gras dans les artères. La vitamine B, présente dans plusieurs noix, réduit le taux d'homocystéine dans le sang, un marqueur important de la maladie cardiaque.

- *Substances phytochimiques*. L'enveloppe de toutes les noix et de toutes les graines — telle la pellicule brune et mince comme du papier qui recouvre les amandes et les arachides — est riche en polyphénols antioxydants, qui réduisent également les risques de maladie cardiaque. (Les noix et les graines traitées contiennent moins d'antioxydants ; choisissez donc des noix crues avec leur écale dans la mesure du possible.) Les noix sont particulièrement riches en acide alpha-linolénique, un acide gras essentiel qui protège le cœur et le système circulatoire.

NOIX ET GRAINES : LES ADVERSAIRES DU CANCER

Les gras, les polyphénols et les protéines contenus dans les noix contribuent également à prévenir le cancer

- L'acide phytique est un antioxydant végétal naturel présent dans les noix et les graines. Ce puissant antioxydant contribue à la conservation des graines, et pourrait, pour les mêmes raisons, réduire le taux de cancer du colon et d'autres maladies intestinales inflammatoires.
- L'enveloppe de toutes les graines et de toutes les noix est riche en polyphénols antioxydants, connus pour réduire les risques de cancer. (Voilà une autre raison de choisir des noix et des graines crues avec leur écale plutôt que des noix et des graines décortiquées et salées.)
- Le bêta-sitostérol et le campestérol — deux phytostérols que l'on trouve dans la plupart des noix — semblent supprimer les tumeurs du sein et de la prostate.
- Un acide aminé appelé arginine, que l'on retrouve en abondance dans la plupart des noix, inhibe également la croissance des tumeurs et renforce le système immunitaire.
- Les noix sont spécialement utiles, car elles contiennent de l'acide ellagique, un polyphénol antioxydant qui combat le cancer, également présent dans les grenades et les framboises.
- Le sélénium, un facteur antioxydant clé, connu pour prévenir le cancer, est particulièrement abondant dans les noix du Brésil.

EN RÉSUMÉ : UNE COLLATION RICHE ET AMAIGRISSANTE

Même si cela peut sembler étrange, une alimentation comprenant des quantités raisonnables de noix — un aliment riche en gras et en calories — aide à prévenir l'obésité et même à perdre du poids. Une étude a démontré que les gens qui suivent un régime hypocalorique comprenant des noix et d'autres bons gras (ces derniers comptant pour 35 % du total calorique) perdent autant de poids que ceux qui suivent un régime où les gras ne représentent que 20 % des calories. Sur une période de dix-huit mois, les chercheurs ont également observé que les gens qui mangeaient des quantités raisonnables de gras maintenaient plus facilement leur poids que ceux qui en mangeaient très peu, probablement parce qu'ils avaient tendance à moins souffrir de la faim.

L'ACHAT ET L'ENTREPOSAGE DES NOIX

Les noix perdent leurs bienfaits pour la santé et leur capacité à supprimer l'appétit lorsqu'elles sont salées, cuites dans l'huile, rôties, desséchées ou rancies. De plus, les gras contenus dans les noix et les graines sont susceptibles de s'oxyder une fois qu'elles sont écalées et exposées à l'air ou à la lumière ; un processus qui détruit leur valeur nutritive et ruine leur goût.

Par conséquent, les noix et les graines doivent être achetées en petites quantités, dans leur écale — qui les protège contre l'oxydation — et rangées dans un endroit frais et sec. Jetez celles dont l'écale est brisée, qui sont décolorées, molles, caoutchouteuses, moisies ou desséchées, et celles dont le goût et l'odeur sont douteux. Conservez les graines et les noix dans un contenant hermétique au réfrigérateur (une semaine ou moins) ou au congélateur. Finalement, préparez vous-même vos noix broyées ou effilées pour un maximum de fraîcheur.

Les inhibiteurs d'enzymes et les phytates contenus dans les noix limitent la disponibilité de leurs nutriments. Pour maximiser leur valeur nutritive, faites-les tremper dans l'eau salée pendant six à huit heures, égouttez-les, puis faites-les sécher au four sur une plaque à biscuits, à feu bas.

LES NOIX ET LES GRAINES DANS VOTRE ALIMENTATION

Les noix et les graines ajoutent de la texture et de la saveur aux salades et à plusieurs autres recettes. Bien entendu, elles constituent une excellente collation. Plusieurs personnes aiment tartiner du beurre de noix sur des craquelins ou des fruits. Je vous déconseille d'acheter du beurre de noix préparé sur place en magasin, parce que vous ignorez si le moulin est propre, et parce que le beurre est exposé à l'air et à la lumière lorsqu'on l'extrait du moulin. Franchement, il est préférable d'acheter un produit préparé à l'avance d'une marque connue d'aliments naturels auquel aucune huile hydrogénée n'a été ajoutée. De plus, vous pouvez facilement préparer vous-même vos beurres de noix et de graines à l'aide d'un robot ménager : ajoutez simplement de l'huile pour obtenir la consistance désirée. Comme pour les noix et les graines, conservez vos beurres de noix maison, et ceux que vous achetez à l'épicerie, au réfrigérateur dans des contenants hermétiques.

Je vous recommande de manger une portion de noix ou de graines (un quart de tasse) tous les jours. Et, en plus de l'huile d'olive, il est également meilleur pour la santé de cuisiner avec de l'huile de macadamia, d'arachide, de sésame ou de colza plutôt que d'utiliser du beurre, de la margarine ou de la matière grasse. Inutile de préciser que vous devez par contre tenir compte du goût particulier de chacune de ces huiles. L'huile d'arachide, par exemple, se marie parfaitement à la majorité des plats asiatiques. Ne cuisinez jamais avec des huiles de lin, de chanvre ou de noix, car elles sont très fragiles et leurs acides gras oméga-3 s'oxydent lorsqu'ils sont exposés à la chaleur, à la lumière et à l'air. Utilisez vos huiles de graines de lin, de noix, de chanvre et d'olive pour préparer des vinaigrettes maison. Dans la mesure du possible, achetez des noix, des graines et des huiles biologiques. Consommées avec modération, toutes les noix et toutes les graines sont bonnes pour la santé, la clé étant toujours la variété. Certaines noix et graines se démarquent toutefois des autres en raison de leur composition exceptionnelle en acides gras. Je vous recommande les noix et les graines suivantes parce qu'elles contiennent davantage d'acides gras (monoinsaturés) oméga-3 et oméga-6. Ces deux acides gras maintiennent le cœur en santé, et les oméga-3 sont de plus un puissant agent anti-inflammatoire. Le contenu en acides gras de chacune des noix et graines présentées ci-dessous est exprimé comme un pourcentage de leur contenu total en gras. (*Remarque* : ces pourcentages représentent une moyenne, étant donné que le contenu en acides gras des graines et des noix varie considérablement d'une base de données à l'autre.)

- *Les plus riches en acides gras oméga-9 monoinsaturés.* Macadamia (50%), pacanes (45%), amandes (42%), avelines (38%), pistaches (35%), noix du Brésil (32%), arachides (23%), graines de sésame (21%). *Notez bien* : contrairement à la plupart des noix, les pistaches sont une excellente source de caroténoïdes antioxydants.
- *Les plus riches en acides gras oméga-3 polyinsaturés.* Graines de lin (50%), noix de Grenoble (8%), graines de potiron (7%).

Neuvième super-aliment : les pousses

Les pousses sont extrêmement nutritives. Cultivées localement à l'année longue, les pousses sont une bonne source de protéines et de vitamine C. Afin de vous informer de mon mieux sur les pousses, leur histoire, leur qualité nutritive et les différentes variétés disponibles, je suis entré en contact avec l'Association internationale des producteurs de pousses (AIPP) qui m'a généreusement donné la permission de partager avec vous les informations scientifiques et historiques présentées dans ce livre.

L'AIPP a été fondée en 1989 à titre d'organisation à but non lucratif afin de promouvoir l'industrie des pousses et d'encourager l'échange d'informations entre les producteurs et les fournisseurs. Vous pouvez visiter leur site Internet à l'adresse www.isga-sprouts.org pour obtenir plus d'informations et des recettes remarquables.

QU'EST-CE QU'UNE POUSSE ?

Une pousse est essentiellement une graine qui a germé. On peut obtenir des pousses en faisant germer des graines de légumes, de céréales, de légumineuses, de sarrasin et de haricots. Leur goût et leur texture varient beaucoup d'une pousse à l'autre. Certaines sont piquantes (pousses de radis et d'oignon), les plus résistantes sont souvent utilisées dans la cuisine asiatique (pousses de haricot mungo), alors que d'autres sont plus délicates (luzerne), ajoutant de la texture et du moelleux aux salades et aux sandwichs.

POURQUOI MANGER DES POUSSES ?

Il y a plusieurs bonnes raisons de manger des pousses. En vieillissant, la capacité de notre organisme à produire des enzymes diminue. Or, les pousses sont une source concentrée d'enzymes vivants qui sont malheureusement détruits lors de la cuisson ou lorsque les aliments ne sont pas cueillis frais directement dans votre propre jardin. De plus, en raison de leur contenu élevé en enzymes, les pousses sont beaucoup plus faciles à digérer que les graines et les haricots d'où elles proviennent. Les pousses sont si nutritives qu'elles ont leur propre super-héros : « *Sproutman* » alias Steve Meyerowitz (www.sproutman.com). Les informations suivantes, recueillies sur le site Internet de Sproutman, fournissent une réponse exhaustive à la question : *Pourquoi manger des pousses : les fruits et les légumes ne suffisent-ils pas ?*

L'Institut national du cancer et les instituts nationaux de la santé vous recommandent de manger cinq portions de fruits et légumes frais chaque jour. Une excellente façon d'y parvenir consiste à inclure des pousses dans votre alimentation. Les pousses de luzerne contiennent plus de chlorophylle que les épinards, le chou frisé, le chou et le persil. Les pousses de luzerne, de tournesol, de trèfle et de radis contiennent 4 % de protéines. Comparativement, les épinards en contiennent 3 %, la laitue romaine 1,5 %, la laitue Iceberg 0,8 %, le lait seulement 3,3 %… la viande 19 % et les œufs 13 % (mais aussi 11 % de matières grasses)… Les pousses de soya contiennent deux fois plus de protéines que les œufs et seulement un dixième des matières grasses… Les pousses de radis contiennent vingt-neuf fois plus de vitamine C que le lait (29 mg versus 1 mg) et quatre fois plus de vitamine A (391 IU versus 126).

La luzerne, les radis, le brocoli, le trèfle et le soya contiennent de grandes concentrations de substances phytochimiques (composés végétaux) qui peuvent nous protéger contre la maladie. La canavanine, un acide aminé que l'on retrouve dans la luzerne, améliore notre résistance au cancer du pancréas et du colon et à la leucémie. Les phytoestrogènes contenus dans ces pousses possèdent une activité similaire à celle de l'estrogène, mais sans en avoir les effets secondaires. Ils améliorent la formation des os et leur densité et préviennent leur effritement (ostéoporose). Ils aident à maîtriser les bouffées de chaleur, les symptômes de la ménopause, le SPM et la maladie fibrokystique du sein. En plus d'avoir un taux élevé de glucosinolates et d'isothio-cyanates, les pousses de brocoli sont exceptionnellement riches en glucoraphanine, une substance qui renforce les systèmes de défense contre l'oxydation de l'organisme. Une étude publiée par l'Académie nationale des sciences montre qu'une alimentation qui inclut des pousses de brocoli riches en glucoraphanine renforce nos moyens de défense contre l'oxydation, réduit l'inflammation, fait baisser la pression artérielle et favorise la santé du système cardiovasculaire en seulement quatorze semaines.

Les pousses de luzerne sont l'une des meilleures sources alimentaires de saponines, une substance qui fait baisser le taux de mauvais cholestérol sans toutefois affecter le bon HDL… Les saponines stimulent également le système immunitaire en favorisant l'activité des cellules tueuses naturelles comme les lymphocytes T et l'interféron… Les pousses contiennent également d'abondantes quantités d'antioxydants qui préviennent la destruction de l'ADN et nous protègent contre les effets du vieillissement en cours.

En tant que médecin oeuvrant depuis longtemps dans le domaine de la lutte contre le vieillissement, je suis convaincu que Steve « Sproutman » a raison. Tous les nutriments dont nous avons besoin pour vivre se trouvent dans les graines, une catégorie d'aliments qui comprend les graines, les haricots, les légumineuses et les noix. Comme elles sont toujours fraîches — les pousses ne sont jamais entreposées pendant des jours ou des semaines — nous savons qu'elles ont conservé toutes leurs valeurs nutritives.

DE DÉLICIEUSES FAÇONS DE SERVIR LES POUSSES

- Ajoutez-les à vos salades.
- Utilisez-les dans vos salades de chou cru (chou, trèfle, radis).
- Essayez-les dans vos wraps et vos sandwichs roulés (luzerne, tournesol, radis).
- Faites-les sauter avec d'autres légumes (luzerne, trèfle, radis, haricots mungo, lentilles).
- Mélangez-les avec du jus de légumes (chou, haricots mungo, lentilles).
- Mélangez-les avec des fromages en crème, du tofu, du yogourt ou du kéfir pour obtenir de délicieuses trempettes (haricots mungo, radis).
- Ajoutez-les à vos soupes ou à vos ragoûts au moment de servir (haricots mungo, lentilles).
- Mangez-les fraîches et crues en salade (mélanges à salade).
- Utilisez-les comme garniture sur vos omelettes et vos œufs brouillés (luzerne, trèfle, radis).
- Ajoutez-les à vos plats à base d'avoine, d'orge et de sarrasin (fenouil, lentilles, haricots mungo).
- Ajoutez-les aux sushis (radis, tournesol).
- Faites-les sauter avec de l'oignon (haricots mungo, trèfle, radis).
- Mangez-les en purée avec des pois secs et des haricots (haricots mungo, lentilles).
- Ajoutez-les aux haricots cuits (lentilles).

OÙ TROUVER LES FOURNITURES NÉCESSAIRES ?

Vous trouverez des trousses de germination bon marché sur Internet et dans certains magasins d'aliments naturels et supermarchés. Achetez uniquement des graines de céréales, de légumineuses et de haricots certifiées biologiques ; achetez-les en petites quantités et conservez-les au réfrigérateur avant de les faire germer.

Voici la liste des graines, haricots, légumineuses et céréales pouvant servir à la germination : blé, chou, fenouil, haricots adzuki, haricots mungo, lentilles, luzerne, moutarde, pois chiches, pois verts, radis, seigle, sésame, tournesol, trèfle, triticale. Si vous cultivez vos propres pousses, récoltez-les après quatre ou huit jours pour un maximum d'activité enzymatique.

Si vous n'avez pas le temps de cultiver vous-même vos pousses, achetez-les au marché de fruits et de légumes de votre quartier ou au rayon des légumes frais de votre supermarché. Les magasins d'aliments santé vendent souvent des pousses. Vous savez que les pousses sont fraîches quand leurs racines sont humides et blanches et quand la pousse elle-même est croquante.

Avertissement : quelle que soit la source d'où elles proviennent, n'utilisez jamais de graines qui ont été traitées avec des fongicides. Les graines traitées ne sont pas comestibles ; vous les reconnaîtrez à la poudre rose ou verte qui les recouvre. Les graines vendues pour la culture agricole tombent également dans cette catégorie. Utilisez uniquement des graines vendues pour la germination ou la consommation humaine.

Conservez les pousses dans le tiroir à légumes de votre réfrigérateur et utilisez-les le plus rapidement possible. Les rincer tous les jours sous l'eau froide peut prolonger leur vie. Si vous escomptez les faire cuire, les pousses de haricots mungo se conservent plusieurs mois au congélateur dans un sac hermétique.

Dixième super-aliment : yogourt et kéfir : les partenaires santé probiotiques

L'origine des aliments fermentés et des cultures de lait est si ancienne qu'elle serait même antérieure selon certains à la période couverte par les écrits historiques. Cela cadre parfaitement avec ma propre philosophie voulant que les aliments les plus anciens nous soient parvenus pour une bonne raison : ils nous ont permis et nous permettent encore de survivre en tant qu'espèce. Les aliments fermentés et les cultures de lait représentent probablement notre première expérience avec ce que les chercheurs appellent aujourd'hui des aliments « fonctionnels » : des aliments qui contribuent à nous maintenir dans un état de santé optimum.

Les scientifiques qui s'intéressent aux aliments fermentés considèrent le yogourt et le kéfir comme étant les principaux aliments « probiotiques ». Qu'est-ce qu'un probiotique ? Quelle est son action ?

Au début du vingtième siècle, les recherches menées par le Dr Elie Metchnikoff, prix Nobel de biologie, l'amenèrent à formuler sa théorie de l'intoxication. Metchnikoff croyait que les toxines secrétées par les bactéries nuisibles qui putréfient et font fermenter les aliments dans les intestins accéléraient le processus de vieillissement. Il croyait également que les bactéries inoffensives que l'on retrouve dans les produits laitiers fermentés pourraient expliquer la longévité de certains groupes ethniques, et en particulier celle des peuples vivant dans les montagnes du Caucase dans le sud de la Russie.

Par conséquent, Metchnikoff recommandait de consommer des aliments « de culture », comme le yogourt, contenant des bactéries bonnes pour la santé. Ses idées se répandirent rapidement, et bientôt, le yogourt et le concept d'aliments probiotiques attirèrent l'attention du monde entier. Et comme Metchnikoff avait démontré que les bactéries sécrétant de l'acide lactique étaient les plus

128

bénéfiques, les gens portèrent d'abord leur attention sur ces soi-disant lactobacilles dans leurs efforts pour mettre son hypothèse en pratique. De nos jours, les microbes probiotiques sont systématiquement incorporés à la nourriture destinée aux animaux de ferme, et tout le monde s'entend pour dire que les différentes espèces de lactobacilles et de bifidobactérie laissent miroiter de grands bienfaits pour la santé humaine.

Chez les humains, les microbes probiotiques aident l'organisme à combattre les maladies infectieuses en concurrençant les pathogènes pour la nourriture, les nutriments et leur survie. C'est pourquoi le lait maternel est riche en facteurs nutritifs qui favorisent la croissance de bifidobactéries, une famille de bactéries qui garde l'écosystème intestinal des bébés en santé et les protège contre la maladie.

PROBIOTIQUES ET MALADIE

Des recherches préliminaires indiquent que les probiotiques pourraient potentiellement prévenir ou traiter plusieurs affections communes. (Des recherches plus poussées sont toutefois nécessaires, alors ne vous fiez pas aux probiotiques pour traiter un problème de santé sans supervision médicale.) Les probiotiques :

- Améliorent votre résistance aux infections vaginales (bactériennes et à levure), aux infections de l'appareil urinaire et de la vessie.
- Améliorent votre résistance aux troubles intestinaux inflammatoires, y compris l'affection abdominale inflammatoire.
- Améliorent votre résistance aux allergies alimentaires et aux affections allergiques inflammatoires comme l'asthme et l'eczéma.
- Réduisent les risques de maladie cardiovasculaire.

- Réduisent les risques de cancers intestinaux.
- Réduisent la durée des gastroentérites et des diarrhées rotavirales chez les bébés.
- Réduisent la fréquence des infections respiratoires infantiles.
- Améliorent votre résistance aux diarrhées du voyageur.
- Aident à prévenir la chute des dents.

PROBIOTIQUES, INFLAMMATION ET FONCTION IMMUNITAIRE

Les chercheurs ont découvert que les gens qui ont une alimentation riche en aliments probiotiques jouissent d'une meilleure fonction immunitaire. Il semble que les probiotiques normalisent la réponse immunitaire, inhibent l'inflammation chronique et pourraient même contribuer à soulager certaines affections inflammatoires d'origine auto-immune comme l'asthme, l'eczéma et la maladie de Crohn.

Présentement, on observe l'émergence fort inquiétante d'agents pathogènes (viraux, bactériens et autres) résistants aux antibiotiques. Cette horrible situation, aux conséquences parfois fatales, a amené les chercheurs à se pencher de toute urgence sur l'utilisation de bactéries probiotiques dans la lutte contre ces infections. Nous savons aujourd'hui que les probiotiques peuvent faire augmenter les taux d'anticorps dans l'organisme. Cette relance du système immunitaire réduit les risques d'infection, et donc le besoin d'avoir recours aux antibiotiques. Plusieurs médecins recommandent à leurs patients de manger du yogourt lorsqu'ils doivent prendre des antibiotiques afin de se réapprovisionner en bonnes bactéries ; certains affirment que les cultures de yogourt pourraient réduire la fréquence des rhumes, des allergies et du rhume des foins.

YOGOURT ET OBÉSITÉ

Une portion quotidienne de yogourt est profitable aux gens de tous âges. Le yogourt est également un aliment important pour les gens qui veulent perdre du poids. Comme les autres produits du lait, le yogourt est une excellente source naturelle de calcium. Des recherches montrent que le calcium contribue à minimiser les gains de poids. Même une légère variation du taux de calcium des cellules adipeuses peut modifier les signaux à l'intérieur de la cellule qui contrôlent la fabrication et la combustion des graisses.

Les auteurs d'une étude publiée en 2003 par l'université du Tennessee ont demandé à trente-quatre personnes de suivre un régime hypocalorique. Seize d'entre elles ont reçu quotidiennement entre 400 et 500 mg de calcium sous la forme de supplément alimentaire. Les dix-huit autres sujets en consommèrent encore davantage — 1 100 mg par jour — sous la forme de yogourt. Au bout de douze semaines, les deux groupes avaient brûlé des graisses. Mais si les sujets qui avaient reçu des suppléments avaient perdu 2,7 kilos de graisse, les sujets qui avaient mangé du yogourt avaient perdu, eux, 4,5 kilos de graisse. Mieux encore, ceux qui avaient mangé du yogourt se rendirent compte que *leur tour de taille avait diminué de près de quatre centimètres*. En comparaison, les sujets qui avaient reçu des suppléments avaient à peine perdu un centimètre au niveau de la taille. Finalement, 60 % (un résultat extraordinaire) de la perte de poids des mangeurs de yogourt était constituée de graisses abdominales, alors que ce pourcentage s'établissait à 26 % chez les autres sujets.

Cette découverte est une excellente nouvelle, car les graisses abdominales — ce que nous, les médecins, appelons graisses intra abdominales ou viscérales — sont reliées à un taux élevé de cholestérol, à un taux élevé d'insuline, à un taux élevé de triglycérides, à une hausse de la pression artérielle et à d'autres problèmes de santé. De plus, les graisses viscérales sécréteraient davantage de molécules inflammatoires, elles-mêmes reliées à plusieurs maladies, que les autres types de graisses.

Cette étude fait également état qu'en plus d'avoir perdu du poids, les sujets du groupe avec yogourt avaient maintenu leur masse musculaire deux fois plus facilement. Comme le notait le directeur de l'étude, le Dr Michael Zemel, dans un communiqué de presse : « Ceci est particulièrement important pour ceux qui suivent un régime amaigrissant. L'objectif est de perdre des graisses, et non des muscles. Les muscles contribuent à brûler des calories, mais leur masse est souvent compromise par la perte de poids. » Je ne saurais mieux dire !

Achetez toujours du yogourt biologique et évitez les yogourts qui contiennent des épaississants et des stabilisateurs. Évitez également les yogourts qui contiennent du sucre ou des fruits sucrés ; ces derniers perturbent le fragile équilibre des substances chimiques qui permettent aux cultures de se développer, sans compter que les sucres servent de nourriture à des levures indésirables, comme le *Candida albicans*.

LE KÉFIR : L'ANTIQUE ÉLIXIR

Chaque matin, je commence ma journée en me versant un verre de kéfir fait à partir de lait entier non sucré auquel j'ajoute deux cuillérées à table de POM Wonderful (purs extraits de grenade). Je mélange le tout et j'obtiens une boisson ayant l'apparence et le goût d'un délicieux yogourt frappé aux petits fruits. Il n'y a pas de meilleure façon de commencer la journée.

Le kéfir est une boisson probiotique à base de lait fermenté nous venant des montagnes du Caucase, une région de l'ancienne Union soviétique. Le nom *kéfir*, traduit librement, signifie « plaisir » ou « sentiment de bien-être ». En raison de ses propriétés, le kéfir était autrefois considéré comme un don des dieux. Par chance, il a été

132 redécouvert et reconnu pour ses nombreux bienfaits pour la santé et la beauté.

On peut décrire le kéfir comme une sorte de yogourt liquide légèrement pétillant et par le fait même désaltérant, au goût distinct, doux et naturellement sucré malgré sa forte odeur. Son goût unique et sa réputation quasi mystique d'élixir de jeunesse expliquent pourquoi les Européens ont fait du kéfir (et d'autres boissons fermentées) leur boisson de prédilection. En termes de vente, le kéfir se rapproche même des principales marques de boissons gazeuses. Contrairement au yogourt, qui est créé avec du lait auquel on ajoute certaines bactéries lactiques, le kéfir est fait de lait et de « grains de kéfir » ; une expression populaire désignant un mélange complexe de levures et de lactobacilles. Les petites quantités de gaz carbonique, d'alcool et de substances aromatiques produites par les cultures donnent au kéfir son goût prononcé et pétillant.

Le kéfir contient également des polysaccharides uniques (sucres à chaîne longue) appelés kéfirans, qui seraient responsables des bienfaits du kéfir pour la santé. La majorité des recherches russes sur ses propriétés uniques n'ont pas encore été traduites, et les chercheurs occidentaux commencent tout juste à s'intéresser au kéfir, mais les résultats obtenus à ce jour soutiennent l'impressionnante réputation populaire du kéfir.

Cette boisson naturellement gazéifiée est populaire dans le Caucase, en Russie et dans le sud-ouest de l'Asie, et a récemment beaucoup gagné en popularité en Europe occidentale. Aux États-Unis, la plupart des magasins d'aliments naturels et les chaînes d'aliments entiers — comme Whole Foods Market et Wild Oats — vendent du kéfir. Compte tenu de la popularité grandissante du yogourt et des boissons à base de yogourt, je vous prédis que nous n'aurons pas à attendre longtemps avant qu'une chaîne de supermarchés américaine ne prenne le train en marche. Toutefois, comme pour le yogourt, méfiez-vous des produits remplis de sucre et de fructose. Achetez du kéfir nature et non sucré et parfumez-le en lui ajoutant des petits fruits comme l'açayer.

LES BIENFAITS DU KÉFIR

En plus de cette antique réputation de boisson santé, on attribue au kéfir l'extraordinaire longévité des populations du Caucase. Les hôpitaux de l'ancienne Union soviétique utilisent le kéfir — surtout quand les traitements médicaux modernes ne sont pas disponibles — pour traiter diverses affections comme l'artériosclérose, les allergies, les troubles métaboliques et digestifs, la tuberculose, le cancer et les troubles gastro-intestinaux.

Un certain nombre d'études sont récemment venues appuyer la capacité du kéfir à stimuler le système immunitaire, à faciliter la digestion du lactose et à inhiber les tumeurs, les fongus et les pathogènes, y compris la bactérie responsable de la plupart des ulcères. Cela ne devrait pas nous surprendre, car les scientifiques ont depuis découvert que la plupart des ulcères sont causés par une infection due à la bactérie *Helicobacter pylori*, et non par les aliments épicés, les acides gastriques ou le stress, comme les médecins l'ont cru à tort pendant des années.

Les scientifiques savent aujourd'hui qu'une foule de maladies inflammatoires (y compris certains types de maladies cardiaques) peuvent être déclenchées par une bactérie. Donc une raison de plus d'inclure le kéfir dans votre alimentation quotidienne.

Au chapitre suivant, nous explorerons le monde exotique des épices qui nous dévoileront leurs secrets pour vivre longtemps et en beauté. De toutes petites quantités de ces remarquables aliments peuvent radicalement modifier votre apparence et votre sentiment de bien-être, en plus de grandement améliorer le goût, la digestibilité et le parfum de vos aliments préférés.

Mettez du piquant dans votre vie

Are you going to Scarborough Fair ?
Parsley, sage, rosemary, and thyme...
Remember me to one who lived there...
She once was a true love of mine.

— ANONYME, 13ᵉ-15ᵉ SIÈCLES ANGLAIS

PARFOIS, LA SOLUTION À UN PROBLÈME se trouve juste sous notre nez. La science moderne cherche une façon de réduire la détérioration de notre esprit et de notre corps qui accompagne le vieillissement. Jusqu'à présent, ces efforts pour ralentir le processus de vieillissement ou prévenir diverses maladies reliées à l'âge n'ont pas vraiment porté leurs fruits. Cela est en partie dû à l'incapacité de notre système de santé à aborder des faits élémentaires comme le rôle de notre alimentation sur la santé, la longévité et la maladie. Pire encore, nous sommes aujourd'hui confrontés à une épidémie d'obésité chez les jeunes, avec toutes les maladies que cela comporte (diabète, syndrome X, maladie cardiaque...). Tant que nous ne voudrons pas reconnaître que notre société se réserve un avenir de mort précoce et de maladie en se gavant d'aliments vides, tous les produits miracles du monde ne pourront rien y faire. Par exemple, si les statines réduisent le taux de cholestérol, aucun d'entre eux ne semble réduire substantiellement les risques de crise cardiaque. Et les experts s'entendent pour dire que les médicaments présentement disponibles pour le traitement de l'Alzheimer offrent si peu d'avantage qu'ils constituent en fait une dépense inutile de près de 1,2 milliards annuellement.

L'une des raisons de ces échecs tient au fait que la science se concentre presque exclusivement sur la recherche biomédicale fondamentale. Bien que cette approche soit profitable à long terme, la recherche fondamentale nous détourne de certains aliments courants extrêmement prometteurs en matière de lutte contre le vieillissement et la maladie. Pour ma part, je crois que nous possédons déjà la preuve que des efforts fructueux contre le vieillissement débutent par les aliments arc-en-ciel et les super-aliments décrits aux chapitres 3 et 4. Une fois que nous avons compris que l'inflammation est à la base de l'accélération du vieillissement et du développement des maladies dégénératives, cela apparaît parfaitement sensé. Traitons l'organisme de manière holistique, en débutant par les aliments que nous mangeons, pour prévenir l'inflammation au niveau cellulaire. Aucun médicament, aucune thérapie ne peut être plus efficace. Nous devons travailler de concert avec notre organisme, renforcer et revitaliser tous nos organes, ce qui signifie que nos « remèdes » doivent être eux aussi de nature *physiologique*, à savoir, en accord avec le fonctionnement normal d'un organisme vivant.

Bien que les aliments arc-en-ciel et les super-aliments soient centraux dans notre stratégie contre le vieillissement et l'inflammation, d'autres aliments d'origine végétale sont encore plus efficaces, à poids égaux. Je parle ici d'un aspect de notre alimentation que les gens ont trop souvent tendance à négliger : les herbes et les épices qui se trouvent dans notre garde-manger. La familiarité même de ces herbes et épices sert à masquer leur potentiel comme pépinières de propriétés anti-vieillissement. Si les scientifiques ont commencé à s'intéresser à leurs propriétés biochimiques il y a environ une vingtaine d'années, il est déjà évident qu'à poids égaux, plusieurs herbes et épices possèdent un incroyable potentiel anti-vieillissement en raison de leurs capacités antioxydantes et anti-inflammatoires insurpassées.

Si je suis particulièrement emballé par ces différents types d'aliments, c'est qu'en plus de leurs pouvoirs antioxydants extrêmement puissants, un certain nombre d'entre eux possèdent également des propriétés uniques qui permettent d'augmenter notre *sensibilité à l'insuline* tout en faisant baisser notre *taux de cortisol*. Ceci est extrêmement important, car notre corps en vieillissant perd de sa masse musculaire en plus d'accumuler des graisses, en particulier au niveau de l'abdomen, des jambes et des bras. Ce surplus de graisse corporelle est directement attribuable à deux facteurs. Tout d'abord, à la diminution de notre sensibilité à l'insuline, et ensuite à l'augmentation du taux de cortisol (l'hormone de la mort), qui s'accompagne d'une diminution des hormones de jeunesse, de la testostérone, de l'estrogène, de l'hormone de croissance, etc.

Herbes culinaires : des herbes savoureuses et aromatiques aux vertus anti-vieillissement

En 1966, le duo folk-rock Simon & Garfunkel obtint un grand succès avec une vieille ballade anglaise, « Scarborough Fair », pièce figurant sur leur album à succès — dont le titre reprenait les paroles du célèbre refrain — « Parsley, Sage, Rosemary, and Thyme » (persil, sauge, romarin et thym). Rares étaient les fans du groupe qui se doutaient alors que ces herbes culinaires avaient été jadis tenues en haute estime partout en Europe pour leurs propriétés toniques et médicamenteuses. En fait, avant l'arrivée des médicaments modernes, le persil, la sauge, le romarin et le thym — et d'autres herbes comme la lavande, la menthe et l'origan — étaient les outils de base des naturopathes qui précédèrent les médecins d'aujourd'hui. Pas étonnant que le monde chantait (et continue à chanter) leurs louanges !

Au cours du seizième siècle, sous le règne d'Elizabeth 1ère — à une époque où les médecins étaient rares, coûteux et d'une utilité douteuse pour ce qui était de traiter la majorité des maladies — les

138 guides encyclopédiques sur les plantes médicinales, aussi appelés herbiers, étaient les ouvrages les plus lus, après la Bible, chez les gens lettrés. Ces ouvrages, comme la célèbre encyclopédie médicinale de Nicholas Culpepper, distillaient un savoir transmis de siècle en siècle à travers l'Inde, la Chine, la Perse, la Grèce et Rome.

EST-CE UNE HERBE OU UNE ÉPICE ?

Dans ce chapitre, vous rencontrerez ces deux termes à maintes occasions. En général, une *herbe* est une plante aromatique utilisée pour donner du goût aux aliments et/ou à des fins médicinales. Les *épices* sont des plantes aromatiques séchées, utilisées pour donner du goût aux aliments, à des fins médicinales, et même pour préserver la nourriture. Dans plusieurs cultures, les termes *herbe* et *épice* sont interchangeables.

Rappelez-vous ce que je vous ai dit au chapitre précédent : bien que de nombreuses herbes et épices possèdent des propriétés thérapeutiques, si vous avez un problème de santé ou des symptômes physiques, *ne vous diagnostiquez jamais vous-même et ne vous prescrivez jamais aucun traitement à vous-même*. Faites confiance à votre professionnel de la santé, d'abord et avant tout.

Au cours des dernières années, le Département américain de l'agriculture (USDA) a fait figure de pionner dans le domaine de la recherche sur le pouvoir antioxydant des fruits et légumes courants. Travaillant de concert avec des chercheurs de l'université Tufts, les scientifiques du USDA ont commencé à compiler des informations inédites sur la capacité de ces végétaux à neutraliser les effets négatifs des radicaux libres. Utilisant la capacité d'absorption du radical oxygène (ORAC) décrite au chapitre 3, le tandem

USDA/Tufts a entrepris de documenter ce que les guérisseurs traditionnels avaient découvert après des siècles d'essais et d'erreurs, à savoir que les herbes culinaires possèdent un extraordinaire pouvoir préventif en matière de santé.

En fait, il s'est avéré que plusieurs herbes apparemment banales, des herbes de tous les jours que l'on retrouve dans la plupart des garde-manger, possèdent un pouvoir antioxydant sans pareil. En 2001, par exemple, les scientifiques du USDA ont publié les résultats de leur recherche sur vingt-sept herbes culinaires et douze herbes médicinales. Cette étude révèle que plusieurs herbes culinaires d'utilisation courante neutralisent les radicaux libres plus efficacement que les baies et les légumes jusqu'alors considérés comme les champions de l'antioxydation. En d'autres termes, de petites quantités d'herbes culinaires procurent la même quantité d'antioxydants que de grandes quantités de fruits et de légumes.

Examinons de plus près ces champions de l'antioxydation qui se cachent dans notre garde-manger, sur le rebord de nos fenêtres et dans notre jardin.

CAPACITÉ ANTIOXYDANTE* DE 25 HERBES D'UTILISATION COURANTE

Rappelez-vous que si les résultats obtenus par ces herbes sur l'échelle ORAC sont inférieurs à ceux des fruits et des légumes présentés au chapitre 3, les herbes culinaires possèdent en fait une capacité antioxydante supérieure à ces derniers, à poids égaux. Cette disparité est due au fait que les chercheurs utilisent souvent des échelles de mesure incompatibles entre elles.

RANG	RÉSULTAT (ORAC)
1. Origan du sud-ouest** (*Poliomintha longiflora*)	92,18

RANG	RÉSULTAT (ORAC)
2. Origan italien*** (*Origanum x majoricum*)	71,64
3. Origan grec (*Origanum vulgare*, sous-espèce *hirtum*)	64,71
4. Feuille de laurier (européenne)	31,70
5. Aneth	29,12
6. Sarriette d'hiver (*Satureja montana*)	26,34
7. Coriandre vietnamienne	22,90
8. Menthe orange	19,80
9. Thym de jardin (*Thymus vulgaris*)	19,49
10. *Ginkgo biloba*	19,18
11. Romarin	19,15
12. Verveine citronnelle	17,88
13. Millepertuis	16,77
14. Lavande anglaise	16,20
15. Valériane	15,82
16. Basilic	14,27
17. Thym grimpant	13,40
18. Thym citron	13,28
19. Sauge de jardin (*Salvia officinalis*)	12,28
20. Sauge ananas	11,55
21. Persil	11,03
22. Carvi	10,65
23. Ciboulette	9,15
24. Menthe poivrée	8,10
25. Fenouil	5,88

* Zheng W, Wang SY. Antioxydant activity and phenolic compounds in selected herbs. J Agric Food Chem. 2001 Nov ; 49 (11) : 5165-70. Les valeurs ORAC sont exprimées en équivalents de micromoles de Trolox (vitamine E synthétique) par gramme à l'état frais.

** L'origan du sud-ouest (*P. longiflora* ou *P. bustamanta*) n'est pas en vente aux États-Unis, mais certains fournisseurs de graines peuvent vous trouver des semences que vous pourrez planter vous-même. On le confond souvent avec l'origan mexicain (*Lippia gravolens*), une plante complètement différente en vente sur le marché américain. L'origan mexicain est riche en carvacrol et devrait donc par conséquent posséder un pouvoir antioxydant important. Le thym espagnol (l'origan cubain), même s'il ne fait pas véritablement partie de la famille des origans, possède lui aussi un goût prononcé se rapprochant de celui de l'origan, ainsi que des propriétés antioxydantes substantielles.

*** Aussi appelée marjolaine vivace, cette herbe au goût poivré et piquant est un croisement entre l'origan grec (*O. vulgar* sous-espèce *hirtum*) et la marjolaine (*O. majorana*).

Les herbes antioxydantes

ORIGAN

Les herbes culinaires ayant obtenu les meilleurs résultats sur l'échelle ORAC sont trois types d'origan. Leur capacité antioxydante est de beaucoup supérieure à celle de la vitamine E, un puissant antioxydant utilisé comme point de référence pour comparer les valeurs de l'échelle ORAC.

Le terme *origan* est à la fois le nom scientifique d'un genre qui regroupe divers membres de la famille élargie des menthes (lamiacées) et un terme populaire désignant une grande variété de plantes sans relation entre elles, outre le fait qu'elles possèdent toutes un goût et un parfum qui rappellent l'origan. La similarité entre l'origan et la marjolaine suscite toujours beaucoup de confusion, mais notez que toutes les espèces de marjolaine font partie du genre *Origanum*, et partagent avec celui-ci un ensemble de composés antioxydants et d'huiles essentielles (un nom inapproprié, en passant, puisqu'elles ne contiennent ni matière grasse, ni huile).

En grec, *origan* signifie « montagne de joie », et comme il se doit, l'origan grec est le plus savoureux et la variété la plus couramment utilisée. Tous les types d'origan partagent un goût et un parfum unique, caractéristiques du phénol antioxydant appelé carvacrol (cymophénol), que l'on retrouve également dans le thym, la sarriette, le carvi et la marjolaine. À l'instar de la capsicine, le lien santé qui unit tous les types de piments — doux ou forts — c'est la carvacrol qui fait de l'origan une herbe aussi savoureuse et piquante. L'origan contient également un taux élevé d'acide rosmarinique, que l'on retrouve également dans le romarin et plusieurs autres herbes antioxydantes.

Les bienfaits de l'origan pour la santé

- Le thymol et la carvacrol que l'on retrouve dans l'origan inhibent la croissance des bactéries et sont beaucoup plus efficaces contre le parasite *Giardia* (la cause de nombreuses « diarrhées du voyageur ») que la plupart des médicaments vendus sous ordonnance.
- Gramme pour gramme, la capacité antioxydante de l'origan est quarante-deux fois supérieure à celle des pommes, douze fois supérieure à celle des oranges, et quatre fois supérieure à celle des bleuets.
- L'origan est une bonne source de fer, de vitamine A, de fibres alimentaires, de calcium, de manganèse, de magnésium et de vitamine B_6.

Conseils culinaires

Prisé pour le goût piquant de ses feuilles, l'origan ajoute une touche unique aux sauces tomate italiennes et aux plats méditerranéens. L'origan, étant une plante vivace, va généralement survivre aux hivers des régions nordiques, ce qui en fait un ajout indispensable à votre jardin d'herbes ou votre jardinière. L'origan italien, aussi appelé marjolaine vivace, est à la fois doux et savoureux, et accompagne les viandes, les œufs, les soupes et les légumes.

FEUILLES DE LAURIER

Le laurier européen appartient à la même famille que la cannelle, le cassis, le sassafras et l'avocat. Présentant un mélange complexe d'arômes et de saveurs allant du balsamique au citronné, la feuille de laurier était célèbre dans la Grèce et la Rome antiques, où l'on coiffait les héros, empereurs ou poètes, d'une couronne de laurier. Nous associons encore aujourd'hui cette plante aux exploits et aux honneurs lorsque nous parlons d'un poète lauréat. Et saviez-vous que *baccalauréat* signifie « baies de laurier » ?

Bienfaits des feuilles de laurier pour la santé

Les feuilles et les baies de laurier :

- Améliorent la digestion.
- Sont astringentes, ce qui signifie qu'elles entraînent la contraction des tissus et des canaux de l'organisme, réduisant par le fait même la libération de mucus et de sang.
- Soulagent des gaz intestinaux.

Conseils culinaires

Les feuilles de laurier sont utilisées partout dans le monde pour rehausser les soupes, les sauces et les ragoûts, et assaisonner le poisson, la viande et la volaille. On retrouve souvent des feuilles de laurier dans les épices à marinades. Traditionnellement, les cuisiniers méditerranéens ajoutent des feuilles de laurier à leurs sauces, puis les retirent avant de servir.

LES BIENFAITS DE L'ANETH

Les principaux phytonutriments de l'aneth activent un puissant enzyme antioxydant appelé glutathion-transférase, ce qui aide les molécules de glutathion à s'attacher aux molécules oxydées qui pourraient autrement endommager l'organisme. Cette activité moléculaire contribue à nous protéger contre divers agents carcinogènes, comme la fumée de cigarette, la fumée de charbon de bois, la fumée des incinérateurs à déchets, les médicaments thérapeutiques et les produits du stress oxydatif. Pas mal pour une herbe que l'on relègue d'ordinaire au bocal de cornichons.

Conseils culinaires

Célèbre dans son rôle d'assaisonnement pour les cornichons, ce membre de la famille des carottes, léger comme une plume, accompagne merveilleusement bien le poisson, la volaille, la soupe au poulet, et même le yogourt. L'aneth frais se congèle aisément.

CITRONNELLE

La citronnelle a une longue histoire derrière elle. L'érudit romain Pline et le médecin grec Dioscoride utilisaient tous les deux la citronnelle comme herbe médicinale. Au seizième siècle, l'herboriste John Gerard donnait de la citronnelle à ses étudiants afin « d'aiguiser leurs sens ». Les colons américains utilisaient eux aussi la citronnelle, et on rapporte que Thomas Jefferson en faisait pousser dans son jardin de Monticello.

Bienfaits de la citronnelle pour la santé

Une nouvelle recherche indique que la citronnelle, comme le romarin, facilite l'apprentissage, la mémorisation et le traitement des informations. Des essais en laboratoire ont démontré que la citronnelle, comme le nutriment appelé diméthylaminoéthanol (DMAE), stimule l'activité de l'acétylcholine, un messager chimique essentiel à la mémoire et aux autres fonctions cognitives, que l'on retrouve en quantité réduite chez les gens atteints de la maladie d'Alzheimer.

Conseils culinaires

La citronnelle donne des tisanes légères et citronnées, en plus d'être délicieuse avec le poisson, les champignons et les fromages mous. Vous pouvez ajouter des feuilles de citronnelle fraîches dans vos salades, vos marinades (en particulier les marinades pour légumes), vos salades de poulet et vos farces.

DÉTAILS ÉPICÉS

Voici quelques faits intéressants sur quelques-unes des épices présentées dans ce chapitre.

Cardamome. **Si vous êtes déjà entré dans un café Starbuck (et qui ne l'a jamais fait ?), vous avez peut-être remarqué que l'une des boissons les plus populaires, après le café, est le thé chai, un thé indien épicé. En général, le thé chai est parfumé à la cardamome, à la cannelle, au clou de girofle, et même au poivre noir. Fait étonnant, le thé chai est moins populaire en Inde que dans les cafés et les restaurants indiens occidentaux. En fait, le thé épicé (chai masala) est un produit de luxe en Inde, et rares sont ceux qui peuvent se permettre d'en boire tous les jours.**

146

Cannelle. La cannelle est une denrée prisée depuis les temps anciens, au point d'avoir été plus précieuse que l'or dans certaines régions du globe. À la mort de son épouse, l'empereur Néron fit brûler sur son bûcher funéraire les réserves de cannelle de toute une année ; un geste inédit, témoignage de l'importance qu'elle avait pour lui. En 1536, les Portugais envahirent le Sri Lanka. Les conquérants n'exigèrent pas de tributs en argent ; ils demandèrent de la cannelle, et pendant plusieurs années, le roi paya un tribut annuel aux Portugais de près de cent mille kilos de cannelle.

Clou de girofle. Les habitants d'une petite île indonésienne du nom de Ternate, surnommée l'Île aux girofliers, font le commerce de cette épice avec la Chine depuis plus de deux mille ans. En Chine, le clou de girofle est utilisé comme épice, mais aussi comme déodorant ; tous ceux appelés à voir l'empereur devaient mâcher quelques clous de girofle avant de se présenter devant lui.

LES BIENFAITS DE LA MENTHE

On dit de la menthe, un antique symbole d'hospitalité et de purification, qu'elle est bonne contre le rhume, la grippe et la fièvre, en plus de soulager les maux de gorge et la congestion des sinus. La tisane à la menthe soulage les maux d'estomac et son arôme produit un effet calmant.

Conseils culinaires

Essayez de mélanger de l'aubergine cuite avec de la menthe hachée, du yogourt nature, de l'ail et de la Cayenne ou confectionnez une délicieuse salade en mélangeant du fenouil, des oignons et des feuilles de menthe. Les feuilles de menthe hachées complètent à merveille le gaspacho et les autres soupes à base de tomate. La menthe fraîche est de loin préférable à la menthe séchée, autant au niveau du goût que des bienfaits pour la santé.

THYM

Thym est le nom grec pour « courage », mais aussi pour « fumiger », « désinfecter ». Le thym faisait également partie du processus de momification inventé par les Égyptiens.

Bienfaits du thym pour la santé

Plusieurs des bienfaits du thym pour la santé sont attribuables au thymol. Des études ont démontré que le thymol avait un effet positif sur le cerveau et les principaux organes du corps en facilitant de manière significative l'activité antioxydante des enzymes et en favorisant un statut antioxydant total supérieur à la moyenne. Ceci est en partie dû à sa capacité à protéger les acides gras oméga-3 à l'intérieur des membranes cellulaires en augmentant leur proportion par rapport aux autres acides gras.

Le thym contient des flavonoïdes, du carvacrol, ainsi que des vitamines B, C et D. Utilisé depuis des siècles à des fins médicinales pour traiter divers problèmes comme les troubles gastro-intestinaux, la laryngite, la diarrhée et la perte d'appétit, le thym contribue à faire baisser la fièvre et apporte un soulagement aux personnes qui souffrent de problèmes respiratoires chroniques. On l'utilise également pour soigner le rhume, la grippe, la bronchite et les maux de gorge. En usage externe, le thym est efficace pour combattre l'inflammation et les infections, et peut même s'avérer utile pour traiter le pied d'athlète et le zona.

Conseils culinaires

Le thym peut être utilisé pour rehausser les soupes, le poisson, la viande, la volaille et les œufs. C'est également un compagnon idéal pour les sauces aux tomates et aux champignons. Les variétés les plus populaires sont le thym français à feuille étroite et au goût prononcé et le thym anglais à feuille large, beaucoup plus doux que son voisin d'Outre-Manche. En Grande-Bretagne, le thym est la fine herbe la plus populaire après la menthe. Aux États-Unis, il est surtout utilisé dans la cuisine créole de la Nouvelle-Orléans, on l'incorpore à un mélange d'herbes pour la cuisson par carbonisation, une technique de cuisson que je vous déconseille étant donné qu'elle favorise la glycation. En Amérique centrale, le thym est un ingrédient précieux utilisé pour assaisonner les viandes séchées de poulet ou autres.

LES BIENFAITS DU PERSIL

Des études ont démontré que les flavonoïdes du persil — une herbe d'un vert éclatant utilisée à la fois comme assaisonnement et garniture — nous offrent une puissante protection contre les radicaux libres. De plus, le persil est une excellente source de vitamine C, de bêta-carotène et d'acide folique.

Conseils culinaires

Le persil italien à feuille plate a un goût plus prononcé que celui du persil frisé et supporte mieux la chaleur de la cuisson. Le persil doit être ajouté en fin de cuisson pour préserver son goût et sa valeur nutritive. Ajoutez du persil haché au pesto (une sauce à base de basilic, d'huile d'olive et de noix de pin) pour alléger son goût, lui donner plus de texture et augmenter son contenu en phyto-nutriments. Mélangez du persil haché, de l'ail et un zeste de citron pour obtenir un délicieux mélange que vous pourrez badigeonner sur le poulet, l'agneau et le bœuf. Le persil est parfait dans les soupes et les sauces tomate, et un peu de persil haché complète à merveille à peu près tous les plats, y compris les salades, les légumes sautés et les fruits de mer grillés.

ROMARIN

Au Moyen-Âge, l'apparente habileté du romarin à fortifier la mémoire lui valut de devenir un symbole de fidélité. Aussi appelé herbe du souvenir, on l'utilisait de manière symbolique dans la fabrication des costumes, des décorations et des cadeaux lors des mariages. Durant la Renaissance, l'huile de romarin entrait dans la fabrication d'un produit de beauté très populaire, l'eau de la Reine de Hongrie.

Les bienfaits du romarin pour la santé

Au fil des ans, l'utilisation du romarin est devenue populaire pour faciliter la digestion, réduire les spasmes associés à la dysménorrhée (menstruation douloureuse) et soulager les troubles respiratoires. De nos jours, nous savons effectivement que les phytonutriments du romarin stimulent le système immunitaire, facilitent la circulation sanguine, détendent les muscles de la trachée et des intestins, protègent et stimulent le foie, inhibent la croissance des tumeurs, améliorent la digestion et contribuent à réduire la gravité des crises d'asthme. Des recherches, venant confirmer la sagesse durement acquise de nos ancêtres, ont montré que le romarin facilitait la circulation sanguine vers la tête et le cerveau, améliorant ainsi la concentration et la mémoire.

Les principaux effets des phytonutriments du romarin — en particulier des dérivés de l'acide caféique comme l'acide rosma-rinique — sont susceptibles de soulager les douleurs associées aux

150

troubles spasmodiques, aux ulcères peptiques, aux maladies inflammatoires, à l'artériosclérose, à la cardiopathie ischémique, aux cataractes et à certains cancers. On trouve également de grandes quantités d'acide rosmarinique dans la citronnelle, la menthe, la marjolaine et la sauge.

Conseils culinaires

Le goût boisé et capiteux du romarin fait de celui-ci un assaisonnement idéal pour les viandes grillées, et en particulier l'agneau. Vous pouvez également ajouter du romarin frais aux omelettes et aux frittatas, ou l'utiliser pour parfumer le poulet, les sauces tomate et les soupes.

DÉTAILS PLUS ÉPICÉS

Cumin. Nous savons que le cumin était utilisé dans les temps anciens depuis que des archéologues ont découvert des graines de cumin dans les pyramides égyptiennes. Les Grecs et les Romains l'utilisaient pour ses vertus médicinales, mais également comme produit cosmétique pour se pâlir le teint. À la même époque, le cumin en vint à symboliser l'avidité. L'empereur Marcus Aurelius (célèbre pour son avarice) se faisait d'ailleurs appeler Cuminus derrière son dos.

Aneth. En anglais, le mot *dill* (aneth) vient du norvégien *dilla*, un mot signifiant « apaiser ». Pendant des centaines d'années, les insomniaques ont bu du thé à l'aneth lorsqu'ils voulaient passer une bonne nuit de sommeil. Dans l'Europe médiévale, on l'utilisait dans la confection de philtres d'amour et pour chasser les mauvais sorts (les gens se protégeaient des sorcières en portant un petit sachet d'aneth séché sur leur cœur). Un poème épique du dix-septième siècle, écrit par Michael Drayton et intitulé « Nymphidia », fait justement allusion à l'aneth « qui entrave la volonté des sorcières ».

Fenugrec. Le nom latin de cette herbe signifie « foin grec » ; l'odeur de cette plante, une fois séchée, ressemble beaucoup à celle d'une balle de foin.

LES BIENFAITS DE LA SAUGE

Comme son proche cousin le romarin, la sauge contient une variété d'huiles essentielles, des flavonoïdes, des enzymes antioxydants et des acides phénoliques, y compris de l'acide rosmarinique, un acide que l'on retrouve dans le romarin et d'autres herbes culinaires. L'acide rosmarinique, connu pour ses puissants effets antioxydants, freine l'inflammation en réduisant la production de peptides inflammatoires comme la leucotriène B4. La sauge pourrait par conséquent soulager les affections inflammatoires comme l'arthrite rhumatoïde, l'asthme bronchitique, le diabète et l'artériosclérose.

Et comme le romarin, la sauge améliore la mémoire et la concentration. En fait, la racine séchée de la sauge chinoise (*Salvia miltiorrhiza*) est utilisée depuis des centaines d'années pour traiter les dysfonctions cognitives, non sans raison, puisque la recherche moderne montre qu'elle contient des phytonutriments ressemblant à l'inhibiteur de la cholinestérase, un médicament utilisé pour traiter la maladie d'Alzheimer.

Conseils culinaires

Comme le romarin, la sauge émet un arôme agréable rappelant celui du pin. La sauge est un ingrédient que l'on retrouve couramment dans la farce pour la volaille et dans la saucisse afin d'en préserver la fraîcheur. La tradition considère la sauge comme une herbe « purificatrice ». Par exemple, les Amérindiens font brûler des branches de sauge pour purifier les lieux sacrés.

BASILIC

Le basilic, l'une des herbes les plus populaires en Amérique, était pratiquement inconnu en dehors de l'Europe il y a une trentaine d'années. Aujourd'hui, grâce à l'amélioration des techniques de déshydratation et de transport, on savoure cette herbe un peu partout dans le monde.

Bienfaits du basilic pour la santé

Les flavonoïdes du basilic protègent la structure des cellules et les chromosomes contre les radiations et les radicaux libres. Le basilic freine la croissance des bactéries indésirables grâce à ses huiles essentielles aromatiques. Le basilic inhibe la croissance des bactéries qui se propagent dans la nourriture — certaines d'entre elles sont résistantes aux antibiotiques — comme la *Listeria*, le *Staphylococcus* et la bactérie *E. coli*. Laver un produit avec une solution comprenant 1 % d'huile essentielle de basilic ou de thym élimine pratiquement tous les risques associés à la dangereuse bactérie *Shigella*. Ajoutez du thym ou du basilic frais à vos vinaigrettes pour rehausser le goût de vos salades et vous assurer qu'elles sont sans danger pour la santé. L'huile essentielle du basilic, l'eugénol, bloque les enzymes inflammatoires cyclooxygénase (COX), les mêmes enzymes bloqués par les médicaments anti-inflammatoires non stéroïdiens comme l'aspirine et l'ibuprofène. Cela veut dire que les propriétés anti-vieillissement du basilic pourraient également soulager les symptômes associés à divers problèmes inflammatoires comme l'arthrite rhumatoïde, le diabète ou les inflammations intestinales.

Le basilic est également bon pour le cœur. Il contient d'importantes quantités de bêta-carotène, une substance qui protège les parois des vaisseaux sanguins contre l'assaut des radicaux libres et contribue à éviter qu'ils n'oxydent le cholestérol sanguin, inhibant ainsi le développement de l'artériosclérose et réduisant les risques de crise cardiaque et d'accident vasculaire cérébral. Étant une bonne source de vitamine B_6, le basilic pourrait réduire le taux d'homocystéine dans le sang, ce qui n'est pas sans conséquence puisqu'une quantité excessive d'homocystéine peut endommager les parois des vaisseaux sanguins. Et le basilic est une bonne source de magnésium, un minéral qui détend les vaisseaux sanguins, améliore la circulation sanguine et réduit les risques d'irrégularité cardiaque et de spasmes.

Conseils culinaires

Le basilic est délicieux avec le poulet, le poisson, les pâtes, les ragoûts, les salades et les légumes. Ajoutez le basilic au cours des dix dernières minutes de cuisson, car la chaleur dissipe son goût riche et prononcé. Dans la mesure du possible, ajoutez du basilic frais dans vos salades ou savourez-le avec des tomates fraîches.

DÉTAILS ENCORE PLUS ÉPICÉS

L'*ail* est depuis longtemps prisé pour ses propriétés médicinales. Pour les garder en santé, on donnait tous les jours de l'ail aux ouvriers qui érigeaient les pyramides égyptiennes. En France, l'ail est parfois appelé le

« thériaque des pauvres », allusion à un mélange médicinal médiéval uniquement accessible aux riches. Les pauvres, par la force des choses, devaient se rabattre sur l'ail. Et bien sûr, l'ail est l'arme de choix contre les vampires. Les Roumains avaient l'habitude de frotter toutes les portes et les fenêtres de leur maison avec de l'ail et s'assuraient d'en manger tous les jours pour leur propre protection. Ils plaçaient également une gousse d'ail dans la bouche des morts pour empêcher les mauvais esprits de pénétrer dans le corps des défunts.

Origan. Bien que l'origan soit utilisé depuis des siècles en Europe, il demeura pratiquement inconnu en Amérique jusqu'à la fin de la Deuxième Guerre mondiale. En fait, il fit son apparition de lui-même avec l'arrivée de la pizza sur notre continent. Au départ, la pizza était un mets réservé aux pauvres, soit à peine plus qu'un morceau de pain sur lequel on avait étendu de la sauce tomate. En 1889, alors que le roi Umberto et la reine Margherita d'Italie étaient de passage à Naples, un boulanger ajouta du fromage mozzarella et des feuilles de basilic à la garniture de sauce tomate (donnant ainsi au plat les couleurs du drapeau italien). Ce mets, auquel on donna le nom de pizza Margherita, allait rapidement devenir populaire partout dans le monde. De nos jours, la pizza ne contient généralement pas de basilic, mais de l'origan. Pour des raisons évidentes, la pizza n'est pas un mets que je vous recommande de manger sur une base quotidienne, mais une pointe de pizza à l'occasion peut s'avérer tout à fait délicieuse.

Mettez du piquant dans votre vie : des alliés anti-vieillissement venus des Indes

À l'école, nous avons tous entendu parler de l'époque des grands explorateurs dont les voyages épiques visaient avant tout à répondre à la demande pour les épices. Au Moyen-Âge, les Européens cherchèrent activement à s'approprier des réserves de poivre, de muscade, de cannelle, de clou de girofle et d'autres épices, à la fois pour donner du goût à leurs aliments et préserver la viande en ces jours sombres qui précédèrent les marchés de glace et la réfrigération électrique.

Les marchands arabes furent les premiers à introduire toutes sortes d'épices exotiques venues d'Asie sur le marché européen, où l'on n'hésita pas à acheter ces trésors culinaires à prix d'or. Même si Colomb et les autres explorateurs étaient toujours intéressés à découvrir de nouvelles sources d'or dans ces contrées inconnues, ils s'efforçaient surtout d'établir des liens commerciaux directs avec les différents fournisseurs asiatiques de ces coûteuses épices.

Dès que les techniques de navigation leur permirent, les marins européens mirent le cap sur l'Inde, Java et Sumatra, déterminés à supprimer une fois pour toutes les intermédiaires, et ainsi conserver les profits pour eux. À l'époque, les épices asiatiques valaient littéralement leur poids en or pour ces courageux capitaines qui réussirent à les rapporter chez eux.

De nos jours, les épices sont peu coûteuses. Elles sont toutefois aussi précieuses qu'à l'époque des grands explorateurs, quoique pour de bien meilleures raisons : parce qu'elles ralentissent le processus de vieillissement et aident à prévenir la maladie. La majorité des épices qui entrent dans la composition de ce que nous appelons le curry — et que nous utilisons en saison pour épicer le cidre et la tarte à la citrouille — ne font pas qu'ajouter de la saveur et du piquant aux aliments.

Nos ancêtres savaient que les épices pouvaient conserver les aliments. Ce qu'ils ne pouvaient pas savoir, c'était pourquoi et comment. Le clou de girofle, la cannelle, le curcuma, la cardamome, le fenugrec, la moutarde, la muscade, la réglisse et le gingembre conservent les aliments parce qu'ils sont riches en antioxydants.

Bien qu'il existe des milliers d'épices dans le monde, le reste de ce chapitre portera sur deux épices proches l'une de l'autre — le gingembre et le curcuma — qui exercent des effets antioxydants et anti-vieillissement particulièrement puissants lorsque nous les utilisons à l'état frais dans la cuisine.

Ces deux épices anti-vieillissement remarquables appartiennent à la même famille botanique (zingibéracées), qui comprend également le « gingembre thai » (ou galanga), avec lequel elles partagent de nombreux composés actifs. La partie du curcuma et du gingembre utilisée pour cuisiner et soigner, et qu'on appelle la racine, est en fait un rhizome, la racine tubéreuse des plantes qui fleurissent. Les faits suivants devraient vous expliquer pourquoi j'incite fortement mes patients à préparer des menus où ils pourront utiliser de bonnes quantités de curcuma et de gingembre.

Gingembre : la racine de santé

Pour plusieurs d'entre nous, notre relation au gingembre se résume au *ginger ale*, au pain au gingembre et aux biscuits au gingembre de notre enfance. Nous ne nous doutions pas alors qu'il s'agissait d'un puissant remède contre le vieillissement, un aliment anti-inflammatoire exceptionnellement efficace, aux nombreux bienfaits et ne provoquant aucun effet secondaire, jouissant d'une très longue tradition médicinale en Orient. Comme c'est souvent le cas, la recherche sur les bienfaits et les propriétés anti-vieillissement du gingembre est limitée et mal connue du public et des scientifiques occidentaux, même si les choses ont tendance à changer rapidement. C'est malheureux à dire, mais les bienfaits pour la santé de nombreux aliments familiers et courants semblent ne pas intéresser l'industrie pharmaceutique qui préfère se concentrer sur des versions synthétiques de ces composés végétaux afin de les mettre en marché sous la forme de médicaments brevetés et d'en tirer un maximum de profits. Malheureusement, cette approche néglige les effets synergétiques et cumulatifs des nombreux phytonutriments présents dans les herbes et les épices, qui fonctionnent généralement mieux — et de façon plus sécuritaire — ensemble que séparément.

Le gingembre possède de nombreuses vertus médicinales. Par exemple, il a longtemps eu la réputation d'être un excellent remède contre les nausées (ce que des essais cliniques ont d'ailleurs prouvé), pouvant traiter aussi bien le mal du transport que les nausées du matin. Néanmoins, les gens se croient obligés d'acheter des médicaments contre les nausées, qui ne sont pas sans effets secondaires, même si ces médicaments sont en général moins efficaces que le gingembre. Le gingembre facilite énormément la digestion des protéines, grâce à un enzyme appelé zingibaïne qui égale le pouvoir digestif de la papaïne (un enzyme de la papaye) que l'on retrouve dans la plupart des attendrisseurs pour la viande. Selon le chercheur Paul Schulick, auteur du livre *Ginger : Common Spice & Wonder Drug*, la racine de gingembre est si riche en zingibaïne qu'un gramme de cet enzyme équivaut au pouvoir digestif de 180 grammes de papaye ; et contrairement à celle-ci, le gingembre présente un indice glycémique beaucoup plus bas. La zingibaïne dissout également les complexes immuns qui précipitent les symptômes de l'arthrite rhumatoïde.

Comme anti-inflammatoire, le gingembre est aussi efficace que les médicaments anti-inflammatoires non stéroïdiens (AINS), comme l'aspirine, et ce, sans provoquer les effets secondaires de ces derniers. En fait, le gingembre déborde de propriétés préventives capables de faire dérailler les processus inflammatoires de plusieurs façons.

COMMENT CONSOMMER LE GINGEMBRE ?

En plus d'ajouter du gingembre frais dans vos recettes, votre thé ou vos boissons aux fruits et aux légumes, vous pouvez également prendre du gingembre sous forme de suppléments alimentaires. Examinons les avantages et les inconvénients de chaque forme :

- Le gingembre frais contient davantage de gingérol, un composé anti-inflammatoire que l'on retrouve dans le rhizome du gingembre, que le gingembre séché. Lors de tests de goût, il a été démontré que le gingembre frais peut être détecté dans des dilutions allant jusqu'à une part pour trente-cinq mille, alors que le gingembre séché devient indétectable une fois atteint le cap d'une part pour mille cinq cents à deux mille.
- Les extraits de gingembre — disponibles sous la forme de gouttes ou de capsules — sont un concentré des constituants actifs du gingembre. Même si je préfère le gingembre frais, ces extraits sont une alternative commode et pratique si vous désirez obtenir les composés actifs du gingembre en grandes quantités sans être obligé de manger de grandes quantités de gingembre. Les extraits peuvent contenir de petites quantités d'alcool, l'alcool étant utilisé pour extraire les principes actifs du rhizome. Une nouvelle méthode appelée extraction supercritique, employant du bioxyde de carbone au lieu de l'alcool, produit des extraits de qualité comparable.
- Le gingembre séché contient de grandes concentrations de shogaol, un composé analgésique présent dans le gingembre frais. Il est vendu sous forme de capsules dans les magasins santé et les pharmacies, mais vous pourrez faire des économies en l'achetant en vrac dans un magasin d'aliments naturels ou dans une épicerie fine. Choisissez du gingembre biologique pour minimiser l'absorption de résidus de pesticides.

GINGEMBRE : CONSIGNE DE SÉCURITÉ

Le gingembre est un aliment tonique ancien et prisé, couramment prescrit un peu partout dans le monde pour soulager les symptômes du rhume, le mal des transports et les brûlures d'estomac. Parmi les aliments et les herbes médicinales d'utilisation courante, le gingembre est l'un des trois aliments suscitant le plus de recherches intensives, en plus d'être considéré comme étant sans danger par toutes les agences de régulation américaines.

Des chercheurs danois rapportent n'avoir observé aucun effet secondaire chez les participants d'une étude sur l'arthrite qui avaient consommé entre 5 à 50 grammes de gingembre par jour pendant plus de deux ans. Ceci étant dit, le fait de prendre plus d'un gramme ou deux en ayant l'estomac vide va généralement provoquer une sensation de brûlure, quoique brève et inoffensive.

Notez également que le gingembre augmente le flux menstruel lorsqu'il est consommé en grande quantité. Les médecins recommandent à leurs patientes de ne pas prendre plus d'un gramme ou deux de gingembre par jour au cours du premier trimestre de leur grossesse. Faites toujours preuve de modération et consultez votre médecin avant de consommer des quantités significatives de gingembre si vous prenez des anticoagulants, si vous souffrez d'une maladie ou si vous êtes enceinte.

UN CŒUR EN SANTÉ GRÂCE AU GINGEMBRE ET AU CURCUMA

Le gingembre et le curcuma contribuent à réduire les risques de maladies cardiovasculaires d'au moins quatre façons :

1. En réduisant le développement des lésions sclérotiques, qui mènent éventuellement à l'obstruction et l'inflammation des artères.

2. **En réduisant significativement le taux de cholestérol LDL, ainsi que les dommages causés par l'oxydation et les obstructions.**

3. **En contrebalançant la tendance des plaquettes sanguines à s'agglutiner en présence de stimuli pro inflammatoires.**

4. **En réduisant la pression artérielle.**

CURCUMA : DE L'OR EN BARRE

Le curcuma est une épice indienne ayant derrière elle une longue histoire d'utilisation à des fins médicinales contre l'inflammation. Cette délicieuse épice — qui donne sa couleur jaune et dorée à la poudre de curry — est une proche cousine du gingembre, utilisée depuis des millénaires pour donner du goût et de la couleur aux aliments, et faciliter leur conservation.

Pour les anciens peuples aryens du sud de l'Asie, qui adoraient le soleil, le curcuma était surtout prisé parce qu'ils en tiraient une teinture jaune et dorée rappelant la couleur du soleil. Depuis des temps immémoriaux, les femmes mariées indiennes appliquent le soir du curcuma sur leurs joues dans l'espoir que Lakshmi — la déesse de la bonne fortune — leur rende visite. Cette coutume, découlant probablement d'une ancienne tradition centrée sur l'adoration du soleil, est encore pratiquée de nos jours dans certaines régions de l'Inde.

Le curcuma, avec ses teintes d'un jaune quasi iridescent, est utilisé à toutes les sauces, que ce soit pour teindre du coton, de la soie, du papier ou des aliments, dans les produits cosmétiques et comme agent de conservation pour les aliments. Longtemps utilisé par les médecins ayurvédiques indiens pour traiter les troubles gastro-intestinaux et les inflammations, le curcuma est également utilisé comme produit de beauté pour rehausser le teint et donner un air de santé à la peau. Des onguents à base de curcuma sont utilisés en Inde pour traiter les douleurs articulaires, les contusions et une grande variété de problèmes cutanés, comme les infections, les inflammations, les boutons, les plaies, l'acné, les furoncles, les coups de soleil et l'eczéma.

Pour la science moderne, l'importance du curcuma est devenue apparente avec la découverte de ses propriétés antioxydantes, dont la plupart sont des dérivés de la curcumine, le nom courant des pigments jaune du curcuma (polyphénol) aussi appelés par les scientifiques curcuminoïdes. Bien qu'ils ne constituent que 5 % de la poudre de curcuma, c'est aux curcuminoïdes que cette épice doit ses incroyables propriétés anti-inflammatoires et antioxydantes.

Les attributs antioxydants du curcuma

- Les pigments curcuminoïdes du curcuma sont des antioxydants efficaces et sans risque. En fait, selon des études scientifiques, les curcuminoïdes du curcuma peuvent prévenir l'oxydation des matières grasses dans le sang plus efficacement que les PCO de l'écorce de pin et des extraits de pépins de raisin, et même que le puissant antioxydant synthétique BHT.
- Le curcuma contient un peptide unique appelé turmérine, une substance qui neutralise les radicaux libres, plus puissante que la curcumine et l'antioxydant synthétique BHA.
- Les animaux nourris avec des curcuminoïdes affichent un taux plus élevé d'enzymes glutathion-S-transférase, un important antioxydant et un joueur clé dans le système de désintoxication de l'organisme.

Le pouvoir anti-inflammatoire du curcuma

Comme le gingembre, le curcuma est un agent anti-inflammatoire beaucoup plus sûr que les AINS d'utilisation courante comme l'aspirine et l'ibuprofène. Le curcuma sensibilise les sites récepteurs de cortisol de l'organisme, et ses propriétés anti-inflammatoires sont considérées comme étant comparables à celle de la cortisone produite par notre organisme. Ceci est d'une importance cruciale dans le contexte de la Promesse Perricone, car nous devons maintenir notre taux de cortisol à son plus bas niveau possible afin de prévenir l'accélération du vieillissement de nos organes, y compris celui de notre peau.

ATTRIBUTS ANTICARCINOGÈNES DU CURCUMA

Des chercheurs de l'université de la Californie à San Diego rapportent que la « curcumine doit être considérée comme un agent chimiothérapique sûr, non toxique et facile à utiliser pour le traitement des cancers colorectaux. » Des essais cliniques sur des humains montrent que la curcumine est non toxique jusqu'à des doses de dix grammes par jour. Les douzaines d'études menées à ce jour aux Etats-Unis et ailleurs suggèrent que le curcuma — et en particulier son contenu en curcumine — recèle un énorme potentiel pour la prévention et le traitement du cancer.

Le curcuma améliore également l'aptitude du foie à éliminer de dangereuses toxines carcinogènes. Une étude récente a démontré que le curcuma alimentaire peut faire augmenter le taux de deux enzymes du foie impliqués dans ce processus de désintoxication, l'UDP-glucuronyl-transferase et le glutathion-S-transférase. Comme le soulignaient les chercheurs, « ces résultats suggèrent que le curcuma pourrait améliorer le fonctionnement de nos systèmes de désintoxication en plus d'avoir des propriétés antioxydantes… Une utilisation plus répandue de cette épice pourrait probablement atténuer les effets de plusieurs carcinogènes d'origine alimentaire. »

Une dernière remarque à ce sujet : préparer des plats avec des lentilles ou des haricots parfumés et assaisonnés au curcuma vous procurera une protection supplémentaire contre le cancer du colon, grâce aux fibres contenues dans les lentilles et les haricots et aux capacités antioxydantes du curcuma.

UN SYSTÈME CARDIOVASCULAIRE EN SANTÉ GRÂCE AU CURCUMA

Le curcuma contribue à prévenir l'oxydation du cholestérol sanguin, processus qui endommage les vaisseaux sanguins et entraîne la formation de dépôts pouvant mener à des crises cardiaques et des accidents vasculaires cérébraux. Le curcuma est également une bonne source de vitamine B_6, une vitamine qui empêche les taux d'homocystéine d'atteindre des niveaux trop élevés, un facteur de risque majeur pour les maladies cardiaques ; un bon apport en vitamine B_6 semble réduire ce risque.

DU CURCUMA POUR LE CERVEAU ET LES NERFS

Des études menées auprès de populations indiennes montrent que les personnes âgées ayant une alimentation riche en curcuma sont moins susceptibles de développer une maladie neurologique, comme la maladie d'Alzheimer. La maladie d'Alzheimer est considérée comme une affection inflammatoire, et les médecins de l'université de la Californie à Los Angeles qui se sont penchés sur les propriétés préventives et thérapeutiques du curcuma ont été impressionnés par ce qu'ils ont découvert. Comme ils le rapportent eux-mêmes, « du point de vue de son efficacité et de sa faible toxicité, cette épice indienne nous est apparue prometteuse en ce qui

164 a trait à la prévention de la maladie d'Alzheimer. » Le curcuma peut provoquer une réponse des protéines de choc thermique qui protègent les cellules contre l'oxydation, ce qui serait un élément clé de la maladie d'Alzheimer.

Des études préliminaires suggèrent également que le curcuma pourrait freiner la progression de la sclérose en plaques, possiblement en réduisant la production de protéines IL-2, une protéine qui détruit la gaine myélinique chargée de protéger les nerfs. La destruction des gaines myéliniques est un facteur clé de la sclérose en plaques.

COMMENT INCLURE DAVANTAGE DE CURCUMA DANS MON ALIMENTATION ?

La réponse est fort simple : utilisez davantage de poudre de curry, car les nombreuses variations de ce mélange d'épices piquant et versatile sont délicieuses avec de nombreuses viandes, avec les légumes et même certains poissons, en plus de contenir plusieurs épices santé. Ceci dit, il faut tenir compte de deux ou trois choses en ce qui concerne la consommation de curcuma :

- Bien que les poudres de curry commerciales contiennent probablement de faibles quantités de composants actifs, une utilisation fréquente va procurer des bienfaits significatifs. Les pâtes de curry commerciales contiennent généralement davantage de composante actifs, mais certaines d'entre elles sont riches en matières grasses et en calories (vérifiez l'étiquette). Vous pouvez également préparer votre propre poudre de curry, en utilisant vos ingrédients préférés. Conservez votre poudre au congélateur pour protéger les huiles volatiles. De la poudre de curcuma pure est souvent disponible dans les magasins d'aliments naturels.

- Contrairement au gingembre, le curcuma frais n'est généralement disponible que dans les marchés du sud-est de l'Asie et en Inde. Comme le gingembre frais, le curcuma frais contient davantage de composantes actives que la racine séchée. (Soyez prudent lorsque vous manipulez du curcuma frais ; il tache facilement les mains et les vêtements.) Et comme pour le gingembre, en plus de l'utiliser généreusement dans les soupes, les ragoûts, et les plats de lentilles et de haricots, je vous recommande de le prendre également sous forme d'extraits — de type CO^2 supercritique ou alcool — pour plus d'efficacité et de commodité.

Les acolytes épicés du curcuma

Lorsqu'il est question de curry, le curcuma est sans doute le roi des antioxydants, mais cet assaisonnement classique — tout comme votre garde-manger — contient d'autres épices de grande valeur. Si on retrouve dans la plupart des poudres de curry de la cardamome, du curcuma, du fenugrec, du cumin et des piments forts, d'autres contiennent également du gingembre, du clou de girofle, de la muscade, de la coriandre, de la moutarde, de l'ail, du fenouil et du poivre noir.

Poivre noir
- Dès que le poivre noir entre en contact avec vos papilles gustatives, il provoque une augmentation de l'acide chlorhydrique dans l'estomac, facilitant ainsi la digestion, et en particulier la digestion des protéines. C'est pourquoi la tradition médicinale populaire considère le poivre noir comme un carminatif, une substance qui aide à prévenir les gaz.
- Le poivre noir produit de puissants effets antibactériens.

- L'enveloppe externe des grains de poivre noir stimule la décomposition des cellules de matière grasse.
- Le poivre noir contient un phénol appelé pipérine, un puissant agent antioxydant et anti-inflammatoire qui facilite l'absorption des vitamines, des minéraux, des antioxydants et des acides aminés.
- Certaines études ont montré que le poivre inhibe la croissance des tumeurs solides.

Cardamome

La cardamome, aussi appelée graine du paradis, est une herbe aromatique au goût âcre originaire de l'Inde, dont l'utilisation remonterait au huitième siècle. Lors d'études en laboratoire, la cardamome a démontré une activité supérieure à celle de la vitamine E et de la vitamine C. Cette cosse délicieuse et parfumée offre une excellente protection antioxydante.

Cannelle

L'histoire de la cannelle, comme épice et comme remède médicinal, remonte jusqu'à l'ancienne Égypte. Cette écorce aromatique, dont on trouve même des mentions dans la Bible, fut l'une des premières denrées à faire l'objet d'un commerce soutenu entre le Proche-Orient et l'Europe. La cannelle de Ceylan, qui pousse aujourd'hui partout dans le monde, est la meilleure variété.

- La cannelle stimule les récepteurs d'insuline et augmente la capacité des cellules à absorber le glucose. La cannelle peut donc aider les personnes atteintes du diabète de type 2 à normaliser leur taux de glycémie. En fait, moins d'une cuillérée à thé de cannelle par jour permet de réduire significativement le taux de glycémie des personnes atteintes du diabète de type 2. Un gramme de cannelle (environ un quart de cuillérée à thé) provoque une baisse de 20 % du taux de glycémie, en plus de réduire les taux de cholestérol et de triglycéride. Ceci est extrêmement important pour ceux qui ont choisi de tenter l'aventure de la Promesse Perrricone, car l'un des facteurs clés pour freiner l'apparition des signes du vieillissement au niveau du visage et du corps est la régularisation du taux de glycémie. Le simple fait d'agiter un bâton de cannelle dans votre thé vous apportera des bienfaits en ce qui concerne la réduction de votre taux de glycémie.

- La cannelle contribue à réduire l'inflammation.
- Les huiles essentielles de cannelle contribuent à freiner la croissance des bactéries et des fongus.
- Lors d'un test comparant la cannelle à l'anis, au gingembre, à la réglisse, à la menthe, à la muscade, à la vanille et aux agents de conservation synthétique BHA et BHT, il s'est avéré que la cannelle prévenait l'oxydation plus efficacement que les autres substances, à l'exception de la menthe.
- La simple odeur de la cannelle améliore les capacités cognitives du cerveau, comme l'attention, la mémoire, de même que les réactions visuelles et motrices.
- La cannelle est très prisée par la médecine traditionnelle chinoise et ayurvédique pour ses qualités réconfortantes ; les médecins l'utilisent d'ailleurs pour soulager les symptômes du rhume et de la grippe. Lorsque vous sentez venir une infection, essayez de boire un thé composé d'écorce de cannelle et de gingembre frais.

Graines de coriandre

En Europe, la coriandre était traditionnellement utilisée pour traiter le diabète ; en Inde et dans la tradition ayurvédique, elle est prisée pour ses propriétés anti-inflammatoires. La recherche actuelle est venue confirmer ces croyances, et indique que la coriandre peut faire baisser le taux de cholestérol LDL (le mauvais cholestérol), tout en faisant augmenter celui du cholestérol HDL (le bon cholestérol). La coriandre est riche en phytonutriments, y compris en flavonoïdes et en acides phénoliques.

Cumin

Des recherches scientifiques indiquent que les graines de cumin possèdent de fortes propriétés antioxydantes, anti-inflammatoires, anticarcinogènes, analgésiques et antimicrobiennes. Le cumin et l'huile de cumin font augmenter le taux de glutathion à l'intérieur de l'organisme, facilitent la circulation sanguine et améliorent la capacité du foie à synthétiser d'importants composés, tout en faisant augmenter de manière remarquable la circulation de la bile. L'huile de cumin, un antiseptique d'une efficacité étonnante, empêche la formation des toxines fongiques et élimine les parasites, les bactéries et le fongus. Une étude récente rapporte que l'huile de graines de cumin noir peut être considérée comme un puissant médicament analgésique et anti-inflammatoire.

Fenugrec

Cette graine fibreuse que l'on retrouve dans le curry est utilisée par la tradition ayurvédique pour traiter le diabète et l'obésité. Une étude a confirmé que le fenugrec stabilise le taux de glycémie aussi efficacement que le glibenclamide, réduit le taux de lipides dans le sang et montre des propriétés antioxydantes et anti-inflammatoires chez les animaux souffrant de diabète. Il possède également des propriétés anticarcinogènes et antimicrobiennes marquées.

Une étude récente a montré qu'un acide aminé présent dans les graines de fenugrec (4-hydroxyisoleucine) pouvait réduire la résistance à l'insuline — un marqueur de risque et l'un des premiers signes du diabète — en signalant rapidement la présence d'insuline au niveau des tissus périphériques et du foie. De plus, cet acide aminé améliore la sensibilité à l'insuline, un effet thérapeutique précieux pour le traitement du diabète et pour ceux qui suivent un régime pour contrer le vieillissement. Le fenugrec freine également les réactions de glycation, ce qui est très important pour prévenir la formation des rides.

En y réfléchissant bien, les humains ont plus de chance que les autres espèces animales. En effet, nous ne sommes pas obligés de manger les mêmes aliments, encore et encore. En combinant aliments arc-en-ciel, super-aliments, herbes et épices, nous avons littéralement le choix entre des millions de menus. Nous avons également trouvé une façon de fournir à notre organisme les nutriments que nous ne pouvons pas obtenir des aliments que nous mangeons. Dans le prochain chapitre, vous apprendrez à mieux connaître les polysaccharides, une nouvelle façon sensationnelle de refaire le plein d'énergie, de l'intérieur vers l'extérieur.

DEUXIÈME ÉTAPE

LES SUPPLÉMENTS
ALIMENTAIRES

Stimuler la production d'énergie

Le pouvoir des polysaccharides

J'espère mourir avant de devenir vieux.
— THE WHO, « MY GENERATION »

Avoir su que j'allais vivre aussi vieux, j'aurais fait plus attention à ma santé.
— LA LÉGENDE DU JAZZ EUBIE BLAKE, À L'OCCASION DE SON
QUATRE-VINGT-DIXIÈME ANNIVERSAIRE

HEUREUSEMENT POUR PETE TOWNSHEND, du groupe The Who, qui écrivit ces paroles mémorables en 1965, son souhait ne s'est pas réalisé ! En fait, Pete et quelques-uns des membres fondateurs du groupe (comme un autre groupe de cette époque dont il sera question dans l'histoire de Rick ci-dessous) se portent à merveille.

L'histoire d'Eubie Blake est encore plus extraordinaire. Né en 1883, Eubie devint une étoile du jazz et du ragtime durant les années 20. Au cours de la Seconde Guerre mondiale, Eubie et son orchestre firent la tournée des bases militaires américaines. Eubie se mit à étudier la composition musicale en 1946 et décrocha un diplôme de l'université de New York. Même s'il fut en grande partie inactif au cours de années 50, Eubie fit quelques apparitions sur la scène de différents festivals de ragtime.

Eubie sombra dans l'oubli jusqu'en 1969, année où, à l'âge de quatre-vingt-six ans, il enregistra un album double intitulé *The Eighty-Six Years of Eubie Blake*. La popularité d'Eubie monta en flèche, et il fut de nouveau invité à participer à des festivals de jazz et à donner des concerts. Eubie donna également des conférences dans de nombreuses universités à travers le pays. En 1972, il fonda sa propre maison de disques. Eubie reçut la Médaille présidentielle de la liberté en 1981.

Eubie continua à donner des concerts jusqu'à l'âge de quatre-vingt-dix-huit ans. Il mourut à New York le 12 février 1983, à l'âge de cent ans et cinq jours.

Sans boule de cristal pour nous dire de quoi sera fait l'avenir, nous n'avons pas la moindre idée de ce que nous réservent les années à venir. Donnerez-vous un concert au Madison Square Garden pour votre cinquante-neuvième anniversaire devant une foule d'adorateurs deux fois plus jeunes que vous ? Ou peut-être, comme Eubie, mettrez-vous sur pied votre propre maison de disques à l'âge de quatre-vingt-dix ans ! La réalité dépasse certainement la fiction.

En tant que médecin, je veux vous voir en excellente santé et débordant de vitalité quel que soit votre âge. Et en tant que dermatologue, je veux m'assurer que vous conserverez le teint sain et lumineux de votre jeunesse le plus longtemps possible.

C'était l'objet des trois derniers chapitres : vous présenter quels sont les aliments ayant les meilleures propriétés antioxydantes et anti-inflammatoires, afin d'améliorer votre longévité et votre vitalité.

Améliorez votre rendement énergétique à la source

Si vous souhaitez améliorer la qualité du carburant produit par votre organisme, vous devez commencer à la source, là où les aliments que nous mangeons sont convertis en énergie. Cette conversion est rendue possible grâce à de minuscules structures à l'intérieur de nos cellules appelées mitochondries.

C'est pourquoi j'étais si emballé lorsque j'ai appris, au cours de mes recherches, que des scientifiques universitaires américains et asiatiques avaient découvert une nouvelle classe de polysaccharides (chaînes de molécules de glucose) qui produisent des effets spectaculaires sur l'efficacité et l'intégrité des mitochondries. Ceci est d'une grande importance, car le mauvais fonctionnement des mitochondries est responsable de plusieurs maladies et de l'accélération du processus de vieillissement.

Privé de mitochondries en santé, l'organisme vieillit rapidement et devient extrêmement vulnérable aux maladies. Par exemple, un article décisif publié en 2004 par le prestigieux journal scientifique *Nature* a démontré que des défauts génétiques même minimes au niveau des mitochondries suffisent à produire tous les signes du vieillissement chez les rongeurs. Les travaux des meilleurs chercheurs dans ce domaine indiquent qu'un mauvais pliage des protéines au niveau cellulaire — une dysfonction reliée à la santé des mitochondries — pourrait être responsable de plus de la moitié de toutes les maladies, et en particulier de la maladie d'Alzheimer.

La découverte de ces polysaccharides a ouvert pour moi de nouvelles avenues à explorer dans ma quête pour dénicher les aliments, les suppléments et les cosmétiques idéaux pour garder notre peau et notre organisme en santé. J'ai entrepris une étude approfondie sur l'interaction entre ces polysaccharides, les peptides, les neuropeptides et les acides gras essentiels (AGE) afin de voir comment ils pourraient améliorer l'apparence de notre peau et notre santé en général.

Ceci a mené à l'élaboration d'une boisson énergétique extrêmement nutritive contenant tous les éléments mentionnés ci-dessus ; une formule à laquelle j'ai donné le surnom de *PEP*.

Ajoutez du PEP à votre vie et donnez un coup de pouce à vos cellules

En commençant votre journée par une cuillérée à thé de PEP (pour *Peptide Functional Food*) dans 180 millilitres, ce que je recommande d'ailleurs dans mon programme de 28 jours, vous améliorez la qualité et la quantité d'énergie produite dans vos cellules. (Ne vous inquiétez pas, la formule PEP n'est ni grumeleuse ni trouble comme certaines boissons en poudre riches en fibres alimentaires. Elle a en fait un goût délicieux, rappelant quelque peu le goût des noix.) Afin de créer un aliment qui exercera les plus grands effets possible, il est nécessaire de mélanger des aliments végétaux complémentaires. Je crois personnellement que vous pouvons obtenir le maximum de bienfaits en ajoutant quatre groupes de nutriments :

1. *Lignans provenant de graines de lin.* Il a été prouvé que ces fibres phytoestrogéniques possèdent le pouvoir de contrôler le taux de glycémie et d'insuline, et aident à réduire les risques du diabète, de certains cancers hormonodépendants, comme le cancer du sein et de la prostate, et de maladies cardiovasculaires. Les lignans du lin contribuent également à améliorer la santé du système gastro-intestinal, favorisant ainsi l'absorption et l'élimination des aliments, et semblent améliorer la capacité antioxydante et énergétique des mitochondries.

2. *Acides aminés et polypeptides.* Le PEP (ce qu'on appelle un aliment fonctionnel) contient les huit acides aminés dont nous avons besoin pour produire des protéines au niveau des tissus conjonctifs (y compris le collagène et l'élastine), en plus de dix autres choisis pour leurs bienfaits sur la capacité de nos cellules à produire de l'énergie. Ils sont également la matière première de tous les processus enzymatiques, y compris ceux qui donnent au collagène sa force et son élasticité.

3. *Vitamines et minéraux.* Des nutriments essentiels choisis pour les bienfaits qu'ils apportent aux systèmes chargés de lutter contre l'oxydation et de réparer les tissus.

4. *Fibres alimentaires.* Fibres solubles et insolubles qui aident à contrôler le taux de glycémie et à faciliter la digestion.

Cette combinaison de nutriments vous permet de donner un « coup de pouce » à vos cellules afin qu'elles puissent fonctionner au meilleur de leurs capacités durant la journée, au moment où vous en avez le plus besoin.

Vous ressentirez un regain d'énergie beaucoup plus grand (et bien meilleur pour la santé) en prenant un verre de formule PEP au lieu de votre café du matin. Je doute que nous puissions un jour entrer dans un café et commander un bon grand verre de PEP. Mais si vous voulez amorcer votre journée sur le bon pied, vous avez avantage à prendre une cuillerée à thé de PEP dans 180 millilitres d'eau au lieu d'une tasse de café bourrée de caféine. Premièrement, le café est acide et déshydrate votre peau. Pire encore, il a été démontré que la consommation de café fait augmenter le taux de cortisol (l'hormone du stress), ralentit la circulation sanguine vers le cerveau, compromet le système immunitaire et fait augmenter la pression artérielle et le taux d'insuline. Pour bien commencer la journée, rien de mieux qu'une boisson à base de formule PEP suivie d'une tasse de thé vert.

Les pouvoirs de la formule PEP

Je considère la formule PEP comme un *aliment fonctionnel* supérieur, une expression que le U.S. Institute of Medicine définit comme « ces aliments qui contiennent des produits potentiellement bons pour la santé, incluant tout aliment ou ingrédient modifié qui apporte des bienfaits pour la santé qui dépassent ceux des nutriments traditionnels. »

178

Et comme il s'agit d'un aliment, ses effets sont physiologiques, c'est-à-dire, que la formule PEP travaille de concert avec l'organisme pour nourrir et réparer les tissus. Cela signifie que l'organisme n'a pas besoin de recevoir continuellement de grandes quantités de formule PEP pour jouir de ses bienfaits à long terme. En fait, c'est plutôt l'inverse. Après un mois ou deux, l'apport peut être coupé de moitié et néanmoins produire les mêmes résultats positifs.

Voici quelques-uns des bienfaits de cette boisson fonctionnelle à base de formule PEP :

- Stimule la production d'énergie physique et mentale.
- Facilite la circulation dans les muscles, le cœur, le cerveau et les autres organes.
- Rend la peau plus éclatante, plus souple et plus douce.
- Stimule la production d'antioxydants pour une meilleure protection contre les dommages causés par l'oxydation et les radicaux libres à toutes les cellules de l'organisme.
- Réduit l'inflammation partout dans l'organisme.
- Fait augmenter la production de fibroblastes, les cellules qui construisent les tissus au niveau de la peau et ailleurs.
- Augmente l'absorption du glucose par les cellules, réduisant ainsi l'hyperinsulinémie (surplus d'insuline) et une dysfonction métabolique courante, appelée syndrome X, qui mène à l'inflammation, au diabète et aux maladies cardiaques.

L'histoire de Rick : À la rescousse d'une vedette rock angoissée

Ayant atteint ma majorité à la fin des années 60, il est normal pour moi de considérer que la meilleure musique populaire ait été créée au cours de ces années turbulentes. En fait, une bonne part de la production de l'époque est encore populaire aujourd'hui, et de nombreux groupes des années 60 continuent de donner des concerts à guichets fermés. Je dois admettre avoir frissonné de plaisir lorsque l'une de ces icônes rock de ma génération prit contact avec moi.

« Dr Perricone, j'ai besoin d'aide, me dit Rick (ce n'est pas son vrai nom !) sans préambule. Je dois bientôt entreprendre une tournée à guichets fermés, et mon niveau d'énergie est plutôt bas. Bien sûr, une fois sur la scène l'adrénaline prend le relais [et sans doute d'autres substances…], mais je dois me préparer à tout ce qu'une tournée implique. »

Rick passait beaucoup de temps dans les Caraïbes où il avait acheté une propriété magnifique à la mesure de son statut de vedette rock mondiale. Quand il n'était pas assis au bord de sa piscine, il était sur son voilier. Par conséquent, le soleil avait considérablement endommagé sa peau. En fait, il avait beaucoup de rides. Même s'il avait abandonné plusieurs mauvaises habitudes, comme fumer cigarette sur cigarette, Rick n'était pas un saint, et toutes ces années où il avait brûlé la chandelle par les deux bouts avaient laissé des traces.

Rick était de plus une légende pour ce qui était des conquêtes féminines, et il fréquentait alors un mannequin beaucoup plus jeune que lui ; une motivation de plus pour entreprendre un programme de rajeunissement.

« Alors Doc, par quoi commence-t-on ? me demanda-t-il. Quand vais-je passer sous le bistouri ? »

« Rick, ce n'est pas la solution pour vous, lui dis-je. Nous allons y parvenir de manière 'naturelle'. » Comme il était lui aussi un enfant des années 60, j'espérais que cette approche holistique lui plairait. « Tout d'abord, vous devrez adopter une alimentation anti-inflammatoire et suivre un programme de suppléments anti-inflammatoires ; cela devrait vous aider à retrouver votre énergie et votre vitalité d'antan. Vous entreprendrez ensuite la partie amusante de ce processus de rajeunissement qui consiste à *travailler avec des substances absolument géniales appelées neuropeptides », expliquai-je. J'avais également prévu lui envoyer une caisse de saumon sauvage de l'Alaska, le saumon étant la pierre angulaire de mon programme anti-inflammatoire. Je demandai à Rick de manger du saumon quatre à cinq fois par semaine, afin de rajeunir à la fois sa peau et son cerveau.*

Je savais que Rick serait l'un des plus grands défis de ma carrière. Je devais par exemple m'assurer que le contenu en nutriments des aliments et des suppléments que je lui recommandais était biodisponible, c'est-à-dire, qu'il pouvait être digéré et absorbé adéquatement. Mon plan était de lui faire consommer, sous la forme d'une boisson en poudre, l'aliment fonctionnel à base de PEP que je venais d'élaborer.

Mon but, en créant une boisson énergisante à base de PEP, était d'obtenir une substance riche en nutriments, extrêmement concentrée, qui travaillerait en synergie avec le Programme de 28 jours de la Promesse Perricone, afin de maximiser ses bienfaits anti-vieillissement. Avec l'arrivée des aliments à base de polysaccharides — comme la boisson à base de PEP — nous pouvons fournir aux mitochondries de nos cellules un carburant offrant un excellent rendement et ce, sans risque et à un coût abordable. Rick était le candidat pour démontrer leur efficacité. Et ce projet l'enthousiasmait.

Avant de poursuivre l'histoire de Rick, je devrais peut-être vous expliquer le fonctionnement de la formule PEP. La formule PEP agit en fournissant à l'organisme des polysaccharides uniques appelés *alpha-glucans*, une substance qui contribue à stimuler la production d'énergie au niveau des cellules tout en aidant la peau à se réparer, à se régénérer et à se revitaliser d'elle-même. Les vitamines, les minéraux et les acides aminés contenus dans la formule PEP améliorent directement l'apparence de la peau en facilitant la synthèse du collagène et de l'élastine et en la protégeant des dommages causés par les radicaux libres et les rayons UV. De leur côté, les acides gras essentiels nourrissent la peau et nous aident à la garder hydratée et douce comme de la soie.

En plus des aliments PEP, je recommandai à Rick de prendre des suppléments de peptides thymiques, dans le cadre d'un programme complet de supplémentation alimentaire pour la peau et le corps, et d'utiliser des produits topiques à base de neuropeptides. Je lui parlai de mon programme en trois étapes et lui suggérai de débuter par un sérum facial à base de neuropeptides afin de saturer sa peau avec un mélange de neuropeptides et de DMAE. Cela allait permettre à sa peau de recevoir tous les bienfaits de ce conformère pour le visage. Comme Rick avait beaucoup de rides, je lui recommandai de l'utiliser matin et soir, même si pour la plupart des gens, une application par jour est tout ce dont ils ont besoin. Finalement, je voulais que Rick se masse généreusement le visage et le cou avec ma crème contour à base de neuropeptides afin de contrecarrer l'affaissement de la peau.

Quatre semaines plus tard, je reçus une paire de billets pour le premier spectacle de la tournée de Rick au Madison Square Garden, ainsi qu'une paire de laissez-passer pour aller le rencontrer en coulisse. Après un instant de nostalgie à l'idée de l'impact que ces deux billets auraient eu sur ma popularité quelques décennies plus tôt, je notai la date sur mon calendrier.

Le jour du concert, en entrant dans la ville au volant de ma voiture, je me rendis compte à quel point j'avais hâte d'y assister. Toutefois, rien ne m'avait préparé au concert de trois heures qui allait suivre. Rick et son groupe jouèrent avec l'énergie et le dynamisme d'une bande d'adolescents de seize ans, et leurs fans en délire donnèrent une performance tout aussi impressionnante.

Je me frayai un chemin jusque dans les coulisses, espérant que mon régime alimentaire et mes suppléments anti-inflammatoires,

> *conjugués à l'effet des neuropeptides, étaient responsables de la transformation de Rick.*
>
> *Même s'il était un peu fatigué après le spectacle, je vis tout de suite que le regain d'énergie de Rick était dû à mon programme de quatre semaines. Il avait à présent un teint éclatant, les neuropeptides ayant grandement amélioré sa circulation sanguine. Les lignes et les rides qui sillonnaient son visage étaient beaucoup moins profondes, et en général, sa peau semblait plus ferme, plus lisse et plus souple.*
>
> *« Je tiens à vous remercier, Doc, me dit Rick avec un large sourire. Ce truc aux peptides est vraiment quelque chose. J'ai l'impression d'être un nouvel homme. »*
>
> *Et à dire vrai, il en avait également l'apparence.*

PEP contre Syndrome X

Une étude a démontré que l'aliment fonctionnel à base de PEP que j'avais donné à Rick procure un autre bienfait insoupçonné : il contribue à corriger l'augmentation d'une foule de déséquilibres métaboliques courants regroupés sous le nom de syndrome X, un syndrome que l'on observe chez les gens qui souffrent de diabète, d'obésité ou d'une maladie cardiovasculaire. La formule maïtaké Fraction-SX, dont nous reparlerons plus loin dans ce chapitre, joue également un rôle important dans la lutte contre le syndrome X.

Quatre choses nous permettent d'identifier le syndrome X :

1. L'obésité abdominale (un surplus de tissus adipeux au niveau de l'abdomen)
2. L'intolérance au glucose
3. La dyslipidémie (un taux élevé de triglycéride et un bas taux de cholestérol HDL)
4. Une pression artérielle élevée

Le syndrome X est étroitement lié à des perturbations du métabolisme du glucose et de l'insuline (aussi appelé résistance insulinique ; voir ci-dessous), une situation que les aliments contenant des polysaccharides et des peptides peuvent améliorer de plusieurs façons :

- Grâce à leurs effets sur les systèmes de signalisation du système digestif, les alpha-glucans améliorent l'efficacité du processus de production d'insuline en réaction aux sucres et aux glucides que nous ingérons. (L'insuline est nécessaire au transport du glucose vers nos cellules, où il est « consumé » pour produire de l'énergie.)
- Le syndrome X réduit la production de déhydroépian-drostérone (DHEA) dans l'organisme — une hormone précurseur de diverses hormones anti-vieillissement comme la testostérone, l'estrogène et l'hormone de croissance — de près de 50 %. Étant donné que les nutriments contenus dans les aliments PEP réduisent les effets du syndrome X, ils aident l'organisme à produire tout le DHEA dont il a besoin.
- Les alpha-glucans exercent une action similaire aux fibres alimentaires en ralentissant l'absorption des sucres alimen-taires réguliers ; un effet qui contribue également à équilibrer le processus de métabolisation du sucre et de l'insuline.
- Les polypeptides que l'on retrouve dans les aliments PEP sont pour notre organisme une source de matière première supérieure, lui apportant tout ce dont il a besoin pour fabriquer l'insuline et les acides aminés essentiels à la production des antioxydants anti-vieillissement comme le glutathion.

RÉSISTANCE À L'INSULINE

Ayant consacré des décennies de ma vie à la recherche sur les causes du vieillissement, je me préoccupe depuis longtemps d'une affection appelée résistance insulinique. L'insuline est l'hormone responsable de procurer de l'énergie, sous la forme de glucose (sucre sanguin), à nos cellules. À l'intérieur de la cellule, le glucose est soit utilisé comme carburant, soit entreposé sous la forme de glycogène dans le foie ou les cellules musculaires pour usage futur. Lorsque nous développons une résistance insulinique, même si le taux d'insuline monte de plus en plus haut, le sucre sanguin ne parvient plus jusqu'à nos cellules. Cela signifie qu'un taux élevé d'insuline et de sucre sanguin continue à circuler dans notre organisme, provoquant une augmentation de la glycation des protéines ; pire encore, les tissus endommagés vont à leur tour générer un flot constant de radicaux libres favorisant l'inflammation et le vieillissement prématuré.

Un surplus d'insuline dans le sang augmente également les risques de diabète. Environ un tiers des personnes souffrant de résistance insulinique développeront un diabète de type 2 (adulte). Nous assistons présentement à une véritable épidémie de diabète. La fréquence du diabète augmente de 4 à 5 % annuellement, et on estime que 40 à 45 % des gens de plus de soixante-cinq ans sont à risque. Plusieurs chercheurs œuvrant dans ce domaine croient que ce pourcentage va continuer à augmenter à mesure que les baby-boomers vont fêter leur cinquantième et leur soixantième anniversaires.

Une étude récemment publiée dans le *New England Journal of Medicine* fait état que les mitochondries ne semblent pas fonctionner adéquatement chez les enfants dont les parents souffrent de diabète de type 2. Ce problème peut mener à une accumulation de graisse à l'intérieur des cellules musculaires et au développement d'une résistance à l'insuline. Ceci est tragique, car il est possible d'éviter cette situation en faisant des choix alimentaires plus sains, en faisant de l'exercice et en modifiant nos modes de vie hyper-stressants. Même si nous ne développons pas de diabète, le fait d'avoir une faible résistance insulinique peut accélérer le processus de vieillissement à l'intérieur et à l'extérieur de notre organisme, et faire apparaître des signes visibles comme les rides. Pire encore, la résistance insulinique devient plus fréquente avec l'âge, en plus d'aggraver plusieurs troubles chroniques.

Les résultats obtenus lors d'études sur le diabète et les maladies cardiovasculaires ont amené les scientifiques à explorer l'hypothèse voulant que ces polysaccharides révolutionnaires, que l'on retrouve dans la formule alimentaire PEP, agiraient avec les EFA, les lignans du lin, les acides aminés, les vitamines et les minéraux pour améliorer la production d'énergie, le rajeunissement et la réparation des cellules (consultez le Guide ressource pour découvrir comment obtenir la formule PEP). Plusieurs universités ont entrepris de vérifier si cette formule va produire les résultats cliniques observés via les mécanismes définis dans notre hypothèse. Pour ma part, je vous recommande une petite portion de PEP par jour. Ceci vous aidera à fournir une quantité optimale de nutriments à vos cellules, qui vous remercieront par une foule d'autres bienfaits, incluant une peau éclatante de santé et d'apparence plus jeune.

La magie du maïtaké : des polysaccharides de champignon

À présent que nous avons passé en revue la myriade de bienfaits des polysaccharides que nous procure le mélange pour boisson à base de PEP, j'aimerais partager avec vous une autre source de polysaccharides ; ceux que nous retrouvons dans les champignons, et en particulier dans les champignons utilisés par la médecine traditionnelle chinoise.

Je me suis récemment entretenu avec Harry G. Preuss, MD, MACN et CNS, de l'École de médecine de l'université Georgetown, au sujet des champignons maïtaké. Le Dr Preuss est le très estimé auteur du livre *Maitake Magic*, ainsi que le coauteur de plusieurs études scientifiques sur le maïtaké. Selon le Dr Preuss, les extraits de maïtaké sont considérés comme un « médicament » de première ligne partout dans le reste du monde, même si l'étude scientifique des champignons ne date que d'une vingtaine d'années.

QU'EST-CE QU'UN MAÏTAKÉ ?

Le maïtaké est un gros champignon qui pousse dans les montagnes du nord-est du Japon (où on l'appelle le « roi des champignons »), mais aussi en Amérique du Nord et en Europe. Depuis longtemps connu pour ses propriétés médicinales, il était si prisé dans le Japon féodal que les seigneurs locaux payaient l'équivalent de son poids en argent afin de pouvoir l'offrir au shogun.

La plupart des champignons médicinaux — comme le reishi, le shiitaké, le cordycep et le maïtaké — contiennent des polysaccharides appelés bêta-glucans qui stimulent l'immunité à médiation cellulaire. En d'autres termes, les champignons « allumeraient » les cellules du système immunitaire, y compris les macrophages (de grosses cellules qui peuvent digérer les substances étrangères dans l'organisme) et les cellules T, deux types de cellules qui joueraient un rôle significatif dans la lutte contre le cancer et les infections.

En plus de stimuler l'immunité, certaines fractions de bêta-glucans (des composés de polysaccharides) que l'on retrouve dans le maïtaké procurent d'autres bienfaits pour la santé, y compris un meilleur contrôle sur le taux de glycémie et de cholestérol, sur la pression artérielle et sur le poids corporel. Même si plusieurs champignons sont une source intéressante de bêta-glucans, le maïtaké est de loin supérieur dans la mesure où nous pouvons le prendre oralement sous forme de poudre ou le transformer en liquide pouvant être injecté ; son efficacité serait la même dans les deux cas.

Dans le Programme Perricone, vous verrez que je vous recommande de commencer votre journée avec une cuillérée à thé de formule PEP. À ceux qui souhaiteraient une solution de rechange, je suggère de prendre tous les jours un supplément de maïtaké, en choisissant l'un des deux types présentés ci-dessous :

- *Fraction-SX*. Les bêta-glucans du maïtaké produisent un effet stabilisateur sur le taux de glycémie et d'insuline. Comme ils sensibilisent les cellules à l'insuline, ils s'avèrent une arme efficace dans notre lutte contre le syndrome X et la résistance à l'insuline.

- *Fraction-D*. Des études ont montré que la structure chimique unique des polysaccharides bêta-glucans du maïtaké peut en fait contribuer à résorber certaines tumeurs cancéreuses. Des chercheurs, après avoir injecté des polysaccharides bêta-glucans à des souris atteintes d'un mélanome (une forme mortelle de cancer de la peau), ont observé une réduction du poids des tumeurs atteignant près de 70 % ; les bêta-glucans inhibent également la prolifération du cancer vers les poumons. Une étude sur la Fraction-D du maïtaké nous indique que son action inhibitrice sur le cancer est plus importante que celle de toutes les autres sources alimentaires de bêta-glucans.

Les polysaccharides de la Fraction-D du maïtaké peuvent également contribuer à contenir les infections bactériennes, ainsi que plusieurs infections virales, allant du rhume et de la grippe à l'herpès et au VIH. Ils peuvent aussi atténuer les effets toxiques de la radiothérapie et de la chimiothérapie, et même augmenter leur efficacité, améliorant ainsi de beaucoup l'espérance de vie et la qualité de vie des patients atteints d'un cancer. Pour plus d'information sur les produits à base de maïtaké, consulter le Guide ressource.

Tout cela vous semble peut-être étrange. Les polysaccharides sont après tout une « nouveauté », mais les chercheurs découvrent tous les jours de nouveaux faits, inédits et fascinants. Et comme nous sommes appelés à vivre de plus en plus vieux, nous devrons trouver de nouvelles et de meilleures armes pour poursuivre notre lutte contre le vieillissement. Sur bien des points, les suppléments sont les armes les plus technologiquement avancées dont nous disposons pour nous maintenir au meilleur de notre forme. Dans le prochain chapitre, vous en apprendrez davantage sur ces suppléments anti-vieillissement et anti-inflammatoires capables de métaboliser les matières grasses et d'aider notre organisme à maintenir une efficacité maximale au cours des années à venir.

Pour être encore plus en santé :

des suppléments qui réduisent les effets du vieillissement, protègent contre l'inflammation et favorisent la métabolisation des matières grasses

Je ne veux pas atteindre l'immortalité grâce à mes œuvres… je veux y parvenir en ne mourant pas.

— WOODY ALLEN

SI VOUS DÉCIDEZ DE SUIVRE LE PROGRAMME DE VINGT-HUIT JOURS de la Promesse Perricone présenté au chapitre 9, vous aurez donc inclus dans votre alimentation les aliments arc-en-ciel, les super-aliments, les herbes et les épices décrits dans les chapitres précédents et vous serez déjà en voie d'acquérir et de maintenir les bienfaits pour la santé qu'il procure. Et pour ceux qui désirent pousser ces bienfaits encore un peu plus loin, il existe également des suppléments anti-vieillissement, anti-inflammatoires et brûleurs de graisse qui peuvent vous aider à jouir d'une santé et d'une apparence optimales.

Les aliments et les suppléments recommandés dans *La Promesse Perricone* ont été choisis pour de nombreuses raisons, y compris leur capacité à réduire les effets négatifs des sucres et des féculents alimentaires, à fournir un apport nutritionnel optimum, à améliorer nos capacités cognitives, et finalement à garder notre peau éclatante et souple. Ils travaillent également en synergie avec les antioxydants topiques pour retarder les ravages inutiles du temps. Si vous avez lu *The Perricone Prescription* ou *The Wrinkle Cure*, vous savez que la pierre angulaire de mon programme de supplémentation inclut de l'acide alpha-lipoïque (AAL), de la vitamine C ester et du diméthylaminoéthanol (DMAE). Nous avons tous besoin de vitamines, de minéraux et d'autres nutriments pour demeurer jeunes et en santé. Dans ce chapitre, en plus de la liste complète des nutriments pour la peau et le corps que je vous recommande de prendre tous les jours, je passerai rapidement en revue les bienfaits de certains de ces vieux amis, et vous présenterai de nouveaux suppléments aux propriétés anti-vieillissement sensationnelles.

J'ai choisi ces suppléments parmi les nombreux autres choix disponibles parce qu'ils offrent une protection efficace contre les effets de l'inflammation, et en particulier contre ceux causés par les sucres et les féculents alimentaires.

Les suppléments ont été divisés en quatre catégories :

1. *Suppléments anti-glycation.*
   Acide alpha-lipoïque
   Benfotiamine
   Carnosine

2. *Énergisants/métabolisation des graisses.*
   Acide linoléique conjugué
   Polynicotinate de chrome
   Acide alpha-lipoïque
   Acétyl-L-carnitine (ALC)
   Fumarate de L-carnitine
   Acides gras essentiels (AGE)
   CoQ10

3. *Anti-vieillissement/énergisants/antioxydants/anti-inflammatoires.*
   Acide alpha-lipoïque
   Acétyl-L-carnitine
   CoQ10
   Vitamine C
   Vitamine E
   Acides gras essentiels

DMAE
Calcium
Magnésium
Manganèse

4. *Prévention des rides et réparation des tissus.*
   Peptides thymiques
   Cuivre

Évidemment, plusieurs suppléments dans cette liste exercent également des activités significatives à l'extérieur de leur propre catégorie.

Le tableau suivant présente un aperçu de leurs propriétés, à la lumière des recherches actuelles, mais aussi de ma propre expérience et de celle de mes patients.

SUPPLÉMENTS ANTI-VIEILLISSEMENT ET LEURS PROPRIÉTÉS						
	ANTI-GLYCATION	ANTI-INFLAMMATOIRE	ANTIOXYDANT	BRÛLEUR DE GRAISSE/ CONTRÔLE DU POIDS	ÉNERGISANT CELLULAIRE	BIENFAITS ANTI-VIEILLISSEMENT
ACÉTYL-L-CARNITINE	X		X	X	X	Énergisant cellulaire, métabolisation des graisses
ACIDE ALPHA-LIPOÏQUE	X	X	X	X	X	Protection des cellules et énergisant cellulaire
ACIDE GAMMA-LINOLÉIQUE		X				Bienfaits anti-inflammatoires
ACIDE LINOLÉIQUE CONJUGUÉ		X	X	X		Effets anticarcinogènes et anti-obésité
ACIDES GRAS OMÉGA-3		X		X	X	Bienfaits pour le cœur et le cerveau
BENFOTIAMINE	X	X			X	Anti-glycation
L-CARNITINE				X	X	Énergisant cellulaire
CARNOSINE	X	X		X	X	Anti-glycation, protection des protéines cellulaires

SUPPLÉMENTS ANTI-VIEILLISSEMENT ET LEURS PROPRIÉTÉS (SUITE)						
	ANTI-GLYCATION	ANTI-INFLAMMATOIRE	ANTIOXYDANT	BRÛLEUR DE GRAISSE/ CONTRÔLE DU POIDS	ÉNERGISANT CELLULAIRE	BIENFAITS ANTI-VIEILLISSEMENT
CoQ10		X	X	X	X	Antioxydant/ énergisant
DMAE		X				Stabilisation des membranes cellulaires
PEPTIDES THYMIQUES		X				Bienfaits pour le système nerveux et endocrinien
VITAMINE C		X	X		X	Effets antioxydants
VITAMINE E/TOCOTRIÉNOLS	X	X	X			Bienfaits antioxydants pour le cœur et la peau

La triple couronne — les agents anti-glycation

Si vous souhaitez conserver une peau magnifique et des systèmes organiques en parfait état de marche, commencez par éliminer les aliments à haut indice glycémique qui provoquent des hausses soudaines du taux de glycémie. Les aliments à haut indice glycémique provoquent des dommages via un processus en trois étapes, étapes silencieuses mais ô combien mortelles. Ils (1) font d'abord grimper le taux de glycémie, qui va (2) faire augmenter les taux d'insuline et d'inflammation qui produisent la glycation (quand les molécules de sucre s'attachent aux protéines), qui vont ensuite (3) créer une usine à radicaux libres appelés produits finaux de la glycation (AGE pour *Advanced Glycation Endproducts*). Pire encore, chaque étape fait augmenter l'inflammation cellulaire.

Comme nous l'avons vu au chapitre 3 avec l'histoire de Brett, lorsque les aliments sont rapidement convertis en sucre dans le flux sanguin, comme c'est le cas avec les sucres et les glucides à haut indice glycémique, ils provoquent ce que nous appelons la glycation. La glycation peut aussi se produire au niveau de la peau, modifiant le collagène de façon à accélérer le processus de vieillissement, et donc l'apparition de rides encore plus profondes. Lorsque la glycation se produit au niveau de la peau, les molécules de sucre s'attachent aux fibrines de collagène, où elles déclenchent une série de réactions chimiques spontanées. Il en découle la formation de ponts irréversibles entre les molécules de collagène adjacentes et la perte d'élasticité dont nous avons discuté au chapitre 1.

En fait, la glycation et l'oxydation forment un cercle vicieux dans la mesure où la glycation peut résulter des dommages causés par les radicaux libres, et que les protéines, une fois glycatées, continuent à produire sans arrêt de nouveaux radicaux libres. Les AGE dont j'ai parlé plus tôt produisent également des radicaux libres qui vont activer le peptide pro inflammatoire TNF-a, dont le taux dans les tissus est habituellement élevé chez les personnes âgées et celles qui souffrent de la maladie d'Alzheimer, ce qui pourrait, du moins le croit-on, favoriser la dégénérescence des nerfs et du cerveau.

Prévenir est encore la meilleure chose à faire, et vous pouvez y parvenir en évitant les sucres et les féculents pro inflammatoires. Malheureusement, notre cerveau est programmé pour ressentir du plaisir chaque fois que nous ingérons des glucides raffinés en raison de la hausse du taux de sérotonine qu'ils provoquent. Pire encore, ces glucides sont presque impossibles à éviter ; nous sommes littéralement bombardés de tous côtés, que ce soit au restaurant ou au supermarché, via la publicité écrite ou télévisée. On peut toutefois se réjouir en constatant que les dangers que ces aliments représentent commencent enfin à s'imposer à notre conscience collective ; et ce n'est pas trop tôt, car nous sommes aujourd'hui confrontés à une épidémie d'obésité et de diabète sans précédent. Nous avons une culture où l'obsession de demeurer jeune, mince et beau par tous les moyens possibles est omniprésente. Il existe toutefois une manière saine d'y parvenir : en suivant les conseils de *La Promesse Perricone*, qui vous aideront à garder un cerveau fonctionnant efficacement, à maintenir un niveau d'énergie optimum et à conserver une peau ferme et radieuse.

Pour toutes ces raisons, il est normal de s'attaquer à la glycation à l'aide de trois puissants suppléments : la benfotiamine, la carnosine et l'acide alpha-lipoïque.

BENFOTIAMINE : UNE VARIANTE ANTI-GLYCATION DE LA VITAMINE B_1

L'un des meilleurs moyens de défense nutritionnels contre les effets dévastateurs de la glycation sur la peau et le corps nous vient d'une forme de la vitamine B_1 (thiamine), liposoluble (soluble dans le gras) et extrêmement facile à absorber, appelée benfotiamine. La benfotiamine a été développée au Japon à la fin des années 50 pour traiter la neuropathie (nerfs endommagés) chez les alcooliques, la sciatique et d'autres maladies nerveuses douloureuses.

La benfotiamine est un dérivé synthétique de la vitamine B_1, utilisé avec succès dans le traitement de plusieurs troubles neurologiques et vasculaires. Elle semble également posséder des qualités anti-vieillissement, en protégeant les cellules humaines contre les dangereux produits finaux métaboliques.

La benfotiamine est l'un des nutriments anti-glycation les plus efficaces sur le marché, car elle bloque trois des principales voies d'accès biochimiques par lesquelles l'hyperglycémie (un taux de glycémie élevé) cause ses dommages pro inflammatoires, y compris la formation d'AGE.

En plus de bloquer ces voies d'accès inflammatoires, la benfotiamine stimule également l'activité d'un enzyme appelé transkétolase, qui (comme l'acide alpha-lipoïque) prévient l'activation du composé cellulaire pro inflammatoire NF-kappa-B. Elle convertit également les dangereux métabolites du glucose (produits issus de la décomposition du glucose) en substances inoffensives.

Bien que la vitamine B_1 (une vitamine hydrosoluble) contribue également à réduire les dommages causés par un taux de glycémie élevé, la benfotiamine est plus efficace, même à plus petites doses. Vous trouverez de la benfotiamine dans les dix super-aliments présentés au chapitre 4 et dans les aliments de la famille des Allium (ail, oignons, échalotes, poireaux) ; un autre bienfait pour la santé de ces légumes au goût piquant, faciles à trouver, faciles à utiliser.

La benfotiamine est de plus un supplément tout à fait sûr. Même de fortes doses (plusieurs centaines de milligrammes) de thiamine standard (vitamine B$_1$) ne produisent aucun effet secondaire, et les essais de sûreté indiquent que la benfotiamine est encore plus sûre.

Pour en apprendre davantage sur la benfotiamine, lisez les études, commandez les produits et/ou visitez les sites Internet : www.nvperriconemd.com, www.benfotiamine.org, et www. benfotiamine.net.

★★ Apport quotidien recommandé (AQR) : non établi.
★★ Recommandation de la Promesse Perricone : 300 mg par jour (150 mg au petit-déjeuner et au dîner).

CARNOSINE (B-ALANYL-L-HISTIDINE)

La carnosine est un dipeptide naturel dont on trouve de grandes concentrations dans le cerveau, les tissus musculaires et le cristallin de l'œil. Une étude publiée en 2001 par le professeur John W. Baynes, Ph. D., un pionnier de la recherche sur la glycation, révélait que la carnosine et les autres inhibiteurs connus de la glycation — comme l'aminoguanidine, un médicament vendu sous ordonnance — fonctionnent par chélation (lorsqu'une substance se lie à des minéraux ou des métaux) du cuivre dans notre organisme. (Une étude a démontré que le cuivre, bien qu'essentiel en petites quantités, stimule également l'oxydation et la glycation.)

La carnosine est également un antioxydant très particulier. Alors que plusieurs antioxydants contribuent à protéger nos cellules contre les radicaux libres, la carnosine possède la rare habileté de réparer ou de retirer les protéines endommagées ou « pliées » de manière anormale. Ces plis anormaux se produisent naturellement dans nos cellules et augmentent quand notre alimentation, notre hygiène ou notre mode de vie est compromis. Les experts en ce domaine croient que ces plis anormaux pourraient être tenus responsables de la moitié de toutes les maladies humaines, directement ou indirectement. (La maladie d'Alzheimer et la maladie de la vache folle sont deux exemples célèbres de maladies reliées à des protéines endommagées.) L'incroyable liste d'effets anti-vieillissement de la carnosine sur le cerveau vient soutenir les concepts du lien cerveau-beauté.

Voici quelques-uns des effets anti-vieillissement de la carnosine :

- Protège les antioxydants cellulaires superoxyde-dismutase (SOD) et catalase, l'ADN et certaines molécules clés — comme la bêta-amyloïde — contre la glycation. (La plaque amyloïde causerait ou favoriserait la maladie d'Alzheimer.)
- S'attache au surplus de cuivre et de zinc dans le cerveau. (La chélation cuivre-zinc dissout les plaques associées à la maladie d'Alzheimer.)
- Protège contre l'excitotoxicité ; l'hyperactivité du neuro-transmetteur glutamate est largement responsable des effets dévastateurs de la plaque névritique chez les personnes atteintes de la maladie d'Alzheimer, ainsi que de la mort des cellules des nerfs et du cerveau.
- Empêche les protéines endommagées d'endommager à leur tour les protéines saines ; facilite le recyclage des protéines endommagées.
- Fortifie et équilibre les fonctions immunitaires et la transmission nerveuse.
- Accélère la guérison des blessures et le temps de récupération en cas de fatigue musculaire.
- Contribue à faire baisser la pression artérielle, réduisant ainsi le stress et l'hyperactivité, en plus de favoriser le sommeil.
- Protège les cellules nerveuses (neurones) contre les dommages et la mort cellulaire, ce qui en fait un traitement

prometteur pour les patients ayant souffert d'un accident vasculaire cérébral.

★★ Apport quotidien recommandé (AQR) : non établi.
★★ Recommandation de la Promesse Perricone : 250 à 1 000 mg par jour, en doses divisées. Une certaine controverse entoure le dosage le plus efficace, les scientifiques étant incapables de se mettre d'accord sur les dosages minimal et maximal.

ACIDE ALPHA-LIPOÏQUE

Voici quelques informations pour vous donner une idée du pouvoir de cet « antioxydant universel » : l'acide alpha-lipoïque est quatre cents fois plus efficace que les vitamines C et E combinées. L'AAL contribue en fait à réduire la glycation et à faciliter le transfert du sucre sanguin vers les cellules en stimulant l'absorption du glucose. (Nous reviendrons sur les propriétés de l'AAL plus loin dans ce chapitre.)

★★ Apport quotidien recommandé (AQR) : non établi.
★★ Recommandation de la Promesse Perricone : 200 mg par jour, en deux doses de 100 mg au petit-déjeuner et au dîner.

Énergisants et métabolisation des graisses

Les suppléments d'acide linoléique conjugué (ALC) et de poly-nicotinate de chrome exercent des effets positifs très prometteurs sur la composition de l'organisme.

ALC : POUR FAIRE FONDRE LES GRAISSES ET PLUS ENCORE

Bien que certains nutriments soient impliqués dans la méta-bolisation des graisses — comme la carnitine, le chrome et les acides gras essentiels — l'utilisation de ces facteurs métaboliques n'a jamais donné de résultats positifs significatifs lors d'études cliniques sur le maintien du poids.

Mais il y a quelques années, des scientifiques universitaires, qui menaient des recherches sur les composés graisseux du lait, ont découvert un composé qui aurait le potentiel d'améliorer la composition de l'organisme en réduisant les risques de diabète et de certains cancers. Ce nutriment autrefois peu connu — apparenté à un groupe d'isomères de l'acide linoléique appelés acide linoléique conjugué, une substance que l'on retrouve dans la viande rouge, la volaille et les produits laitiers — a depuis été soumis à de nombreux essais cliniques étroitement contrôlés. La plupart des études menées auprès de personnes obèses ont produit un déplacement substantiel des graisses vers les muscles ; un déplacement sans égal comparé à ce que l'on obtient avec d'autres suppléments pour le contrôle du poids.

Jusqu'à ce jour, la majorité des études animales, comme la plupart des études humaines, ont démontré les effets positifs de l'ALC sur l'organisme. Même si les gens qui ont participé à ces essais concluants n'ont pas perdu de poids, ils ont vu 9 % de leurs tissus graisseux se transformer en muscles, sans autre modification à leurs habitudes alimentaires. Personne ne sait exactement comment l'ALC parvient à fortifier la composition de l'organisme, mais il pourrait également équilibrer les peptides et les prostaglandines, ce qui pourrait optimiser la croissance des muscles et la perte de graisse. D'autres chercheurs croient que l'ALC est directement impliqué dans le métabolisme des graisses et aide l'organisme à brûler ses réserves de graisse. Selon une autre théorie, l'ALC neutralise les effets négatifs des corticostéroïdes comme le cortisol, qui détruisent la protéine musculaire et favorisent l'accumulation de graisse.

L'ALC produit également de puissants effets anti-diabète et anticarcinogène. Ces propriétés anti-cancer pourraient être dues à un effet antioxydant ou à l'interaction entre l'ALC et certains carcinogènes. Plusieurs études ont confirmé que l'ALC normalisait les mécanismes de contrôle de la glycémie chez les animaux prédiabétiques. À cet égard, les effets de l'ALC sont assez significatifs pour amener une équipe de chercheurs à conclure que « les effets de l'ALC sur la tolérance au glucose et l'homéostasie du glucose indiquent que l'ALC alimentaire pourrait s'avérer une substance importante pour la prévention et le traitement du diabète adulte. » Lors d'un essai clinique contrôlé par placebo, des adultes diabétiques qui avaient pris de l'ALC pendant huit semaines ont réduit leur taux de glycémie, réduit leur taux de leptine — une hormone associée au gain de poids — et perdu du poids.

★★ Apport quotidien recommandé (AQR) : non établi.
★★ Recommandation de la Promesse Perricone : 1 000 mg, trois ou quatre fois par jour. Étant donné que différentes formes d'ALC produisent différents effets, il est important de choisir des suppléments d'ALC qui contiennent des « isomères mélangés ». (Consultez le guide ressource pour connaître mes recommandations.) Avis aux végétariens : les suppléments d'ALC sont faits à partir d'huile végétale.

POLYNICOTINATE DE CHROME

Dans le cadre d'études humaines, il a été établi que le chrome réduit le pourcentage de graisse corporelle et augmente la masse musculaire, tout en maintenant un taux sain de cholestérol (quand celui-ci est déjà normal). De plus, le chrome contribue au maintien d'un taux de glycémie normal.

★★ Apport quotidien recommandé (AQR) : 120 mcg.
★★ Recommandation de la Promesse Perricone : 200 mcg.

SUPPLÉMENTS ADDITIONNELS

Il existe plusieurs autres suppléments exerçant un effet positif sur le métabolisme des graisses, en plus d'être énergisants. J'ai obtenu d'excellents résultats avec des patients qui souhaitaient perdre du poids en ajoutant les suppléments suivants à leur alimentation quotidienne :

- Acide alpha-lipoïque (AAL) : 250 à 500 mg par jour.
- CoQ10 : 60 à 120 mg par jour.
- Acétyl-L-carnitine : 500 à 1 000 mg par jour (à jeun).
- L-carnitine : 500 mg, trois fois par jour.
- DMAE : 75 mg, deux fois par jour.
- L-tyrosine : 500 mg, deux fois par jour.
- Acide gamma-linoléique : 1 000 mg par jour.
- Oméga-3 sous la forme d'huile de poisson contenant du DHA et de l'EPA : 100 à 150 mg, deux à trois fois par jour.
- Oméga-6 : 750 mg, deux fois par jour.

Les vedettes de l'anti-vieillissement

Les suppléments suivants se sont avérés indispensables à tout programme anti-vieillissement vraiment efficace !

ACIDE ALPHA-LIPOÏQUE

En plus de prévenir la glycation, l'acide alpha-lipoïque joue un rôle central dans le système de défense antioxydant de l'organisme, dans la production d'énergie et dans la protection et la réparation du collagène. Voici quelques-uns de ses bienfaits anti-vieillissement :

- L'AAL joue un rôle crucial à différentes étapes du *cycle de Krebs* : un processus qui permet aux cellules d'être continuellement approvisionnées en énergie. L'AAL (comme le CoQ10) contribue à neutraliser les sous-produits (radicaux libres) de ce processus.
- L'AAL est un extraordinaire antioxydant, capable de neutraliser une grande variété de radicaux libres dans les portions aqueuses (eau) et lipidiques (gras) des cellules. De plus, l'AAL possède la remarquable habileté à recycler

plusieurs autres antioxydants importants, comme les vitamines C et E, le glutathion et le CoQ10.

- L'AAL est de plus le seul antioxydant capable de faire augmenter le taux de glutathion cellulaire, un tripeptide antioxydant d'une extrême importance pour la santé et la longévité. En plus d'être le principal antioxydant hydrosoluble de l'organisme, cet agent de désintoxication majeur est essentiel au bon fonctionnement du système immunitaire. Les gens atteints d'une affection chronique comme le SIDA, le cancer ou les maladies auto-immunes ont généralement un très faible taux de glutathion. Les globules blancs sont particulièrement sensibles aux variations du taux de glutathion, au point où une variation, même subtile, pourrait avoir des effets profonds sur la réponse immune.

- L'AAL joue également un rôle bénéfique dans la prévention et le traitement du diabète. L'AAL est nécessaire à la conversion de glucides alimentaires en énergie au niveau des mitochondries.

- Dernier effet, et non le moindre, l'AAL freine la production de facteurs métaboliques potentiellement pro inflammatoires appelés facteurs de transcription nucléaire (FTN), comme la protéine activatrice 1 et le facteur nucléaire kappa-B. En vieillissant, l'accumulation des dommages causés par les radicaux libres facilite le passage des FTN en mode pro inflammatoire, ce qui provoque un affaiblissement de l'immunité et favorise le cancer et d'autres maladies dégénératives. L'AAL aide également à maîtriser l'inflammation en empêchant les FTN de passer en mode pro inflammatoire.

★★ Apport quotidien recommandé : non établi.
★★ Recommandation de la Promesse Perricone : 200 mg par jour, en deux doses de 100 mg, au petit-déjeuner et au dîner.

ACÉTYL-L-CARNITINE

L'acétyl-L-carnitine joue un rôle central dans la production d'énergie cellulaire. L'ALC améliore également la production d'énergie à l'intérieur des cellules du cerveau, et est considérée comme un agent neuroprotecteur en raison de ses effets antioxydants et stabilisateurs sur les membranes. L'acétyl-L-carnitine se distingue de la L-carnitine dans la mesure où elle peut franchir la barrière sang-cerveau et par conséquent contribuer à rajeunir les cellules du cerveau plus efficacement que la L-carnitine. Je vous recommande donc de prendre de l'acétyl-L-carnitine et de la L-carnitine tous les jours.

Ce facteur nutritionnel souvent négligé, que l'on retrouve dans le bœuf, le porc et le poulet, fait également augmenter les taux de CoQ10 et de glutathion. De plus, l'ALC restaure les récepteurs de cortisol et protège par conséquent les cellules nerveuses contre les ravages du stress. Nous savons tous que le stress est l'une des principales causes du vieillissement du cerveau, des rides, et de l'affaissement de la peau.

★★ Apport quotidien recommandé (AQR) : non établi.
★★ Recommandation de la Promesse Perricone : 500 mg d'acétyl-L-carnitine par jour, plus 500 mg de fumarate de L-carnitine trois fois par jour.

COENZYME Q10 (COQ10, UBIQUINONE)

L'antioxydant appelé coenzyme Q10 remplit deux fonctions vitales : il transporte les électrons impliqués dans la production d'énergie et protège les cellules contre les radicaux libres normalement produits par le métabolisme. Le coenzyme Q10 nous protège donc contre l'importante activité des radicaux libres au sein de nos mito-chondries, en plus de jouer un rôle crucial dans le bon fonctionnement de leur habileté à générer l'énergie dont nous avons besoin. Le cœur, le cerveau et les muscles sont apparemment les organes les plus touchés par la baisse du taux de CoQ10 ; des études ont par ailleurs démontré que les suppléments de CoQ10 prolongeaient l'espérance de vie chez les souris.

Des études récentes indiquent que le CoQ10 interrompt la réaction en chaîne qui transforme les acides gras essentiels en radicaux libres. Elle réduit également le taux de lipides peroxydes dans le sang (un marqueur clé des effets du stress oxydatif sur l'organisme), et fait augmenter le taux de vitamines E et C dans le sang.

★★ Apport quotidien recommandé : non établi.
★★ Recommandation de la Promesse Perricone : 100 mg par jour. (Des études ont démontré que des doses de 100 à 200 mg ne provoquaient aucun effet secondaire.) Comme le coenzyme Q10 doit être dissous dans des lipides pour une absorption optimale dans le flux sanguin, prenez-le avec des aliments gras ou avec des suppléments d'acides gras essentiels. Je recommande personnellement le CoQ10 spécialement conçu pour se dissoudre dans un environnement aqueux, pour obtenir un taux sanguin plus élevé et des bienfaits thérapeutiques supérieurs. Consultez le guide ressource pour connaître mes recommandations.

VITAMINE C ESTER : UNE VITAMIME C SUPÉRIEURE

Sans vitamine C, nous ne pourrions nous épanouir ou même survivre. Si la plupart des animaux sont capables de produire leur propre vitamine C, les humains, les primates (les singes, les chimpanzés, les lémures) et les cochons d'Inde ont perdu cette habileté. Il est donc essentiel de manger des aliments riches en vitamine C et de prendre des suppléments de vitamine C pour plus de précaution.

La vitamine C (acide ascorbique) joue également un rôle vital dans la production du collagène, contribue à protéger les vitamines liposolubles A et E, ainsi que les acides gras, contre l'oxydation, et réduit l'inflammation dans l'ensemble de l'organisme.

Certaines régions du cerveau — en particulier le *nucleus accumbens* (essentiel à la motricité) et l'*hippocampus* (essentiel à la mémoire) — contiennent de très grandes concentrations de vitamine C, mais ces concentrations diminuent inévitablement avec l'âge.

Lorsque ces diminutions sont accompagnées d'une diminution du taux de glutathion, les radicaux libres se mettent à pulluler dans l'organisme, provoquant une accumulation de gras (lipides) endommagés par l'oxydation dans nos cellules et nos tissus.

La vitamine C « standard » (acide ascorbique), que l'on retrouve dans les aliments et presque tous les suppléments, est hydrosoluble et ne peut protéger les membranes cellulaires ou se maintenir à un niveau adéquat dans notre peau face au stress oxydatif, qu'il soit le fait de sources internes ou des rayons du soleil. (De plus, sachez que l'acide ascorbique que l'on retrouve dans la plupart des produits de soins cutanés se dégrade rapidement.)

Heureusement, il existe une autre forme de vitamine C appelée palmitate d'ascorbyl ou vitamine C ester (soit des molécules d'acide ascorbique liées entre elles par un acide gras provenant d'huile de palme), qui réalise tout le potentiel de ce nutriment essentiel dans son rôle d'agent anti-vieillissement ; son activité dans les cellules humaines est supérieure à celle de l'acide ascorbique, et même à plus petites doses. Étant donné que le palmitate d'ascorbyl peut résider dans la membrane de cellules graisseuses, il peut continuellement régénérer les réserves de vitamine E utilisées dans la lutte continuelle contre les radicaux libres. Le palmitate d'ascorbyl peut également stimuler la croissance des cellules (fibroblaste) qui facilitent la production du collagène et de l'élastine dans la peau humaine. La vitamine C ester est donc véritablement supérieure à la vitamine C conventionnelle.

Note : ne confondez pas la vitamine C ester avec la vitamine C vendue sous la forme « d'ascorbate de minéral », un produit breveté appelé Ester C, qui n'est pas liposoluble et qui n'a jamais montré aucun avantage significatif par rapport à la vitamine C standard. Lorsque vous devez choisir une préparation topique, assurez-vous qu'il s'agit bien de vitamine C ester et non d'acide ascorbique. Pour ce qui est des suppléments, je recommande les deux formes de vitamine C pour une protection complète des cellules.

★★ Apport quotidien recommandé (AQR) : 60 mg.
★★ Recommandation de la Promesse Perricone : 1 000 mg de vitamine C (acide ascorbique) et 500 mg de vitamine C ester (palmitate d'ascorbyl).

VITAMINE E AVEC TOCOTRIÉNOLS : ANTI-INFLAMMATOIRE/ANTIOXYDANT

Contrairement aux autres vitamines qui sont constituées d'une seule molécule, la vitamine E est constituée de huit composés phénoliques : quatre tocophérols et quatre tocotriénols. De ces huit formes naturelles de vitamine E, seul l'alpha-tocophérol est présent dans le sang humain, ce qui nous indique qu'il s'agit probablement du membre le plus important de la famille des vitamines E pour la survie humaine, et explique pourquoi de tous les composés, il est le seul présent dans presque tous les suppléments. Il a toutefois été démontré que les suppléments contenant un mélange de tocophérols et de tocotriénols sont supérieurs aux autres.

La vitamine E est le principal antioxydant chargé de protéger les tissus adipeux contre les dommages causés par les radicaux libres. Par conséquent, il est important, et nous n'insisterons jamais assez, de protéger les délicates membranes cellulaires et de freiner l'inflammation au niveau cellulaire.

La vitamine E est un élément important de mon programme topique anti-vieillissement, car elle protège efficacement la peau contre les effets nocifs du soleil et le stress oxydatif qui en découle. Les tocotriénols de la vitamine E ont une affinité toute particulière avec la peau, offrant une protection supérieure contre les rayons du soleil et les autres facteurs de stress environnementaux.

★★ Apport quotidien recommandé (AQR) : 30 UI.
★★ Recommandation de la Promesse Perricone : 400 à 800 UI de vitamine E contenant un mélange de tocophérols et de tocotriénols.

ACIDES GRAS ESSENTIELS : OMÉGA-3, AL ET ALN

Parmi les deux douzaines de gras essentiels à la santé humaine, seuls deux d'entre eux ne peuvent être produits par notre organisme, et doivent donc être obtenus via notre alimentation. Par conséquent, ces deux nutriments sont appelés acides gras essentiels. L'AGE oméga-6, appelé acide linoléique (AL), est présent en abondance dans les huiles de cuisson. L'autre, appelé acide linolénique (ALN), est un AGE oméga-3. Parmi les nombreuses fonctions, chaque type d'AGE est essentiel à l'immunité, aux fonctions cognitives et à la structure et l'intégrité des membranes cellulaires. Les membranes cellulaires sont un élément clé du système de défense de notre organisme, car une hausse de leur perméabilité — conséquence d'une alimentation pauvre en AGE — peut avoir des effets dévastateurs sur celui-ci, en permettant aux radicaux libres et aux toxines de se frayer un chemin jusqu'aux cellules, où ils peuvent provoquer un chaos qui entraînera un affaiblissement de l'immunité et une accélération du vieillissement. Ce durcissement des membranes cellulaires a pour conséquence une diminution de la flexibilité, qui réduit en retour l'apport en nutriments et désensibilise d'importants récepteurs hormonaux et insuliniques.

Les AGE nourrissent également la peau, les cheveux, les membranes muqueuses, les nerfs et les glandes, et aident à prévenir les maladies cardio-vasculaires. L'aliment à base de polysaccharides que je vous recommande doit son extraordinaire pouvoir d'embellissement de la peau au fait d'être justement une forme, très riche et biodisponible, de ces acides gras essentiels. Les acides gras sont les principaux blocs de construction des graisses dans l'organisme et dans les aliments, en plus d'être une importante source d'énergie.

Les AGE sont également des précurseurs de la prostaglandine, un composé qui régule plusieurs fonctions organiques sur une base régulière. Ils gèrent la pression artérielle, le tonus des muscles lisses (involontaires) dans les vaisseaux sanguins et le caractère « gluant » des plaquettes sanguines. Les AGE transportent également l'énergie dont ont besoin nos tissus les plus actifs et stimulent la croissance. Pour un apport représentant plus de 12 à 15 % de notre total calorique, ils font augmenter le taux du métabolisme ; un effet qui amène l'organisme à brûler plus de graisses, facilitant ainsi l'élimination des surplus de poids.

Les acides gras essentiels oméga-3

Malheureusement, pour ce qui est des AGE, l'alimentation des Nord-Américains est lamentablement déséquilibrée : trop d'AGE oméga-6 et trop peu d'AGE oméga-3. Au cours du dernier siècle, le rapport oméga-6/oméga-3 dans notre alimentation est passé de trois pour un et de cinq pour un (ce que l'on estime être le rapport qui prévalait au cours de la période préhistorique), à quinze pour un, un rapport extrêmement déséquilibré et alarmant. Ceci prépare le terrain à une augmentation du nombre de caillots sanguins, et donc à un rétrécissement des vaisseaux sanguins, à une hausse de la pression artérielle et à un problème d'inflammation chronique. Même le gouvernement américain a récemment recommandé à ses citoyens de consommer davantage d'AGE oméga-3.

Les meilleures sources alimentaires d'AGE oméga-3 sont les poissons gras comme le saumon et le maquereau. L'huile de poisson est également une excellente source d'AGE oméga-3, car elle contient deux types d'oméga-3 — EPA et DHA — que l'organisme peut utiliser sans autre modification. (Le lait maternel est très riche en oméga-3 DHA, une substance cruciale pour la formation d'un cerveau sain chez les nourrissons.)

C'est pourquoi je suis un ardent partisan du saumon sauvage ; une source supérieure d'EPA et de DHA qui affiche un rapport oméga-3/oméga-6 proche de l'idéal nutritionnel et supérieur à ce que l'on observe chez le saumon d'élevage. On trouve également des

208

quantités significatives d'oméga-3 dans les noix, les graines (en particulier dans les graines de lin) et les légumes au feuillage vert foncé.

★★ Apport quotidien recommandé (AQR) : non établi.
★★ Recommandation de la Promesse Perricone : même si vous mangez du poisson gras plusieurs fois par semaine, je vous recommande néanmoins de prendre des suppléments d'huile de poisson pour être sûr que vous obtiendrez assez de DHA : une fraction de l'oméga-3 importante pour l'amélioration des performances cérébrales et cardiovasculaires. Je vous recommande de deux à quatre capsules (consultez le Guide ressource) par jour, avec approximativement 250 mg de DHA et 150 mg d'EPA.

Acide gamma-linoléique

L'acide gamma-linoléique est un acide gras essentiel oméga-6 incontestablement bénéfique. Les seules sources alimentaires d'AGL sont les graines de bourrache, les groseilles noires et l'huile de graines de primevère. En temps normal, l'organisme fabrique tout l'AGL dont il a besoin à partir d'acide linoléique ; toutefois, nous manquons d'AGL lorsque nous consommons de grandes quantités de sucre, de gras trans (margarine, huiles hydrogénées), de viande rouge et de produits laitiers. C'est pourquoi, compte tenu des puissants effets anti-inflammatoires de l'AGL, je vous recommande d'en prendre sous forme de supplément.

★★ Apport quotidien recommandé (AQR) : non établi.
★★ Recommandation de la Promesse Perricone : 250 à 1 000 mg.

DMAE

Le DMAE, ou diméthylaminoéthanol, est une substance nutritive possédant de puissantes propriétés anti-inflammatoires que l'on retrouve dans le poisson, incluant le saumon de l'Alaska, les anchois et les sardines. En plus de son activité anti-inflammatoire, le DMAE joue un rôle important dans la production des neurotransmetteurs, en particulier dans la production de l'acétylcholine, qui est essentielle à la communication entre les nerfs et entre les nerfs et les muscles. Pour que vos muscles puissent se contracter, un message doit être envoyé de vos nerfs à vos muscles via l'acétylcholine.

Il a été démontré que les suppléments de DMAE stimulent nos fonctions cognitives en améliorant notre mémoire et notre capacité à résoudre des problèmes. Il a aussi été démontré qu'ils pouvaient contribuer à résoudre divers troubles comme le trouble de l'attention (déficit d'attention). De plus, nous pouvons améliorer notre tonus musculaire grâce à la synthèse additionnelle de l'acétylcholine dérivé du DMAE ; ce qui est en soi une excellente nouvelle, car nous pouvons ainsi améliorer notre apparence tout en freinant l'affaissement de la peau associé au vieillissement.

★★ Apport quotidien recommandé (AQR) : non établi.
★★ Recommandation de la Promesse Perricone : 50 à 100 mg par jour.

CALCIUM ET MAGNÉSIUM : LE COUPLE PARFAIT

Aucune discussion sur les suppléments anti-vieillissement ne serait complète sans ces minéraux essentiels, qui sont importants pour plusieurs raisons, et pas seulement parce qu'ils contribuent à la formation et à la protection des os et des dents. En fait, ils jouent un rôle essentiel dans le contrôle de l'inflammation cellulaire ; aucun programme nutritionnel anti-vieillissement ne serait complet sans eux. Malheureusement, l'alimentation moderne, qui tend à faire peu de place au magnésium et au calcium, est riche en fructose, un sucre qui perturbe l'équilibre du calcium, du magnésium, du phosphore et d'autres minéraux dans l'organisme. Examinons de plus près ce couple d'inséparables, dont l'interaction est vitale pour conserver des os et des nerfs en santé, et beaucoup plus encore.

Calcium

Le calcium est surtout connu pour son rôle dans le maintien de la solidité et de la densité des os, mais il est aussi essentiel à plusieurs

210

fonctions physiologiques, comme la régulation de l'inflammation, des caillots sanguins, de la conductivité nerveuse, de la contraction musculaire, de l'activité enzymatique et de la fonction des membranes cellulaires. Comme ces processus sont essentiels à la santé, l'organisme doit gérer étroitement la quantité de calcium dans le sang. Si l'apport alimentaire en calcium est trop faible, l'organisme va puiser dans les réserves de calcium emmagasinées dans les os afin de maintenir une concentration normale dans le sang, ce qui peut à la longue mener à l'ostéoporose.

Votre mère vous a probablement déjà dit de boire du lait pour avoir de bons os, mais d'autres aliments — ou suppléments — font tout aussi bien l'affaire. Je vous recommande fortement de prendre des suppléments de calcium à tous les âges de la vie, mais en particulier durant l'adolescence et la vieillesse. Le calcium doit être pris avec de la vitamine D et du magnésium pour être complètement efficace. Quant à savoir quelle est la meilleure forme de calcium, le débat continue. Les formes «chélatées» comme le citrate, l'asparate et maléate de calcium, sont un peu plus faciles à absorber, mais elles coûtent généralement plus cher que le carbonate de calcium, la forme standard que l'on retrouve dans la plupart des suppléments. Le carbonate de calcium est un bon choix, à moins que vous ayez un système digestif plutôt faible. Si c'est le cas, prenez la version chélatée ou augmentez votre apport en carbonate de calcium afin de compenser votre faible taux d'absorption.

Parmi les autres sources alimentaires non inflammatoires, on retrouve le yogourt et le kéfir, la sardine et le saumon (mis en conserve avec les os), les épinards, certains légumes verts comme le chou vert, le chou frisé et le navet, les légumes de mer comme le varech et le petit goémon, le tofu, les noix et les graines.

★★ Apport quotidien recommandé (AQR) : 1 000 mg.
★★ Recommandation de la Promesse Perricone : 1 200 mg par jour.

Magnésium

Les rôles joués par le magnésium dans la santé humaine sont si divers que pratiquement tous les systèmes organiques — cardiovasculaire, digestif, neuroendocrinien, cérébral — en ont besoin pour fonctionner adéquatement, tout comme nos muscles, nos reins et notre foie. Les suppléments de magnésium peuvent également améliorer la mémoire, la capacité d'attention, la capacité d'apprentissage et la résistance au stress.

Le magnésium, qui contribue également à la solidité des os, est entreposé à la surface de nos os afin que l'organisme puisse l'utiliser en cas de carence alimentaire. Malheureusement, notre alimentation moderne contient peu de magnésium, et la plupart des Nord-Américains présentent une légère carence en magnésium. En moyenne, une femme consomme 200 mg de magnésium par jour, mais l'AQR est de 300 à 400 mg, et la plupart des médecins — moi y compris — recommandent 500 mg par jour.

Le magnésium et le calcium travaillent de concert pour réguler le tonus musculaire et nerveux. Le magnésium agit également à titre de « gardien » au sein de plusieurs cellules nerveuses, bloquant l'accès aux surplus de calcium afin que les nerfs demeurent détendus. Ceci explique pourquoi une carence en magnésium peut provoquer des crispations musculaires, de la douleur, des spasmes, des crampes et de la fatigue. De plus, certaines formes d'énergie ne peuvent être entreposées dans les cellules de nos muscles à moins qu'une quantité adéquate de magnésium ne soit disponible. En raison de ses effets sur le muscle cardiaque, une carence en magnésium peut causer des problèmes d'arythmie, des contractions irrégulières, ainsi qu'une hausse de la fréquence cardiaque.

Finalement, des centaines d'enzymes chargés d'accélérer les réactions chimiques dans l'organisme ont besoin du magnésium pour faciliter le métabolisme des protéines, des glucides et des gras, et permettre aux gènes de fonctionner adéquatement.

★★ Apport quotidien recommandé (AQR) : 400 mg.
★★ Recommandation de la Promesse Perricone : 600 à 1 200 mg par jour (soit la moitié ou l'équivalent de la dose quotidienne de calcium).

MANGANÈSE

Le manganèse remplit une foule de fonctions et rend possibles des centaines de réactions enzymatiques. Dans une optique anti-vieillissement, le manganèse est très important, étant un composé essentiel de la superoxyde-dismutase à manganèse (MnSOD), une substance qui combat les radicaux libres qui s'attaquent aux mitochondries.

Fait intéressant, les meilleures sources alimentaires de manganèse sont les aliments arc-en-ciel dont nous avons discuté au chapitre 3 (en particulier les épinards, les légumes verts et les baies) ; les super-aliments du chapitre 4 (en particulier les haricots, l'ail, l'oignon, le poireau, les graines, les noix et le sarrasin) ; et les épices traitées au chapitre 5 (en particulier le clou de girofle, la cannelle, le thym, le poivre, l'origan et la menthe).

★★ Apport quotidien recommandé (AQR) : non établi.
★★ Recommandation de la Promesse Perricone : 5 mg par jour. (3 à 5 mg de manganèse par jour peuvent provoquer une chute importante du taux de glycémie chez les personnes atteintes d'un diabète insulinodépendant. Consultez votre médecin avant de prendre des suppléments de manganèse.)

Les rides sont de petites blessures : l'approche nutritionnelle

Une ride étant essentiellement une blessure cutanée, tournons-nous à nouveau vers les miraculeux peptides thymiques et leur incomparable capacité à accélérer la guérison des blessures.

PEPTIDES THYMIQUES

Les peptides thymiques agissent en stimulant le collagène et l'élastine, ce qui permet à la portion inférieure de la peau, appelée derme, de se refaçonner et de se remodeler. La recherche sur les peptides thymiques m'a incité à élaborer un supplément spécial à base de peptides thymiques, un ajout important à tout régime de supplémentation nutritionnel et un excellent outil pour guérir et rajeunir la peau de l'intérieur vers l'extérieur. Idéalement, vous devriez prendre ces suppléments de peptides thymiques conjointement avec l'application régulière d'un produit topique ; un sujet dont nous traiterons plus en détail au chapitre suivant.

Nous savons à présent que la peau possède de nombreux récepteurs de peptides thymiques ; nous savons par conséquent qu'en combinant les bons peptides à des taux thérapeutiques, sous la forme de suppléments et de produits topiques, nous pouvons exercer un effet positif sur la peau, et ce, de diverses façons. On observe par exemple :

- Une augmentation de la production d'élastine.
- Une augmentation de la production de collagène, entraînant un remodelage de la peau.
- Une diminution de l'inflammation.
- Une augmentation de la croissance des vaisseaux sanguins qui nourrissent la peau.
- Une augmentation de l'hormone de croissance et des facteurs de croissance dans la peau, entraînant la production et la réparation des cellules cutanées.

Il n'est pas nécessaire de prendre tous les jours le supplément à base de peptides thymiques que j'ai développé. Au cours des deux premières semaines de mon programme de vingt-huit jours, je vous recommande de prendre un comprimé au petit-déjeuner et un autre

214   au déjeuner. Après deux semaines, vous pouvez réduire la dose à un comprimé par jour, voire un comprimé à tous les deux jours.

ALLIÉS ADDITIONNELS POUR LA GUÉRISON DES BLESSURES

Étant dermatologue, je sais que toute blessure cutanée nécessite la présence dans l'organisme d'un taux adéquat de vitamines, de minéraux et de protéines. Les vitamines B_3 et C, le cuivre, le zinc, le magnésium et le manganèse sont les principaux nutriments dont notre organisme a besoin pour réparer les tissus endommagés, qu'il s'agisse d'une blessure grave ou de rides indésirables.

Les vitamines ont un rôle spécifique à jouer dans la réparation de la peau et des blessures, mais elles contrôlent également les minéraux impliqués. Par exemple, le fer nuit à la guérison des blessures, mais les vitamines B_3 (panthotène) et C font diminuer le taux de fer sur le site des blessures. Le cuivre, le magnésium et le manganèse, quant à eux, facilitent la guérison des blessures. Les vitamines B_5 et C font augmenter les taux de ces minéraux au besoin. La vitamine B_5 accélère grandement la guérison, fait augmenter le nombre de cellules réparatrices et allonge la distance sur laquelle celles-ci peuvent se déplacer. Plus tard, la vitamine C entre en scène et se joint au cuivre pour créer un collagène plus résistant.

Le cuivre est très important pour la réparation des blessures, car il permet la création de ponts adéquats entre le collagène et l'élastine (éléments qui donnent une structure aux os, aux tendons et à la peau), ponts qui donnent aux protéines de ces tissus conjonctifs leur élasticité et leur solidité. L'organisme a également besoin de cuivre pour fabriquer un important antioxydant connu sous le nom de superoxyde-dismutase à cuivre et zinc, un composé jouant un rôle clé dans la guérison des blessures. De plus, la SOD encourage la croissance de nouveaux tissus, augmente la production de collagène et réduit l'enflure, permettant ainsi aux blessures de guérir plus efficacement et plus rapidement.

Dans les premiers temps qui suivent une blessure, les cellules immunes se précipitent sur le site et émettent des radicaux libres pour neutraliser les envahisseurs bactériens et dissoudre les tissus morts ou endommagés. Ces radicaux libres doivent ensuite être neutralisés une fois qu'ils ont fait leur travail, car sinon, ils pourraient endommager les autres cellules de l'organisme. C'est alors que la SOD et les autres antioxydants entrent en scène. Ils régulent la réaction productrice de radicaux libres des cellules immunes et favorisent le processus de guérison. Par conséquent, une blessure peut épuiser l'essentiel des réserves de SOD, de vitamine C et E et d'antioxydants de l'organisme, il est donc important de les restaurer en consommant les bons aliments et suppléments.

Assurez-vous que votre programme alimentaire inclut ces vitamines et minéraux importants, ainsi que toutes les protéines dont vous avez besoin. Cela vous aidera, en vieillissant, à prévenir les dommages additionnels qui pourraient survenir au niveau de votre peau et de vos organes, et à réparer les dommages déjà existants. Au chapitre 8, nous examinerons attentivement comment de nouvelles thérapies topiques à base de neuropeptides, utilisant jusqu'à quarante peptides différents, peuvent rajeunir et réparer votre peau comme aucune autre thérapie avant elles.

TROISIÈME ÉTAPE

LES TOPIQUES

Les neuropeptides et la peau :

rajeunir en empruntant « l'autoroute de l'information »

La différence entre le mot juste et le mot presque juste est la même que celle entre un éclair et une fermeture éclair.

— MARK TWAIN

C'est le fait d'avoir confiance en notre corps, notre esprit et notre intellect qui nous permet de chercher de nouvelles aventures, de nouvelles directions à explorer et de nouvelles leçons à apprendre ; or c'est ça, la vie.

— OPRAH WINFREY, OPRAH MAGAZINE, MAI 2004

COMME LE SUGGÈRE SI SUCCINCTEMENT MARK TWAIN, il y a une grande différence entre un éclair et une fermeture éclair. À mon avis, la nouvelle génération de thérapies topiques à base de neuropeptides (l'éclair) sont à des années-lumière des traitements topiques (les fermetures éclair) présentement en vente sur le marché.

Jusqu'à présent, nous nous sommes concentrés sur les différentes façons de conserver un corps en santé et une apparence saine en travaillant de l'intérieur vers l'extérieur. C'est la bonne façon de faire, puisque c'est là que commence l'inflammation. Mais cela ne veut pas dire que vous pouvez pour autant négliger votre extérieur et espérer que tout se fasse de l'intérieur. Après tout, votre peau est l'organe le plus exposé. Tous les jours, elle est soumise à toutes sortes d'abus : poussière, saleté, fumée secondaire, pollution automobile, produits chimiques toxiques, rayons du soleil, etc.

220

Si vous souhaitez avoir l'air et vous sentir aussi jeune que possible, le plus longtemps possible, vous devez commencer par la qualité des aliments que vous mangez et terminer par la qualité des produits que vous appliquez sur votre peau.

Dans ce chapitre, il sera question de deux découvertes importantes dans le domaine des soins topiques de la peau que vous voudrez sûrement utiliser si vous désirez :

- Conserver l'apparence fraîche et rosée de la jeunesse et de la santé.
- Raviver une peau défraîchie et sans vie.
- Minimiser les décolorations et les rougeurs.
- Réduire l'enflure autour de vos yeux.
- Réduire les cernes noirs sous vos yeux.
- Diminuer la visibilité des lignes et des rides fines.
- Protéger votre peau contre les radicaux libres.
- Diminuer l'affaissement et la perte de tonus.

L'histoire d'Ariel

Lors d'un récent voyage à Los Angeles, je croisai Ariel, une ancienne voisine qui avait déménagé en Californie.

« Dr Perricone, vous ne pouviez pas mieux tomber ! Je pense sérieusement subir deux ou trois interventions chirurgicales majeures et j'aimerais savoir ce que vous en pensez », me dit-elle. Bien que n'étant qu'au début de la quarantaine, Ariel montrait déjà des signes de vieillissement au niveau du visage et du cou. « Je veux commencer par une restauration au laser pour voir s'il est possible d'unifier mon teint et effacer ces petites lignes autour de mes yeux, poursuivit-elle. Après cela, je veux essayer le Botox pour éliminer mes rides intersourcilières. »

Ariel avait un teint couleur crème et pêche comme la plupart des blondes et des rousses. Mais peu importe ce qu'elle faisait — ou ne faisait pas — pour prendre soin de sa peau, elle s'était retrouvée avec un teint rougeâtre et irrité. Sa peau semblait sèche et mate, et je soupçonnai Ariel de suivre un régime alimentaire faible en gras et en protéines. Non seulement elle était extrêmement maigre, mais son visage avait perdu les contours de sa jeunesse que seule une saine couche de graisse sous-cutanée peut offrir. De plus, la peau autour de son menton et de sa bouche était ridée et lui donnait l'apparence d'une femme beaucoup plus vieille que son âge.

J'expliquai à Ariel que j'avais aidé plusieurs de mes patients à se débarrasser de fines lignes, d'un teint inégal, et de plusieurs autres problèmes généralement associés au vieillissement, mais sans avoir recours à des produits chimiques ou à des procédures invasives. Je lui suggérai, avant de prendre des mesures plus radicales, d'essayer mon approche en trois étapes, ne serait-ce que trois jours. Si les résultats s'avéraient satisfaisants, je l'encouragerais à entreprendre mon programme de vingt-huit jours.

Je pose souvent la question suivante à mes clients préoccupés par le vieillissement, la santé et la beauté :

Q : Qu'ont en commun un enfant, une personne qui a subi un lifting nutritionnel de trois jours et une personne en amour ?

R : Ils ont tous un teint radieux en raison d'une saine régulation des neuropeptides.

Certains neuropeptides régulent le flux sanguin, nous donnant ainsi ce merveilleux éclat rosé qu'affichent les enfants et les gens en amour. Quand nous sommes malades, mal alimentés, déshydratés ou déprimés, notre teint devient mat, cireux et gris.

Bien que je ne puisse vous promettre que le Programme Perricone vous aidera à trouver l'amour, je peux vous promettre que vous retrouverez cet éclat si particulier, un éclat qui ne passera pas inaperçu.

J'expliquai à Ariel que cette beauté radieuse doit venir de l'intérieur, et qu'il fallait donc commencer par son alimentation. Les bons aliments peuvent nous aider à réguler la production des neuropeptides, et donc l'inflammation. Ceci est très important, car en vieillissant, la production de ces importants neuropeptides, comme celle des hormones et des neurotransmetteurs et la vitesse de renouvellement cellulaire, diminue alors qu'augmente l'inflammation chimique.

En suivant le principe des aliments arc-en-ciel et le programme de vingt-huit jours, Ariel allait manger du saumon sauvage de l'Alaska, un aliment ayant des effets positifs sur le cerveau, dont les nutriments agissent intensément sur la peau, augmentant son éclat et son tonus. Elle allait manger de généreuses quantités de fruits et de légumes colorés, comme le cantaloup et les bleuets. Elle allait boire beaucoup d'eau et manger de la salade deux fois par jour, accompagnée d'une vinaigrette faite à partir d'huile d'olive et de jus de citron. Pour calmer une petite fringale, elle allait pouvoir déguster des noix crues et non salées, comme des noix de Grenoble et des amandes. Et elle allait devoir abandonner le café.

Je vis Ariel faire la grimace à l'idée de consommer des noix (Elles contiennent beaucoup de matière grasse, non ?) et de l'huile d'olive (Que vais-je faire de ma vinaigrette « amaigrissante » ?).

Les bons gras donnent du volume à la peau ; sans eux, vous vieilliriez de façon prématurée, et les signes de ce vieillissement prématuré se manifesteraient d'abord sur votre visage. J'expliquai à Ariel qu'un bagel, un muffin faible en gras ou une inoffensive galette de riz accélèrent non seulement le vieillissement, ils empêchent en fait l'organisme de brûler des graisses. Je lui fis également remarquer que la peau autour de sa bouche et de son menton était à présent vallonnée.

« Ariel, avec les bons aliments, un bon programme de suppléments et quelques formules topiques ciblées, je crois que nous pouvons raffermir votre peau. Êtes-vous prête à donner sa chance à mon plan ? »

Je donnai à Ariel une boîte de suppléments contenant tous les nutriments nécessaires divisés en paquets individuels pour plus de commodité. Je lui demandai également de prendre mon nouveau supplément à base de peptides et l'aliment fonctionnel PEP en lui disant d'en prendre une bonne cuillérée à thé mélangée avec un peu d'eau chaude tous les matins au lever. Le supplément et l'aliment à base de peptides ont tous les deux été développés pour agir en synergie avec les nouveaux et passionnants traitements topiques que j'ai mis au point après plus de deux décennies de recherche : la thérapie topique à base de neuropeptides.

Comme nous avions beaucoup à faire avec le programme de rajeunissement d'Ariel, je lui donnai trois produits. Après avoir utilisé un démaquillant anti-inflammatoire, Ariel devait d'abord appliquer sur son visage et sa gorge une préparation à base de peptides ; un liquide clair qui allait complètement saturer sa peau d'un mélange de peptides et de diméthylaminoéthanol (DMAE, un autre anti-inflammatoire). La deuxième étape, consistait à appliquer un conformateur facial à base de peptides. La troisième et dernière étape était cruciale pour Ariel, car il fallait remonter et raffermir la peau de son cou et redonner du tonus à la région autour de la bouche et du menton.

Ariel était la candidate idéale pour tester l'incomparable pouvoir de cette formule topique à base de neuropeptides.

De retour au lien cerveau-beauté

Comme nous l'avons vu au chapitre 1, les neuropeptides sont de petites chaînes d'acides aminés naturellement présents dans notre organisme, des messagers chargés de gérer plusieurs fonctions biologiques. Les neuropeptides sont principalement actifs dans le cerveau, mais on les retrouve également au niveau de la peau. En effet, lorsque nous entrons dans notre phase de développement embryonnaire, les couches de cellules responsables de la formation du cerveau servent également au développement de la peau. Il existe en fait un lien direct entre le cerveau et l'action des nerfs au niveau de la peau, d'où l'existence d'un lien beauté-cerveau.

Pour dire les choses simplement, ce qui est thérapeutique et actif au niveau du cerveau est également thérapeutique et actif au niveau de la peau.

Ces neuropeptides naturels et non toxiques jouent un rôle important dans la beauté et l'apparence de la peau. En vieillissant, le taux de neuropeptides produit par l'organisme diminue. Or, il existe deux façons de refaire nos réserves et de renforcer l'activité des neuropeptides dans notre organisme : via les aliments que nous mangeons ou en appliquant tous les jours des neuropeptides naturels sur notre peau et ainsi conserver une apparence de jeunesse tout en ralentissant les signes de vieillissement prématuré.

> *Ariel accepta de tout cœur la Promesse Perricone. Elle me confia plus tard qu'elle avait senti qu'elle se trouvait à la croisée des chemins. Si elle n'agissait pas immédiatement pour retrouver une apparence plus jeune et plus saine, les choses ne pourraient qu'empirer.*
>
> *« Dr Perricone, laissez-moi vous dire une chose : j'ai mangé beaucoup de saumon et j'ai adoré cela ! me dit-elle cinq semaines plus tard. J'ai bu de l'eau, remplacé le café et les boissons gazeuses diètes par du thé vert, et je me suis assurée d'inclure dans mes salades quantité de fines herbes, d'huile d'olive et de fruits et légumes colorés. Non seulement je n'ai pas pris de poids, j'ai eu accès à toute l'énergie dont j'avais besoin et j'ai même recommencé à aller au gym. Et bien sûr, j'ai pris mes suppléments matin et soir. »*
>
> *Ariel était littéralement rayonnante. Les aliments et les suppléments anti-inflammatoires, conjugués au pouvoir*

> *rajeunissant des polysaccharides, avaient réparé et restauré son teint de l'intérieur vers l'extérieur. Elle avait également perdu ce visage hâve et émacié qui avait commencé à s'incruster. À mon grand plaisir, la peau autour de sa bouche et de son menton était maintenant beaucoup plus lisse, ferme et tendue.*
>
> *« J'arrive à peine à y croire, mais la première application de topiques à base de peptides a donné des résultats immédiats, ajouta-t-elle. C'est ce qui m'a motivée à poursuivre le programme jusqu'au bout ; en fait, j'ai cru que j'allais avoir un accident sur l'autoroute de Los Angeles, car je n'arrêtais pas d'admirer mon nouveau visage dans le rétroviseur. »*

Tout est affaire d'inflammation

Les neuropeptides sont de puissants messagers qui transmettent leur message à toutes les cellules de l'organisme. En raison de leurs incroyables propriétés, ils peuvent vous aider à retrouver de façon naturelle, sûre et rapide une peau belle et en santé.

Votre peau est la première ligne de défense de votre organisme contre une grande variété de stresseurs environnementaux, incluant ceux reliés à la météo (comme la température, le taux d'humidité, le vent, la chaleur, le froid et le soleil), ainsi que plusieurs bactéries et produits chimiques que l'on retrouve en abondance dans le monde d'aujourd'hui.

Pour ce qui est des produits chimiques, prenez en considération les faits suivants. Plus de soixante-quinze mille produits chimiques ont été répertoriés par l'EPA comme étant potentiellement ou définitivement dangereux pour la santé humaine. De nouveaux produits chimiques sont testés aux États-Unis au rythme de six mille ou plus par semaine. De la dioxine, l'une des substances les plus mortelles qui soient, est répandue sur les champs de café du Costa

226 Rica. On retrouve aujourd'hui du mercure, en plus des fuites pouvant provenir de nos plombages, dans le poisson, les produits de beauté, le sol, les pesticides, la pellicule de film, la peinture et les plastiques. Il est possible de trouver de l'arsenic dans le café, certains types de riz, le sel et le smog. La fumée de cigarette, le café, l'essence, les casseroles en acier et les tuyaux en métal contiennent quant à eux du cadmium. Le monoxyde de carbone vient, bien sûr, des pots d'échappement, de la fumée de cigarette et du smog. On trouve du plomb dans les teintures, l'essence, la peinture, la tuyauterie, la poterie, les insecticides, la fumée de tabac, les textiles et les rebuts de métal. Plusieurs produits chimiques sont également présents dans notre eau, notre nourriture et l'air que nous respirons ! L'importante augmentation de la dissémination des produits chimiques dans notre environnement, nos aliments et nos médicaments a profondément réduit la capacité de notre organisme à se débarrasser des toxines.

Et plus grande est la quantité de toxines retenue dans l'organisme, plus grands sont les risques qu'elles causent de l'inflammation, à l'intérieur ou à la surface de la peau.

Dans les chapitres de ce livre, comme dans mes précédents ouvrages, *The Wrinkle Cure* et *The Perricone Prescription*, il est souvent question du lien inflammation-vieillissement-maladie. L'inflammation est à la base du vieillissement et à la base de diverses maladies dégénératives comme la maladie d'Alzheimer, les maladies cardiaques, le cancer, l'arthrite et les maladies auto-immunes. Les mêmes facteurs à l'origine de ces maladies affectent également la peau, entraînant des éruptions d'acné, d'eczéma et de zona, et finalement l'apparition de rides.

Il est plus simple d'illustrer ce phénomène en examinant les conséquences d'un déjeuner par une belle journée d'été ensoleillée.

Lorsque midi sonne, nous quittons notre bureau en désordre et l'écran de notre ordinateur, en poussant un profond soupir, résolus à oublier cette charge de travail stressante au cours de l'heure qui vient. Nous sortons sous le soleil de midi, aspirons dans nos poumons l'air chaud de l'été et tirons un plaisir immense de cet après-midi de juillet.

Tandis que nous baignons dans ce climat quasi tropical, le soleil est occupé à produire tout un spectre de radiations électro-magnétiques, allant des rayons invisibles, comme les rayons ultraviolets et infrarouges, jusqu'à la portion visible des rayons du soleil. Notre peau, dès lors qu'elle est exposée aux rayons du soleil, se met à observer cette radiation, qui exerce aussitôt un stress sur nos cellules cutanées. En effet, quand la lumière du soleil entre en contact avec notre peau, elle déclenche la production de radicaux libres auxquels il manque un électron au niveau de leur orbite extérieure. Les électrons, comme les gens, aiment voyager en paire. Il en va de même pour les radicaux libres, qui vont y parvenir en volant un électron à l'une des cellules de notre peau. Cela déclenche un effet domino où un radical libre va en créer un autre, qui en créera à son tour un autre, et ainsi de suite. Ce phénomène a des conséquences néfastes sur nos cellules, car il augmente la présence d'éléments chimiques pro inflammatoires générant encore plus de radicaux libres.

Heureusement, nos cellules possèdent un système de défense constitué d'antioxydants (comme les vitamines C et E et le CoQ10) qui donnent volontairement un de leurs électrons aux radicaux libres afin qu'ils puissent compléter leur paire, prévenant ainsi la destruction de nos cellules cutanées. Toutefois, nos réserves en antioxydants s'épuisent rapidement lorsque nous sommes exposés à la lumière du soleil. Une heure d'exposition au soleil durant notre pause du déjeuner suffit à épuiser environ quatre-vingts pour cent de nos réserves de vitamine C.

De plus, ces vitamines ne peuvent nous protéger intégralement contre les conséquences inflammatoires d'une exposition au soleil. La partie externe de nos cellules, appelée membrane plasmique, est très vulnérable aux attaques perpétrées par les radicaux libres induits par le soleil. Il s'ensuit la libération d'un acide gras appelé acide arachidonique, qui est rapidement transformé en facteurs inflammatoires très puissants.

Ces radicaux libres stimulent également la production dans nos cellules d'un composé appelé facteur nucléaire kappa-B (FNkB), qui déclenche à son tour la production de composés destructeurs, favorisant le développement de micro-lésions. Tandis que nous poursuivons notre promenade au soleil, un autre messager cutané, l'AP-1, est également activé par la lumière du soleil. L'AP-1 envoie aux cellules un signal leur disant de produire davantage d'enzymes, qui détruiront le collagène, provoquant à nouveau l'apparition de micro-lésions et — vous l'avez deviné — de rides. Vous devez comprendre que les radicaux libres vont eux-mêmes causer très peu de dommages à la peau. En fait, ils déclenchent une réponse inflammatoire et mettent en branle une série d'événements chimiques qui peuvent durer des heures, des jours, voire des mois. Résultat ? D'importantes portions de nos cellules subissent des dommages substantiels, comme par exemple les mitochondries, qui sont, comme nous l'avons vu, responsables de la production d'énergie. Finalement, n'ayant plus l'énergie nécessaire pour se réparer elles-mêmes, les cellules se décomposent.

Et si vous croyez qu'il faut se faire bronzer sur la plage pour déclencher ces effets néfastes, vous êtes (malheureusement) dans l'erreur. Tout ce processus, débutant par une petite promenade du midi sous le soleil et aboutissant à l'activation d'enzymes ayant pour mission de digérer le collagène, ne prend environ que cinq minutes. Une fois encore, l'inflammation est le dénominateur commun de ces blessures dermiques qui deviendront des rides apparentes. Comprendre ce processus nous permet d'élaborer diverses interventions thérapeutiques qui minimiseront ou préviendront l'inflammation et les rides qui en découlent.

L'acide alpha-lipoïque à la rescousse

On appelle l'acide alpha-lipoïque (AAL), une substance naturellement présente dans les mitochondries de notre organisme, l'antioxydant universel, car elle est à la fois hydrosoluble et liposoluble. Cela signifie que l'AAL est facilement absorbé à travers les différentes couches de la peau et neutralise les radicaux libres à l'intérieur des membranes plasmiques et du cytosol (l'intérieur aqueux des cellules). Pour illustrer l'efficacité de cet antioxydant, pensez qu'il est quatre cents fois plus puissant que les vitamines C et E combinées. L'AAL stimule également la production d'énergie en aidant les mitochondries à convertir la nourriture en énergie. Que vous preniez des suppléments d'AAL ou que vous appliquiez l'une de mes lotions à base d'AAL, vous bénéficierez de ses propriétés antioxydantes tout en augmentant votre métabolisme cellulaire.

La bonne nouvelle est que l'acide alpha-lipoïque inhibe l'activation du FNKB mieux qu'aucun autre antioxydant. Il bloque la production des enzymes qui endommagent les fibrines du collagène, vous permettant ainsi de conserver une peau lisse. Il prévient également la glycation et ses effets désastreux sur les fibrines du collagène.

L'AAL exerce également un effet important sur le facteur de transcription AP-1. Comme je l'ai mentionné, quand l'AP-1 est activé par le stress oxydatif produit par notre promenade au soleil, il déclenche la production d'enzymes qui se mettent aussitôt à digérer le collagène, créant des micro-lésions qui donneront plus tard naissance à des rides.

Toutefois, lorsque l'AP-1 est activé par l'acide alpha-lipoïque, celui-ci reçoit le signal de digérer le collagène *endommagé*, avec pour conséquence l'élimination et l'effacement des rides.

Les propriétés anti-glycation et anti-ride de l'acide alpha-lipoïque sont examinées plus en détail au chapitre 7, consacré aux suppléments. Comme il n'y a pas de bonne source alimentaire d'AAL, la meilleure façon d'en tirer tous les bienfaits consiste à le prendre sous forme de supplément et à utiliser des produits de soins pour la peau qui en contiennent. Je vous recommande d'appliquer un produit topique à base d'AAL tous les jours, chaque matin, sous votre crème hydratante et votre maquillage.

**OÙ TROUVER DES PRODUITS
À BASE D'ACIDE ALPHA-LIPOÏQUE**

Plusieurs produits de soins pour la peau contenant de l'acide alpha-lipoïque sont à présent disponibles sur le marché. Voici une liste regroupant quelques magasins et sites Internet qui offrent ces produits :

- N. V. Perricone, M.D., Ltd., Flagship Store, 791 Madison Avenue (au coin de la 67e rue), New York, NY ; www.nvperriconemd.com
- Nordstrom ; www.nordstrom.com
- Sephora ; www.sephora.com
- Certains magasins Neiman Marcus ; www.neimanmarcus.com
- Certains magasins Saks ; www.saksfifthavenue.com
- Henri Bendel
- Clyde's on Madison

Une révolution en matière de rajeunissement de la peau : les produits topiques à base de peptides

Le développement d'une gamme de produits topiques à base de peptides est sans doute la plus grande découverte des dernières années dans le domaine des soins et du rajeunissement de la peau.

Ces produits découlent de la découverte que les peptides et les neuropeptides produits par le thymus stimulent la production de collagène et d'élastine, deux substances qui contribuent grandement à la guérison des blessures. Puisque les rides sont des blessures microscopiques, il est logique que les peptides produits par le thymus contribuent à la « guérison » des rides et des autres signes du vieillissement.

LA FRACTION 5

Bien que les scientifiques aient isolé des douzaines de peptides biologiquement actifs dans le thymus, les premières études en la matière ont été menées à l'aide d'un extrait du thymus appelé *Fraction 5*. La Fraction 5 contient plus de quarante peptides différents, qui exercent pour la plupart une activité biologique intense.

La Fraction 5 contient un peptide particulièrement important appelé *thymosine bêta-4*. Cette molécule tire son importance, pour le maintien d'une peau jeune et radieuse, de son rôle central dans le processus de guérison des blessures. Or, en vieillissant, notre organisme a de plus en plus de difficulté à guérir ses blessures ; un problème qui touche également les diabétiques et les gens cloués au lit. Pour que la guérison puisse avoir lieu, l'organisme doit passer par plusieurs étapes. La première étape, paradoxalement, consiste à créer de l'inflammation. L'inflammation entraîne une augmentation du flux sanguin vers la blessure et la production de divers facteurs de croissance qui favoriseront la cicatrisation. Nous observons donc une hausse de l'inflammation, suivie par une augmentation du flux sanguin (ou une diminution en cas de saignement abondant), suivie d'un processus appelé angiogenèse (développement de nouveaux vaisseaux sanguins), suivi

par la migration sur le site de la blessure de cellules cutanées appelées fibroblastes. Finalement, les fibroblastes synthétiseront du collagène qui contribuera à remodeler les tissus endommagés.

En plus de stimuler la production de collagène et d'élastine, la thymosine bêta-4 joue un rôle majeur à plusieurs étapes du processus, que ce soit dans le développement de nouveaux vaisseaux sanguins, la modulation de la réponse inflammatoire ou la migration des cellules cutanées vers le site de la blessure. La thymosine bêta-4 peut également remplir la fonction d'agent anti-inflammatoire, et protéger les tissus vulnérables contre les effets d'une inflammation hors de contrôle.

Des neuropeptides aux effets prodigieux

Dans le cadre d'essais cliniques portant sur diverses préparations topiques à base de neuropeptides, les chercheurs ont observé des bienfaits immédiats dès l'application. Quelques minutes après l'application d'une crème topique contenant plusieurs neuropeptides et de la DMAE, un puissant agent anti-inflammatoire agissant au niveau de la peau et du cerveau, on observe :

- Une augmentation perceptible de l'éclat de la peau. Ce résultat est la conséquence de l'intense activité anti-inflammatoire de ce composé, mais aussi de ses effets sur la circulation sanguine et le métabolisme cellulaire.
- Une augmentation de la fermeté, étant donné que les neuropeptides facilitent la production de collagène et d'élastine.

- Une amélioration de l'élasticité, du tonus et de la texture de la peau.
- Des rides et des lignes fines moins apparentes.
- Des petites veines et des capillaires moins apparents.
- Une maximisation de la régénération et de l'hydratation de la peau.

En vieillissant, notre taux de régénération cellulaire diminue, notre peau s'amincit à mesure que nous perdons du collagène et de l'élastine, et nous voyons disparaître d'importants vaisseaux sanguins qui transportaient des nutriments jusqu'aux cellules de notre peau ; autant de phénomènes auxquels il est possible de remédier grâce à l'application d'un topique à base de peptides.

Je vous recommande d'en appliquer tous les jours sur votre visage et votre cou. Notez que les topiques à base de peptides peuvent être appliqués conjointement avec une crème hydratante et/ou un écran solaire.

Les résultats obtenus grâce à l'application d'une crème topique à base de neuropeptides sont les plus impressionnants qu'il m'ait été donné de voir au cours de mes vingt années de recherche. Les formules topiques à base de neuropeptides que j'ai personnellement développées contiennent de multiples neuropeptides transmis par le biais d'une base spécialement conçue pour permettre aux molécules de pénétrer dans la peau, où elles peuvent activer les sites récepteurs et vous procurer un maximum de bienfaits.

OÙ TROUVER DES TOPIQUES À BASE DE NEUROPEPTIDES

On retrouve de nombreux produits à base de peptides sur le marché ; je ne peux toutefois me porter garant de la majorité d'entre eux étant donné que je ne les ai pas testés moi-même. Voici une courte liste de détaillants et de sites

Internet offrant des produits à base de peptides. Lisez attentivement les étiquettes, car certains produits contiennent des « pentapeptides », une substance très différente des neuropeptides, qui doivent pour leur part être synthétisés sur une base individuelle. Vous trouverez des produits à base de neuropeptides aux adresses suivantes :

- N. V. Perricone, M.D., Ltd., Flagship Store, 791 Madison Avenue (au coin de la 67e rue), New York, NY ; www.nvperriconemd.com
- Nordstrom ; www.nordstrom.com
- Sephora ; www.sephora.com
- Certains magasins Neiman Marcus ; www.neimanmarcus.com
- Certains magasins Saks ; www.saksfifthavenue.com
- Henri Bendel
- Clyde's on Madison

La recherche sur les peptides et les neuropeptides, même si elle ne date pas d'hier, n'en est encore qu'à ses débuts. Ce domaine scientifique, qui attire les esprits les plus brillants, nous apporte tous les jours de nouvelles découvertes sur le rôle des peptides et des neuropeptides et sur les différentes façons de les utiliser. Avec le programme de vingt-huit jours que vous trouverez au chapitre suivant, je vous offre un programme en trois étapes comprenant des aliments anti-inflammatoires, des suppléments alimentaires et des traitements topiques, afin que vous puissiez profiter de leurs attributs supérieurs et de leurs bienfaits dans votre vie quotidienne.

TROISIÈME PARTIE

LE PROGRAMME DE 28 JOURS DU DR PERRICONE

Vous connaissez maintenant tous les éléments clés de mon programme : les aliments arc-en-ciel, les super-aliments, les herbes et les épices, les polysaccharides et les suppléments alimentaires. Ajoutez à cela quelques périodes d'exercice physique, un aspect dont nous parlerons au prochain chapitre, et vous aurez entre les mains tous les ingrédients nécessaires pour adopter un mode de vie nouveau et plus sain. Vous découvrirez également les fondements scientifiques de mon programme et pourquoi chaque élément est important pour son succès.

Si vous trouvez qu'il est trop difficile d'adopter tous ces changements à la fois, ne le faites pas. Commencez par éliminer graduellement certaines mauvaises habitudes (le café, le tabagisme, l'insomnie), puis prenez certaines bonnes habitudes (comme manger plus de poisson, prendre un ou deux suppléments recommandés, utiliser une crème à base de neuropeptides). Essayez quelques-unes des recettes présentées à l'annexe A. Elles sont très bonnes pour la santé, et qui plus est, délicieuses. Aussitôt que vous aurez apporté ces petits changements, vous aurez de plus en plus de facilité à suivre le programme. Votre niveau d'énergie augmentera de façon spectaculaire durant la journée. Vous dormirez mieux la nuit. En l'espace de quelques jours, vous vous sentirez mieux, vous paraîtrez mieux, à tel point que votre objectif sera désormais de faire de ce programme de 28 jours une façon de vivre.

Le Programme de 28 jours du Dr Perricone

Rien de grand ne s'est jamais fait sans enthousiasme.
— Ralph Waldo Emerson

CHAQUE FOIS QUE JE PRÉSENTE les tenants et les aboutissants de la Promesse Perricone à mes patients et à mes lecteurs, c'est toujours une joie pour moi de voir l'enthousiasme qui les gagne dès les premiers jours. Étant donné qu'ils obtiennent des résultats spectaculaires en très peu de temps — parfois au bout de trois jours — cela les encourage à poursuivre le programme et à l'intégrer dans leur vie.

J'apprends tous les jours quelque chose de nouveau sur l'interaction entre les aliments que nous mangeons et le rythme auquel nous vieillissons. Dans ce chapitre, je mets de l'avant un menu simple et équilibré et un plan de supplémentation qui vous apporteront les bienfaits suivants :

- Prévenir les hausses soudaines du taux de glycémie.
- Augmenter la beauté et la santé de votre peau et de vos organes.
- Améliorer votre mémoire et vos capacités cognitives.
- Maintenir votre bien-être émotionnel à son zénith.
- Énergiser tout votre organisme.
- Optimiser le fonctionnement de votre système immunitaire.

J'ai placé au sommet de cette liste l'injonction de maintenir en équilibre votre taux de glycémie, car si vous mangez ou buvez des aliments qui provoquent une hausse rapide du taux de glycémie, vous déclenchez une cascade de réactions chimiques qui crée de l'inflammation. En apprenant à supprimer les peptides pro inflammatoires, tout en stimulant les peptides anti-inflammatoires par le biais de votre alimentation et de divers suppléments alimentaires, vous mettez la main sur un outil crucial pour l'atteinte de ce but.

Ce programme a été conçu afin de vous garder en santé votre vie durant. Au bout des vingt-huit jours, vous ne pourrez tout simplement pas retomber dans vos mauvaises habitudes. En fait, vous ne le voudrez pas. Votre peau sera plus belle que jamais. Vous aurez de l'énergie à revendre et ferez preuve d'une vitalité toute juvénile. Et vous aurez probablement perdu un excès de graisse.

En fait, la perte de poids est l'un des bienfaits souvent inattendu, mais toujours apprécié, des principes alimentaires de *La Promesse Perricone*. Plusieurs hommes et femmes découvrent (souvent pour la première fois) qu'il est possible de perdre du poids et de gagner de l'énergie sans sacrifice, sans souffrir de la faim et sans privation.

Quel est mon secret ? Maintenir votre taux de glycémie en équilibre tout en stimulant votre métabolisme. Les hausses soudaines du taux de glycémie — provoquées par l'ingestion d'aliments contenant des sucres et des féculents comme les pâtes, les pommes de terre, les pâtisseries, les bonbons, les boissons gazeuses et les jus — vous empêchent en fait de brûler des graisses, car celles-ci placent un « verrou » sur le mécanisme cellulaire qui devrait normalement s'en charger. Pire encore, les calories vides que l'on retrouve dans ce type d'aliments vous donneront envie d'en manger davantage dès que votre taux de glycémie retombera ; ce qui ne manquera pas d'arriver. Lorsque vous mangez des aliments ayant un faible indice glycémique, accompagnés de lipides et de protéines de qualité, vous ne souffrez pas de ces hausses du taux de glycémie, et par conséquent vous avez beaucoup moins tendance à vous suralimenter et à souffrir de la faim. De plus, quand vous arrêtez de manger pendant un certain temps, votre métabolisme ralentit afin de conserver ses réserves de graisses et d'énergie. Par conséquent, le fait de sauter un repas peut avoir les effets opposés à ceux que vous recherchez si vous espérez ainsi perdre quelques kilos (ou même plusieurs).

Atteindre et maintenir son poids santé n'est pas qu'une question d'esthétique. Tout surplus de graisse a un impact direct sur le lien cerveau-beauté. Le thymus, par exemple, influence la production des hormones du stress. Augmentez le nombre de ces hormones et vous essayerez de vous calmer en mangeant des aliments, comme des sucres et des féculents, qui vous donneront momentanément de l'énergie et un sentiment de bien-être. Après la hausse initiale du taux de sérotonine (l'hormone du « bien-être »), celui-ci retombera et vous entraînera dans un cercle vicieux, vous laissant avec une envie irrésistible de manger des aliments pro inflammatoires qui vous feront engraisser et qui vous donneront des rides. Les aliments et les suppléments du Programme Perricone contribuent également à réduire les effets néfastes des hormones du stress, comme le cortisol, responsables de l'accumulation de graisse corporelle, en particulier dans la région abdominale. De plus, ces choix alimentaires anti-inflammatoires réduisent votre envie de manger des aliments vides qui vous enferment dans le dangereux cycle des hausses et des baisses insuliniques. Si vous avez un surplus de poids, vous augmentez vos risques de développer plusieurs maladies, comme le diabète, l'hypertension, les maladies cardiaques et les accidents vasculaires cérébraux. Nous savons aujourd'hui que chaque cellule adipeuse produit des agents chimiques inflammatoires qui vont ensuite circuler à travers l'organisme, augmentant ainsi les risques de maladies associées au vieillissement.

Consommer des aliments riches en fibres est un autre facteur important si vous surveillez votre poids. Les fibres apportent de grands bienfaits, l'un d'entre eux, et non le moindre, étant leur capacité à ralentir l'absorption des aliments, et donc à maintenir

240

notre taux de glycémie en équilibre. Nous en avons tenu compte dans la conception de ce programme, et c'est pourquoi il contient plusieurs recettes utilisant des aliments riches en fibres solubles et insolubles, comme l'orge, l'avoine, les lentilles et les haricots, ainsi que de généreuses quantités de fruits et de légumes frais.

Des exercices santé

L'exercice physique est également un facteur important pour la régularisation des neuropeptides. Dans les années 80, on découvrit qu'une bêta-endorphine réduisait significativement la douleur et semblait favoriser l'apparition d'un sentiment d'euphorie et d'exaltation, tout en réduisant les symptômes de la dépression et de l'anxiété. Ce phénomène porte aujourd'hui le nom d'ivresse du marathonien, étant donné que cette bêta-endorphine est synthétisée durant les activités de type aérobic, comme la course à pied. C'est sans doute l'une des raisons pour lesquelles l'exercice physique est un important facteur de réduction du stress : l'activité physique semble stimuler la production des neuropeptides qui contribuent à notre sentiment de bonheur, contrairement à la Substance P (par exemple) qui éveille en nous des sentiments de dépression et d'anxiété.

Mais les exercices de type aérobic ne sont pas les seuls à procurer des bienfaits pour la santé. Le programme de *La Promesse Perricone* recommande de combiner trois types d'exercice :

1. Les exercices de résistance avec poids.
2. Les exercices cardiovasculaires/aérobics
3. Les exercices de flexibilité

Pour des bienfaits optimums, assurez-vous d'inclure ces trois types d'exercices à votre régime de vie. Vous pouvez alterner de l'un à l'autre pour éviter la routine et l'ennui.

1. L'entraînement avec poids et haltères est une excellente façon de se bâtir des muscles et d'améliorer notre force musculaire. Ce genre d'entraînement fonctionne sur la base d'une augmentation progressive de la résistance ; nous augmentons la résistance ou le poids à mesure que nos muscles se développent. Croyez-le ou non, mais cela fait également partie du lien cerveau-beauté. Les exercices de résistance libèrent en effet l'hormone de croissance tout en réduisant le stress et le taux de cortisol. Avant d'entreprendre un programme d'entraînement avec poids et haltères (si c'est la première fois que vous vous adonnez à ce genre d'exercices), consultez votre médecin et/ou un entraîneur professionnel pour éviter les blessures et vous assurer que vous faites ces exercices adéquatement.

2. Les exercices cardiovasculaires/aérobics, comme la course à pied, le jogging, le patin à roues alignées, le kick-boxing, la bicyclette et la natation, améliorent grandement l'endurance et la résistance, de même que notre niveau d'énergie et notre sentiment de bien-être. Les exercices aérobics sont pour notre cœur ce que les exercices avec poids sont pour nos muscles. Ils renforcent le cœur et lui permettent ainsi de livrer davantage d'oxygène à l'organisme. Les plus récentes recherches montrent qu'il n'est pas nécessaire d'être un athlète de haut niveau pour profiter des bienfaits des exercices aérobics ; trois séances de vingt à trente minutes chaque semaine, voilà tout ce dont vous avez besoin. À nouveau, n'entreprenez pas une série d'exercices qui fera augmenter votre rythme cardiaque à moins d'avoir consulté votre médecin ou d'être déjà en train de suivre un programme d'entraînement.

3. Finalement, incorporez des exercices qui améliorent la flexibilité à votre programme d'exercices physiques. Certaines disciplines procurent des bienfaits cardiovasculaires/aérobics tout en améliorant la flexibilité, comme les arts martiaux, le kick-boxing, la danse, la gymnastique et la natation.

PILATES

La méthode Pilates est une extraordinaire façon d'augmenter votre force et votre flexibilité sans gagner de masse musculaire. C'est d'ailleurs pourquoi la méthode Pilates est si populaire chez les danseurs ; en fait, parmi les premiers adeptes de la méthode Pilates, on retrouve deux célèbres pionniers de la danse moderne, Martha Graham et George Balanchine.

La méthode Pilates a été développée dans les années 1920 par le légendaire entraîneur et fondateur du Studio Pilates, Joseph H. Pilates. Cette méthode consiste en une série de mouvements contrôlés qui engagent à la fois votre esprit et votre corps, exécutés sur des appareils spécialement conçus à cette fin et supervisés par un professeur qui a lui-même suivi un entraînement intensif. Pour en apprendre davantage, visitez le site Internet www.pilates-studio.com.

Selon cet excellent site des plus instructifs, la méthode Pilates :

- Est une méthode d'entraînement physique qui favorise l'harmonie du corps et l'équilibre.
- Est efficace pour les gens de tous âges et de toutes conditions physiques.
- Procure un entraînement rafraîchissant et énergisant.
- Est appropriée quelle que soit votre condition physique actuelle.
- Peut être intégrée à un programme d'exercices de réhabilitation ou de physiothérapie.
- Est sans danger pour les femmes enceintes, car elle leur enseigne comment respirer et maintenir une posture adéquate, en plus de les aider à améliorer leur concentration et à retrouver leur ligne et leur tonus après l'accouchement.

Quelques conseils importants avant d'entreprendre le Programme Perricone

- Mangez toujours vos protéines en premier, et ce, à chaque repas. Les poissons d'eau froide, comme le saumon et le flétan, sont les meilleures sources de protéines.

- Utilisez de généreuses quantités d'herbes et d'épices séchées : origan, gingembre, poivre de Cayenne, basilic, marjolaine, curcuma, ail, cannelle. Tous ces aliments remplissent plusieurs fonctions anti-vieillissement allant des activités antioxydantes et anti-inflammatoires à la régulation du taux de glycémie.

- Vous vous intéressez aux dernières *découvertes* en matière d'anti-vieillissement ? Pensez cuisines *traditionnelles*. Les mets méditerranéens, indiens et asiatiques, de même que les mets du Proche, du Moyen et de l'Extrême-Orient, apportent d'incroyables bienfaits anti-vieillissement. Ceci inclut les currys à base de curcuma, un vaste ensemble de plats de lentilles, et assez d'herbes et d'épices pour transformer tous vos repas en festin antioxydant. Évitez les plats nécessitant de la crème ou du ghee : tenez-vous-en aux ingrédients de base ; ils sont bien meilleurs pour la santé. Assurez-vous que tous vos repas et collations incluent une source de protéines de qualité.

- N'oubliez pas les fibres alimentaires. Assurez-vous que toutes vos sources en glucides contiennent de bonnes quantités de fibres. Des études ont démontré que les fibres alimentaires — que l'on retrouve dans les pommes, l'orge, les haricots, les lentilles, les légumineuses, les fruits et les légumes, le gruau à l'ancienne et le son d'avoine — font baisser le taux de cholestérol. Comme nous mettons du temps à les digérer, ces aliments *ne* provoquent *pas* de hausse du taux de glycémie. Une alimentation riche en fibres est

244

donc un outil indispensable pour minimiser les gains de poids non désirés.

- Buvez huit à dix verres d'eau par jour. L'augmentation de votre apport en fibres peut provoquer des problèmes de constipation si votre apport en eau est insuffisant.

- Choisissez du poulet et de la dinde biologiques, élevés en liberté, pour un goût supérieur et éviter les antibiotiques et les transformations que subissent les volailles élevés commercialement.

- Choisissez des œufs provenant de poules vivant en liberté et ayant une alimentation riche en oméga-3 (contenant par exemple de la graine de lin). Ces œufs sont aujourd'hui facilement disponibles et constituent un choix beaucoup plus sain que les œufs conventionnels.

- Achetez des produits biologiques. Les pesticides peuvent laisser des résidus toxiques sur les végétaux, résidus qui peuvent endommager vos systèmes organiques.

- Choisissez du saumon sauvage de l'Alaska plutôt que du saumon d'élevage.

- En plus de manger de généreuses quantités de saumon de l'Alaska, essayez d'inclure les anchois et les sardines dans votre alimentation ; ces petits poissons nous procurent d'immenses bienfaits qui améliorent notre santé et notre apparence. Ils constituent une riche source d'acides gras essentiels oméga-3, et comme ils se situent au bas de l'échelle alimentaire, ils sont moins contaminés que les plus gros poissons. Ils contiennent également de la DMAE, une substance qui aide la peau à conserver son tonus et sa fermeté. Une bonne façon d'introduire les anchois consiste à ajouter de la pâte d'anchois (ou des anchois hachés) dans vos sauces pour salade. Les anchois sont délicieux, en plus d'être un ingrédient important de la célèbre salade César. Mais rappelez-vous : pas de croûtons !

- Faites sauter vos aliments à feu doux en évitant de les faire *brunir*. Cette réaction est la conséquence de la glycation, un processus au cours duquel il se crée des ponts entre les protéines. Une étude publiée dans le magasine *Proceeding of the National Academy of Sciences* a révélé que manger des aliments cuits à haute température peut accélérer le vieillissement. Selon cette étude, l'ingestion d'aliments cuits à haute température cause de l'inflammation chronique et la formation de produits finaux de la glycation (AGE). Pour plus d'information, consultez le chapitre 7.

- Je vous recommande de boire *tous les jours* un yogourt ou un kéfir frappé avec de l'açayer et des petits fruits (bleuets, mûres, framboises ou fraises) ou une cuillerée à table d'extraits de grenade POM Wonderful, au petit-déjeuner ou au cours de la journée. C'est une excellente façon d'obtenir des protéines, du calcium, du potassium, du phosphore, de la vitamine B_6 et B_{12}, de la niacine, de l'acide folique et du potassium, en plus de profiter des importantes propriétés antioxydantes et probiotiques (dont les effets sur la flore intestinale contribuent à ralentir le processus de vieillissement) de l'açayer et des petits fruits.

- Garnissez généreusement vos plats de ciboulette hachée, d'endives hachées ou de tout autre membre de la famille des oignons, pour profiter de leur goût unique et de leurs remarquables bienfaits pour la santé.

- N'oubliez pas les pousses. Les pousses de brocoli sont exceptionnellement riches en antioxydants. Mais toutes les pousses, qu'il s'agisse de pousses de luzerne, de tournesol, de lentilles ou de radis, procurent des bienfaits remarquables pour la santé et donnent du goût aux salades, aux sautés, aux roulés et même aux soupes et aux ragoûts. Les pousses sont largement disponibles dans les magasins d'aliments naturels et les supermarchés plus spécialisés.

- Lorsque vient le temps de choisir une laitue pour vos salades, plus elles sont foncées, meilleures elles sont pour la santé. Choisissez de préférence de la laitue romaine, des pousses de légumes verts, du mesclun, de la roquette, du chou frisé, des épinards, de la scarole, du brocoli rabe, etc. Évitez la laitue iceberg.

- Ajoutez vos restes de légumes cuits dans vos salades. Le brocoli cuit, par exemple, est délicieux servi froid avec de l'huile d'olive extra vierge et du jus de citron frais.

- Les noix et les graines sont également un ajout délicieux dans les salades et les sautés.

- Si vous souhaitez obtenir une peau radieuse et souple, évitez les régimes faibles en gras. Après l'eau, la graisse est la substance la plus abondante dans votre organisme. Les gras d'origine animale et végétale sont une source d'énergie concentrée ; ils servent également à la fabrication des membranes cellulaires, des hormones et des prostaglandines. De plus, ils transportent d'importantes vitamines liposolubles, comme les vitamines A, D, E et K. Les graisses alimentaires rendent possible la conversion du carotène en vitamine A, ainsi que de nombreux autres processus. Plus de soixante-dix pour cent de votre cerveau et de vos cellules nerveuses sont composés de gras, rendant ainsi ces tissus indispensables élastiques et résistants aux chocs. Chacune des membranes cellulaires de votre organisme est composée en partie d'au moins trente pour cent de gras. Le cholestérol et les gras saturés jouent également un rôle essentiel dans la croissance des bébés et des enfants. Chez les bébés, le gras est nécessaire à la formation de la myéline ; une membrane spécialisée, essentielle au développement du système nerveux central et du cerveau, qui protège les nerfs. C'est d'ailleurs pour cette raison que le gras contenu dans le lait maternel répond le mieux au besoin de l'enfant qui grandit. On trouve de bons gras dans le poisson, par exemple le saumon, les noix et les graines, le yogourt et le kéfir, et l'huile d'olive.

- Le fromage cottage est un excellent aliment, mais les marques que l'on retrouve dans les supermarchés contiennent des ingrédients indésirables, des agents de préservation (comme le sorbate de potassium et la gomme de guar), de la carragénine, des agents de remplissage et des stabilisants. Essayez d'acheter votre fromage cottage dans un magasin d'aliments naturels, et assurez-vous qu'il ne contient que des cultures de lait pasteurisé de catégorie A, de la crème et du sel. Recherchez également des fromages faits à partir de lait provenant de vaches n'ayant reçu ni hormones ni antibiotiques.

Le programme de 28 jours du Dr Perricone

Voici quelques conseils et recommandations dont vous devriez tenir compte avant d'entreprendre ce programme. Il va de soi que vous devriez consulter votre médecin avant d'apporter des changements à votre alimentation ou à vos habitudes en matière d'exercice physique. Abordons à présent les éléments de base de la Promesse Perricone : il est important que vous commenciez votre journée par une bonne dose de peptides ; c'est la raison pour laquelle je vous recommande de prendre au lever un aliment à base de polysaccharides comme l'aliment PEP ou un supplément à base de champignon maïtaké. Puis, après la douche, appliquez une crème à base de neuropeptides (voir chapitre 8) sur votre visage et votre cou. Cela vous permettra de débuter du bon pied et de conserver ce teint jeune et radieux tout au long de la journée.

En adoptant une alimentation plus saine, votre système recevra tous les jours davantage de vitamines et de nutriments. Toutefois, je vous conseille de suivre un régime de supplémentation de base pour vous aider à améliorer vos chances d'équilibrer vos hormones, de stimuler vos peptides et d'améliorer vos résultats en combinant toutes les parties du Programme Perricone. Quels que soient les produits que vous choisirez, rappelez-vous de vérifier qu'ils contiennent des vitamines A, C et E, de l'acide alpha-lipoïque, des acides gras essentiels, tout le spectre des vitamines B et des minéraux, et en particulier du calcium et du magnésium (consultez le Guide ressource pour connaître les fabricants les plus réputés).

Vous pouvez prendre ces suppléments séparément ou vous pouvez les prendre sous la forme d'une préparation multi-vitaminique. Lorsque vous achetez des suppléments alimentaires, lisez attentivement les étiquettes pour connaître les ingrédients qu'ils contiennent, ainsi que leur posologie. Vous pouvez également prendre des sachets de suppléments préparés à l'avance, comme les produits Total Skin et Body Packet que j'ai moi-même développés, et qui incluent ce que je considère être le mélange optimal de suppléments pour un programme anti-inflammatoire et anti-vieillissement.

Posologie pour les comprimés à base de neuropeptides : prenez un comprimé de neuropeptides au petit-déjeuner et un autre au déjeuner pendant douze jours. Par la suite, diminuez la dose à un seul comprimé par jour ou à tous les deux jours.

Utilisation et posologie du maïtaké : la Fraction-D et la Fraction-SX sont toutes deux disponibles sous forme de comprimés ou d'extraits. Suivez les instructions sur l'étiquette ou consultez un professionnel de la santé. La Fraction-D du maïtaké contient un polysaccharide unique qui soutient la fonction des cellules immunitaires. La posologie habituelle est de deux comprimés, deux fois par jour, entre les repas. La Fraction-D du maïtaké est particulièrement adaptée aux personnes qui cherchent à améliorer le fonctionnement de leur système immunitaire.

La Fraction-SX du maïtaké est le premier supplément de sa catégorie à s'attaquer spécifiquement au syndrome X dans le cadre d'un régime alimentaire visant au maintien du taux de glycémie et de la pression artérielle. Si vous êtes davantage intéressé à protéger votre système immunitaire, optez pour la Fraction-D du maïtaké ; si vous êtes aux prises avec le syndrome X, optez pour la Fraction-SX.

PREMIÈRE SEMAINE

Rappelez-vous que tous vos repas et collations devraient contenir ces trois nutriments importants :

- Des protéines
- Des glucides à faible indice glycémique
- Des acides gras essentiels

Les gens physiquement actifs ou de grande taille, et qui ont par conséquent une masse musculaire plus importante, devraient prendre de plus grandes quantités de protéines. Qu'il s'agisse d'un repas ou d'une collation, vous pouvez toujours remplacer la source de protéines suggérée par une boîte de saumon sauvage de l'Alaska, pour plus de commodité. Consultez le Guide ressource pour connaître les différentes sources de saumon.

1ᵉʳ jour. Lundi

Commencez la journée avec une cuillérée à thé (5 ml) d'aliment fonctionnel en poudre à base de peptides dilué dans 180 ml d'eau ou un comprimé de Fraction-G ou Fraction-SX de maïtaké.

Exercices quotidiens.

Après avoir nettoyé votre peau, appliquez une crème à base de neuropeptides sur votre visage et votre cou.

Petit-déjeuner

    1 œuf à la coque
    ½ tasse (125 ml) de fromage cottage recouvert d'une cuillérée
        à table (15 ml) de graines de lin moulues
    ⅛ - ¼ de tasse (30 à 60 ml) (avant cuisson) de gruau d'avoine à
        l'ancienne avec ½ cuillérée (2,5 ml) à thé de cannelle
    ¼ de tasse (60 ml) de petits fruits
    250 ml de thé vert ou d'eau

Suppléments : régime de supplémentation quotidien, 2 comprimés d'huile de poisson norvégienne de bonne qualité, 1 supplément de neuropeptides

Déjeuner

    ¾ de tasse (180 ml) de poulet au gingembre ou une salade au
        tofu (voir la recette à l'annexe A)
    1 kiwi
    250 ml d'eau

Suppléments : régime de supplémentation quotidien, 2 comprimés d'huile de poisson norvégienne de bonne qualité, 1 supplément de neuropeptides

Collation

    180 ml de yogourt nature ou de kéfir mélangé avec une portion
        d'açayer
    3 amandes
    250 ml d'eau

Dîner

Filets de saumon sauvage aux noisettes sur lit de verdure (voir la
  recette à l'annexe A)
1 tranche de cantaloup de 5 centimètres d'épaisseur
250 ml d'eau
2 comprimés d'huile de poisson norvégienne de bonne qualité

Collation du soir

1 œuf dur
1 pomme
3 noix de Grenoble
250 ml d'eau

2ᵉ jour. Mardi

Commencez la journée avec une cuillérée à thé (5 ml) d'aliment
fonctionnel en poudre à base de peptides dilué dans 180 ml d'eau ou
un comprimé de Fraction-G ou Fraction-SX de maïtaké.

Après avoir nettoyé votre peau, appliquez une crème à base de
neuropeptides sur votre visage et votre cou.

Petit-déjeuner

Omelette : 2 œufs entiers, 2 blancs d'œufs, garnie d'herbes
  fraîches
Un yogourt ou un kéfir frappé : 180 ml de yogourt nature,
  1 cuillérée à thé (5 ml) de graines de lin moulues, ¼ tasse
  (60 ml) de petits fruits mélangés et une portion d'açayer
250 ml de thé vert ou d'eau

252

Suppléments : régime de supplémentation quotidien, 2 comprimés d'huile de poisson norvégienne de bonne qualité, 1 supplément de neuropeptides

Déjeuner

Salade grecque garnie de poulet grillé, de saumon, de crevettes ou de tofu (voir la recette à l'annexe A)
1 pomme
250 ml d'eau

Suppléments : régime de supplémentation quotidien, 2 comprimés d'huile de poisson norvégienne de bonne qualité, 1 supplément de neuropeptides

Collation

½ tasse (125 ml) de fromage cottage recouvert d'une cuillérée à table (15 ml) de graines de lin moulues
1 poire
250 ml d'eau

Dîner

1 bol de soupe aux lentilles et aux saucisses à la dinde (voir la recette à l'annexe A)
1 tasse (250 ml) de feuilles de laitue vert foncé, 180 à 240 grammes de poulet grillé et ½ tasse (125 ml) de pousses arrosées d'huile d'olive et de jus de citron au goût
250 ml d'eau
2 comprimés d'huile de poisson norvégienne de bonne qualité

Collation du soir

30 à 60 grammes de poitrine de dinde ou de poulet rôti en
   tranches
1 cuillérée à table (15 ml) de graines de citrouille crues
1 tranche de melon miel de 5 centimètres
250 ml d'eau

3ᵉ jour. Mercredi

Commencez la journée avec une cuillérée à thé (5 ml) d'aliment
fonctionnel en poudre à base de peptides dilué dans 180 ml d'eau ou
un comprimé de Fraction-G ou Fraction-SX de maïtaké.

Exercices quotidiens.

Après avoir nettoyé votre peau, appliquez une crème à base de
neuropeptides sur votre visage et votre cou.

Petit-déjeuner

120 à 240 grammes de saumon fumé ou grillé
½ tasse (125 ml) d'orge avec ½ cuillérée à thé de cannelle (2,5 ml)
   et une cuillérée à table (15 ml) de petits fruits
250 ml de thé vert ou d'eau

Suppléments : régime de supplémentation quotidien, 2 comprimés
d'huile de poisson norvégienne de bonne qualité, 1 supplément de
neuropeptides

Déjeuner

Cocktail de crevettes géantes (voir la recette à l'annexe A)
½ avocat
1 pomme
250 ml d'eau

Suppléments : régime de supplémentation quotidien, 2 comprimés d'huile de poisson norvégienne de bonne qualité, 1 supplément de neuropeptides

Collation

180 ml de yogourt nature mélangé avec 1 portion d'açayer
1 cuillérée à table (15 ml) de graines de tournesol
250 ml d'eau

Dîner

Ding au poulet et aux amandes (voir la recette à l'annexe A)
½ tasse (250 ml) de salade de fruits mélangés avec des petits
    fruits, du kiwi et de la poire
250 ml d'eau
2 comprimés d'huile de poisson norvégienne de bonne qualité

Collation du soir

¼ tasse (60 ml) d'houmous (voir la recette à l'annexe A)
1 branche de céleri
250 ml d'eau

4ᵉ jour. Jeudi

Commencez la journée avec une cuillérée à thé (5 ml) d'aliment fonctionnel en poudre à base de peptides dilué dans 180 ml d'eau ou un comprimé de Fraction-G ou Fraction-SX de maïtaké.

Exercices quotidiens.

Après avoir nettoyé votre peau, appliquez une crème à base de neuropeptides sur votre visage et votre cou.

Petit-déjeuner

Omelette au fromage feta : 2 œufs entiers, 2 blancs d'œufs,
15 grammes de fromage feta et ¼ cuillérée à thé (1,25 ml)
d'aneth séché
1 tranche de cantaloup de 5 centimètres
250 ml de thé vert ou d'eau

Suppléments : régime de supplémentation quotidien, 2 comprimés
d'huile de poisson norvégienne de bonne qualité, 1 supplément de
neuropeptides

Dîner

Cocktail au crabe ou au homard (voir la recette à l'annexe A)
Salade verte assaisonnée d'huile d'olive extra vierge et de jus de
citron
1 poire
250 ml d'eau

Suppléments : régime de supplémentation quotidien, 2 comprimés
d'huile de poisson norvégienne de bonne qualité, 1 supplément de
neuropeptides

Collation

Kéfir frappé : mélangez au mélangeur 180 ml de kéfir non sucré,
¼ tasse (60 ml) de petits fruits, 1 cuillérée à thé (5 ml) de
graines de lin moulues et 1 portion d'açayer
250 ml d'eau

Dîner

Curry au poulet ou au tofu (voir la recette à l'annexe A) servi sur
½ tasse (125 ml) d'orge cuite
Salade de concombres fraîche et crémeuse (voir la recette à
l'annexe A)
250 ml d'eau
2 comprimés d'huile de poisson norvégienne de bonne qualité

Collation du soir

30 à 60 grammes de dinde ou de poulet en tranches
¼ tasse (60 ml) de petits fruits
3 amandes
250 ml d'eau

5ᵉ jour. Vendredi

Commencez la journée avec une cuillérée à thé (5 ml) d'aliment
fonctionnel en poudre à base de peptides dilué dans 180 ml d'eau ou
un comprimé de Fraction-G ou Fraction-SX de maïtaké.

Exercices quotidiens.

Après avoir nettoyé votre peau, appliquez une crème à base de
neuropeptides sur votre visage et votre cou.

Déjeuner

1 œuf à la coque
2 tranches de bacon à la dinde
Yogourt ou kéfir : mélangez 180 ml de yogourt ou de kéfir
nature, ¼ tasse (60 ml) de petits fruits et 1 portion d'açayer
250 ml de thé vert ou d'eau

Suppléments : régime de supplémentation quotidien, 2 comprimés d'huile de poisson norvégienne de bonne qualité, 1 supplément de neuropeptides

Déjeuner

Roulé à la salade de poulet, de dinde ou de tofu (voir la recette à l'annexe A)
250 ml d'eau

Suppléments : régime de supplémentation quotidien, 2 comprimés d'huile de poisson norvégienne de bonne qualité, 1 supplément de neuropeptides

Collation

1 œuf dur
3 tomates cerises
3 olives
250 ml d'eau

Dîner

Saumon Teriyaki (vous pouvez remplacer le saumon par du poulet ou du tofu ; voir la recette à l'annexe A)
½ tasse (125 ml) d'asperges cuites à la vapeur
½ tasse (125 ml) de lentilles
250 ml d'eau
2 comprimés d'huile de poisson norvégienne de bonne qualité

Collation du soir

½ tasse (125 ml) de fromage cottage
1 cuillérée à table (15 ml) de graines de citrouille hachées
250 ml d'eau

6ᵉ jour. Samedi

Commencez la journée avec une cuillérée à thé (5 ml) d'aliment fonctionnel en poudre à base de peptides dilué dans 180 ml d'eau ou un comprimé de Fraction-G ou Fraction-SX de maïtaké.

Exercices quotidiens.

Après avoir nettoyé votre peau, appliquez une crème à base de neuropeptides sur votre visage et votre cou.

Petit-déjeuner

2 tranches de bacon canadien ou de bacon à la dinde
½ tasse (125 ml) de fromage cottage
½ tasse (125 ml) de céréales de sarrasin (voir la recette à l'annexe A)
1 kiwi
250 ml de thé vert ou d'eau

Suppléments : régime de supplémentation quotidien, 2 comprimés d'huile de poisson norvégienne de bonne qualité, 1 supplément de neuropeptides

Déjeuner

½ tasse (125 ml) d'houmous (voir la recette à l'annexe A)
120 à 180 grammes de poulet, de saumon ou de tofu grillé
2 branches de céleri
1 pomme

Suppléments : régime de supplémentation quotidien, 2 comprimés d'huile de poisson norvégienne de bonne qualité, 1 supplément de neuropeptides

Collation

Yogourt : mélangez au mélangeur 180 ml de yogourt nature et
     1 portion d'açayer
3 noix de Grenoble
250 ml d'eau

Dîner

Poulet grillé à l'indienne (voir la recette à l'annexe A)
½ tasse (125 ml) d'orge cuite (voir la recette à l'annexe A)
1 tranche de cantaloup de 5 centimètres
250 ml d'eau
2 comprimés d'huile de poisson norvégienne de bonne qualité

Collation du soir

30 à 60 grammes de poitrine de dinde ou de poulet en tranches
¼ tasse (60 ml) de graines de citrouille
½ tasse (125 ml) de petits fruits
250 ml d'eau

7ᵉ jour. Dimanche

Commencez la journée avec une cuillérée à thé (5 ml) d'aliment fonctionnel en poudre à base de peptides dilué dans 180 ml d'eau ou un comprimé de Fraction-G ou Fraction-SX de maïtaké.

Exercices quotidiens.

Après avoir nettoyé votre peau, appliquez une crème à base de neuropeptides sur votre visage et votre cou.

Petit-déjeuner

90 à 180 grammes de saumon grillé ou fumé
⅛ à ¼ tasse (30 à 60 ml) (avant cuisson) de gruau d'avoine à
    l'ancienne avec ½ cuillérée à thé (2,5 ml) de cannelle
1 kiwi
250 ml de thé vert ou d'eau

Suppléments : régime de supplémentation quotidien, 2 comprimés
d'huile de poisson norvégienne de bonne qualité, 1 supplément de
neuropeptides

Déjeuner

Hamburger à la dinde (voir la recette à l'annexe A)
Salade verte assaisonnée d'huile d'olive extra vierge et de jus de
    citron au goût
½ tasse (125 ml) de petits fruits
250 ml d'eau

Suppléments : régime de supplémentation quotidien, 2 comprimés
d'huile de poisson norvégienne de bonne qualité, 1 supplément de
neuropeptides

Collation

½ tasse (125 ml) de fromage cottage recouvert d'une cuillérée à
    table (15 ml) de graines de lin moulues
1 pomme
250 ml d'eau

Dîner

Délice de flétan aux poivrons rouges et aux poireaux braisés
(voir la recette à l'annexe A)
½ tasse (125 ml) de sarrasin pilaf (voir la recette à l'annexe A)
250 ml d'eau
2 comprimés d'huile de poisson norvégienne de bonne qualité

Collation du soir

30 à 60 grammes de poitrine de dinde ou de poulet en tranches
3 olives
3 fraises
250 ml d'eau

DEUXIÈME SEMAINE

8ᵉ jour. Lundi

Commencez la journée avec une cuillérée à thé (5 ml) d'aliment
fonctionnel en poudre à base de peptides dilué dans 180 ml d'eau ou
un comprimé de Fraction-G ou Fraction-SX de maïtaké.

Exercices quotidiens.

Après avoir nettoyé votre peau, appliquez une crème à base de
neuropeptides sur votre visage et votre cou.

Petit-déjeuner

Omelette : 2 œufs entiers, 2 blancs d'œufs, herbes fraîches,
ciboulette ou échalotes hachées.

Yogourt ou kéfir frappé : mélangez au mélangeur 180 ml de yogourt ou de kéfir non sucré, ¼ tasse (60 ml) de petits fruits, 1 cuillérée à thé (5 ml) de graines de lin moulues et 1 portion d'açayer.

250 ml de thé vert ou d'eau

Suppléments : régime de supplémentation quotidien, 2 comprimés d'huile de poisson norvégienne de bonne qualité, 1 supplément de neuropeptides

Déjeuner

Cocktail de crevettes géantes, de crabe ou de homard (voir la recette à l'annexe A)

Salade verte assaisonnée d'huile d'olive extra vierge et de jus de citron au goût, garnir avec ½ avocat

1 poire

250 ml d'eau

Suppléments : régime de supplémentation quotidien, 2 comprimés d'huile de poisson norvégienne de bonne qualité, 1 supplément de neuropeptides

Collation

½ tasse (125 ml) de fromage cottage recouvert d'une cuillérée à table (15 ml) de graines de tournesol ou de citrouille hachées

1 pomme

250 ml d'eau

Dîner

Poulet au citron (voir la recette à l'annexe A)

Avoine pilaf parfumée au safran et au persil (voir la recette à l'annexe A)

Assiette de fruits mélangés avec de minces tranches de melon, de kiwi et de pomme

250 ml d'eau

2 comprimés d'huile de poisson norvégienne de bonne qualité

Collation du soir

30 à 60 grammes de poitrine de dinde ou de poulet en tranches

3 amandes

¼ tasse (60 ml) de bleuets

250 ml d'eau

9ᵉ jour. Mardi

Commencez la journée avec une cuillérée à thé (5 ml) d'aliment fonctionnel en poudre à base de peptides dilué dans 180 ml d'eau ou un comprimé de Fraction-G ou Fraction-SX de maïtaké.

Exercices quotidiens.

Après avoir nettoyé votre peau, appliquez une crème à base de neuropeptides sur votre visage et votre cou.

Petit-déjeuner

Omelette : 2 œufs entiers, 2 blancs d'œufs, garnie avec ½ tasse (125 ml) d'oignons et de champignons sautés

1 tranche de 5 centimètres de melon miel

250 ml de thé vert ou d'eau

264

Suppléments : régime de supplémentation quotidien, 2 comprimés d'huile de poisson norvégienne de bonne qualité, 1 supplément de neuropeptides

Déjeuner

Soupe au poulet réconfortante (voir la recette à l'annexe A)
1 poire
250 ml d'eau

Suppléments : régime de supplémentation quotidien, 2 comprimés d'huile de poisson norvégienne de bonne qualité, 1 supplément de neuropeptides

Collation

30 à 60 grammes de poitrine de dinde
3 noix de Grenoble
1 pomme
250 ml d'eau

Dîner

Moruette avec sauce aux tomates et basilic (voir la recette à l'annexe A)
Épinard avec ail et gingembre (voir la recette à l'annexe A)
½ tasse (125 ml) d'orge cuite (voir la recette de l'annexe A)
¼ tasse (60 ml) de petits fruits
250 ml d'eau
2 comprimés d'huile de poisson norvégienne de bonne qualité

Collation du soir

½ tasse (125 ml) de fromage cottage recouvert d'une cuillérée à
   table (15 ml) de graines de lin moulues
¼ tasse (60 ml) de cerises
250 ml d'eau

10ᵉ jour. Mercredi

Commencez la journée avec une cuillérée à thé (5 ml) d'aliment
fonctionnel en poudre à base de peptides dilué dans 180 ml d'eau ou
un comprimé de Fraction-G ou Fraction-SX de maïtaké.

Exercices physiques quotidiens.

Après avoir nettoyé votre peau, appliquez une crème à base de
neuropeptides sur votre visage et votre cou.

Déjeuner

30 à 60 grammes de filets de saumon grillés ou de saumon fumé
Yogourt ou kéfir frappé : mélangez au mélangeur 180 ml de
   yogourt ou de kéfir non sucré, ¼ tasse (60 ml) de petits fruits
   et 1 portion d'açayer
3 noix de macadamia
250 ml de thé vert ou d'eau

Suppléments : régime de supplémentation quotidien, 2 comprimés
d'huile de poisson norvégienne de bonne qualité, 1 supplément de
neuropeptides

Déjeuner

Roulé à la salade de poulet, de dinde ou de tofu (voir la recette à
   l'annexe A)

Grosse salade verte avec tomates en tranches
1 tranche de cantaloup de 5 centimètres
250 ml d'eau

Suppléments : régime de supplémentation quotidien, 2 comprimés d'huile de poisson norvégienne de bonne qualité, 1 supplément de neuropeptides

Collation

½ tasse (125 ml) d'houmous (voir la recette à l'annexe A)
2 branches de céleri
3 amandes
250 ml d'eau

Dîner

Curry aux crevettes (voir la recette à l'annexe A)
½ tasse (125 ml) d'orge ou d'avoine entière cuite : faites cuire
        comme du riz brun
1 tasse (250 ml) de salade : mélangez des feuilles de laitue,
        ½ avocat, de l'huile d'olive extra vierge et du jus de citron
        au goût
250 ml d'eau
2 comprimés d'huile de poisson norvégienne de bonne qualité

Collation du soir

30 à 60 grammes de poitrine de poulet ou de dinde en tranches
¼ tasse (60 ml) de graines de citrouille
1 pomme
250 ml d'eau

11ᵉ jour. Jeudi

Commencez la journée avec une cuillérée à thé (5 ml) d'aliment fonctionnel en poudre à base de peptides dilué dans 180 ml d'eau ou un comprimé de Fraction-G ou Fraction-SX de maïtaké.

Exercices physiques quotidiens.

Après avoir nettoyé votre peau, appliquez une crème à base de neuropeptides sur votre visage et votre cou.

Petit-déjeuner

Omelette : 2 œufs entiers, 2 blancs d'œufs, herbes fraîches et
    30 grammes de fromage feta
⅛ à ¼ tasse (30 à 60 ml) (avant cuisson) de gruau à l'ancienne,
    garni d'une cuillérée à table (15 ml) de graines de citrouille
    hachées
1 kiwi
250 ml de thé vert ou d'eau

Suppléments : régime de supplémentation quotidien, 2 comprimés d'huile de poisson norvégienne de bonne qualité, 1 supplément de neuropeptides

Déjeuner

Hamburger de saumon sur un lit de feuilles de laitue (voir la
    recette à l'annexe A)
1 pomme
250 ml d'eau

Suppléments : régime de supplémentation quotidien, 2 comprimés d'huile de poisson norvégienne de bonne qualité, 1 supplément de neuropeptides

Collation

Yogourt ou kéfir frappé : mélangez au mélangeur 180 ml de
yogourt ou de kéfir non sucré, ¼ tasse (60 ml) de petits fruits,
1 cuillérée à thé (5 ml) de graines de lin moulues et 1 portion
d'açayer
250 ml de thé vert ou d'eau

Dîner

Chili à la dinde ou au tofu (voir la recette à l'annexe A)
Salade verte assaisonnée d'huile d'olive extra vierge et de jus de
citron au goût
1 poire
250 ml d'eau
2 comprimés d'huile de poisson norvégienne de bonne qualité

Collation

¼ tasse (60 ml) de fromage cottage recouvert d'une cuillérée à
thé (5 ml) de graines de lin
¼ tasse (60 ml) de petits fruits
250 ml d'eau

12ᵉ jour. Vendredi

Commencez la journée avec une cuillérée à thé (5 ml) d'aliment
fonctionnel en poudre à base de peptides dilué dans 180 ml d'eau ou
un comprimé de Fraction-G ou Fraction-SX de maïtaké.

Exercices physiques quotidiens.

Après avoir nettoyé votre peau, appliquez une crème à base de
neuropeptides sur votre visage et votre cou.

Petit-déjeuner

> 2 bouts de saucisses à la dinde ou au tofu
> 2 œufs à la coque
> ½ tasse (125 ml) d'orge cuite avec une cuillérée à table (15 ml) de
>   yogourt et ¼ tasse (60 ml) de petits fruits
> 250 ml de thé vert ou d'eau

Suppléments : régime de supplémentation quotidien, 2 comprimés d'huile de poisson norvégienne de bonne qualité, 1 supplément de neuropeptides

Déjeuner

> Soupe méditerranéenne à la dinde (voir la recette à l'annexe A)
> 3 noix de Grenoble
> 1 tranche de cantaloup de 5 centimètres

Suppléments : régime de supplémentation quotidien, 2 comprimés d'huile de poisson norvégienne de bonne qualité, 1 supplément de neuropeptides

Collation

> Yogourt ou kéfir frappé : mélangez au mélangeur 180 ml de
>   yogourt ou de kéfir non sucré, ¼ tasse (60 ml) de petits fruits,
>   1 cuillérée à thé (5 ml) de graines de lin et 1 portion d'açayer
> 250 ml d'eau

Dîner

> Ragoût de poisson simple et délicieux (voir la recette à
>   l'annexe A)

Salade verte assaisonnée d'huile d'olive extra vierge et de jus de citron au goût

250 ml d'eau

2 comprimés d'huile de poisson norvégienne de bonne qualité

Collation du soir

1 œuf dur

3 tomates cerises

3 noix de macadamia

250 ml d'eau

Note importante : si vous prenez un supplément de neuropeptides, il est temps de réduire votre dose. À partir du treizième jour, prenez un supplément de neuropeptides une fois par jour ou une fois à tous les deux jours au petit-déjeuner.

13ᵉ jour. Samedi

Commencez la journée avec une cuillérée à thé (5 ml) d'aliment fonctionnel en poudre à base de peptides dilué dans 180 ml d'eau ou un comprimé de Fraction-G ou Fraction-SX de maïtaké.

Exercices physiques quotidiens.

Après avoir nettoyé votre peau, appliquez une crème à base de neuropeptides sur votre visage et votre cou.

Petit-déjeuner

Omelette : 2 œufs entiers, 2 blancs d'œufs, herbes fraîches, ciboulette ou échalotes hachées

Yogourt ou kéfir frappé : mélangez au mélangeur 180 ml de yogourt ou de kéfir non sucré, ¼ tasse (60 ml) de petits fruits, 1 cuillérée à thé (5 ml) de graines de lin et 1 portion d'açayer

3 amandes

250 ml de thé vert ou d'eau

Suppléments : régime de supplémentation quotidien, 2 comprimés
d'huile de poisson norvégienne de bonne qualité

Collation

1 œuf dur
1 pomme
3 noix de Grenoble
250 ml d'eau

Dîner

Poivrons farcis à la méditerranéenne (voir la recette à
    l'annexe A)
Salade verte assaisonnée d'huile d'olive extra vierge et de jus de
    citron au goût
250 ml d'eau
2 comprimés d'huile de poisson norvégienne de bonne qualité

Collation du soir

½ tasse (125 ml) de fromage cottage recouvert d'une cuillérée à
    table (15 ml) de graines de citrouille ou de tournesol hachées
1 kiwi
250 ml d'eau

14ᵉ jour. Dimanche

Commencez la journée avec une cuillérée à thé (5 ml) d'aliment fonctionnel en poudre à base de peptides dilué dans 180 ml d'eau ou un comprimé de Fraction-G ou Fraction-SX de maïtaké.

Exercices physiques quotidiens.

Après avoir nettoyé votre peau, appliquez une crème à base de neuropeptides sur votre visage et votre cou.

Petit-déjeuner

2 tranches de bacon à la dinde

2 œufs durs

½ tasse (125 ml) de céréales de sarrasin (voir la recette à l'annexe A)

250 ml de thé vert ou d'eau

Suppléments : régime de supplémentation quotidien, 2 comprimés d'huile de poisson norvégienne de bonne qualité, 1 supplément de neuropeptides

Déjeuner

Salade César avec poulet ou crevettes grillés (voir la recette à l'annexe A)

1 tranche de cantaloup de 5 centimètres

Suppléments : régime de supplémentation quotidien, 2 comprimés d'huile de poisson norvégienne de bonne qualité

Collation

Yogourt ou kéfir frappé : mélangez au mélangeur 180 ml de
yogourt ou de kéfir non sucré, ¼ tasse (60 ml) de petits fruits,
1 cuillérée à thé (5 ml) de graines de lin moulues et 1 portion
d'açayer
250 ml d'eau

Dîner

Salade au poulet et aux noix servie avec des haricots blancs et
des artichauts (voir la recette à l'annexe A)
1 poire
250 ml d'eau
2 comprimés d'huile de poisson norvégienne de bonne qualité

Collation du soir

30 grammes de poitrine de dinde en tranches
3 olives
3 tomates cerises
250 ml d'eau

TROISIÈME SEMAINE

15ᵉ jour. Lundi

Commencez la journée avec une cuillérée à thé (5 ml) d'aliment
fonctionnel en poudre à base de peptides dilué dans 180 ml d'eau ou
un comprimé de Fraction-G ou Fraction-SX de maïtaké.
Exercices physiques quotidiens.

Après avoir nettoyé votre peau, appliquez une crème à base de neuropeptides sur votre visage et votre cou.

Petit-déjeuner

1 œuf à la coque

½ tasse (125 ml) de fromage cottage recouvert d'une cuillérée à table (15 ml) de graines de lin moulues

⅛ à ¼ tasse (30 à 60 ml) (avant cuisson) de gruau à l'ancienne avec ½ cuillérée à thé (2,5 ml) de cannelle

¼ tasse (60 ml) de petits fruits

250 ml de thé vert ou d'eau

Suppléments : régime de supplémentation quotidien, 2 comprimés d'huile de poisson norvégienne de bonne qualité, 1 supplément de neuropeptides

Déjeuner

¾ tasse (180 ml) de poulet au gingembre ou de salade au tofu (voir la recette à L'annexe A)

1 kiwi

250 ml d'eau

Suppléments : régime de supplémentation quotidien, 2 comprimés d'huile de poisson norvégienne de bonne qualité

Collation

180 ml de yogourt ou de kéfir nature mélangé avec 1 paquet de pulpe d'açayer

3 amandes

250 ml d'eau

Dîner

Filets de saumon sauvage aux noisettes sur lit de verdure (voir la
recette à l'annexe A)
1 tranche de cantaloup de 5 centimètres
250 ml d'eau
2 comprimés d'huile de poisson norvégienne de bonne qualité

Collation du soir

1 œuf dur
1 pomme
3 noix de Grenoble
250 ml d'eau

16ᵉ jour. Mardi

Commencez la journée avec une cuillérée à thé (5 ml) d'aliment
fonctionnel en poudre à base de peptides dilué dans 180 ml d'eau ou
un comprimé de Fraction-G ou Fraction-SX de maïtaké.

Après avoir nettoyé votre peau, appliquez une crème à base de
neuropeptides sur votre visage et votre cou.

Déjeuner

Omelette : 2 œufs entiers, 2 blancs d'œufs et herbes fraîches
Yogourt ou kéfir frappé : 180 ml de yogourt nature ou de kéfir,
1 cuillérée à table (15 ml) de graines de lin moulues, ¼ tasse
(60 ml) de petits fruits et 1 portion d'açayer
250 ml de thé vert ou d'eau

Suppléments : régime de supplémentation quotidien, 2 comprimés d'huile de poisson norvégienne de bonne qualité, 1 supplément de neuropeptides

Déjeuner

Salade grecque garnie de poulet, de saumon, de crevettes ou de tofu grillé (voir la recette à l'annexe A)

1 pomme

250 ml d'eau

Suppléments : régime de supplémentation quotidien, 2 comprimés d'huile de poisson norvégienne de bonne qualité

Collation

½ tasse (125 ml) de fromage cottage recouvert d'une cuillérée à table (15 ml) de graines de lin moulues

1 poire

250 ml d'eau

Dîner

1 bol de soupe aux lentilles et aux saucisses à la dinde (voir la recette à l'annexe A)

1 tasse (250 ml) de feuilles de laitue vert foncé, 30 à 60 grammes de poulet grillé, huile d'olive et jus de citron au goût et ½ tasse (125 ml) de pousses

250 ml d'eau

2 comprimés d'huile de poisson norvégienne de bonne qualité

Collation du soir

30 à 60 grammes de poitrine de dinde ou de poulet grillé en
tranches
1 cuillérée à table (15 ml) de graines de citrouille crues
1 tranche de melon miel de 5 centimètres
250 ml d'eau

17ᵉ jour. Mercredi

Commencez la journée avec une cuillérée à thé (5 ml) d'aliment
fonctionnel en poudre à base de peptides dilué dans 180 ml d'eau ou
un comprimé de Fraction-G ou Fraction-SX de maïtaké.

Exercices physiques quotidiens.

Après avoir nettoyé votre peau, appliquez une crème à base de
neuropeptides sur votre visage et votre cou.

Petit-déjeuner

120 à 240 grammes de saumon grillé ou fumé
½ tasse (125 ml) d'orge cuite, ½ cuillérée à thé de cannelle
(2,5 ml) et 1 cuillérée à table (15 ml) de petits fruits
250 ml de thé vert ou d'eau

Suppléments : régime de supplémentation quotidien, 2 comprimés
d'huile de poisson norvégienne de bonne qualité, 1 supplément de
neuropeptides

Déjeuner

Cocktail de crevettes géantes (voir la recette à l'annexe A)
½ avocat
1 pomme
250 ml d'eau

Suppléments : régime de supplémentation quotidien, 2 comprimés d'huile de poisson norvégienne de bonne qualité

Collation

180 grammes de yogourt nature mélangé avec 1 paquet d'açayer
1 cuillérée à table (15 ml) de graines de tournesol
250 ml d'eau

Dîner

Ding au poulet et aux amandes (voir la recette à l'annexe A)
½ tasse (125 ml) de salade de fruits mélangée avec des petits
     fruits, du kiwi et de la poire
250 ml d'eau
2 comprimés d'huile de poisson norvégienne de bonne qualité

Collation du soir

¼ tasse (60 ml) d'houmous (voir la recette à l'annexe A)
1 branche de céleri
250 ml d'eau

18ᵉ jour. Jeudi

Commencez la journée avec une cuillérée à thé (5 ml) d'aliment fonctionnel en poudre à base de peptides dilué dans 180 ml d'eau ou un comprimé de Fraction-G ou Fraction-SX de maïtaké.

Exercices physiques quotidiens.

Après avoir nettoyé votre peau, appliquez une crème à base de neuropeptides sur votre visage et votre cou.

Déjeuner

Omelette : 2 œufs entiers, 2 blancs d'œufs, 15 grammes de
fromage feta émietté et ¼ cuillérée à thé (2,5 ml) d'aneth frais
ou séché
1 tranche de cantaloup de 5 centimètres
250 ml de thé vert ou d'eau

Suppléments : régime de supplémentation quotidien, 2 comprimés
d'huile de poisson norvégienne de bonne qualité, 1 supplément de
neuropeptides

Déjeuner

Cocktail de crabe ou de homard (voir la recette à l'annexe A)
Salade verte assaisonnée d'huile d'olive extra vierge et de jus de
citron au goût
1 poire
250 ml d'eau

Suppléments : régime de supplémentation quotidien, 2 comprimés
d'huile de poisson norvégienne de bonne qualité

Collation

Kéfir frappé : mélangez au mélangeur 180 ml de kéfir non sucré,
¼ tasse (60 ml) de petits fruits, 1 cuillérée à thé (5 ml) de
graines de lin moulues et 1 portion d'açayer
250 ml d'eau

Dîner

Curry au poulet ou au tofu (voir la recette de l'annexe A) servi
sur ½ tasse (125 ml) d'orge cuite
Salade de concombres fraîche et crémeuse (voir la recette de
l'annexe A)
250 ml d'eau
2 comprimés d'huile de poisson norvégienne de bonne qualité

Collation du soir

30 à 60 grammes de poitrine de dinde ou de poulet en tranches
¼ tasse (60 ml) de cerises
3 amandes
250 ml d'eau

19ᵉ jour. Vendredi

Commencez la journée avec une cuillérée à thé (5 ml) d'aliment
fonctionnel en poudre à base de peptides dilué dans 180 ml d'eau ou
un comprimé de Fraction-G ou Fraction-SX de maïtaké.

Exercices physiques quotidiens.

Après avoir nettoyé votre peau, appliquez une crème à base de
neuropeptides sur votre visage et votre cou.

Petit-déjeuner

1 œuf dur
2 tranches de bacon à la dinde
Yogourt ou kéfir frappé : mélangez au mélangeur 180 ml de
yogourt ou de kéfir nature, ¼ tasse (60 ml) de petits fruits et
1 portion d'açayer
250 ml de thé vert ou d'eau

Suppléments : régime de supplémentation quotidien, 2 comprimés d'huile de poisson norvégienne de bonne qualité, 1 supplément de neuropeptides

Déjeuner

Roulé à la salade de poulet, de dinde ou de tofu (voir la recette à l'annexe A)
250 ml d'eau

Suppléments : régime de supplémentation quotidien, 2 comprimés d'huile de poisson norvégienne de bonne qualité

Collation

1 œuf dur
3 tomates cerises
3 olives
250 ml d'eau

Dîner

Saumon Teriyaki (vous pouvez aussi remplacer le saumon par de la poitrine de poulet ou du tofu — voir la recette à l'annexe A)
½ tasse (125 ml) d'asperges cuites à la vapeur
½ tasse (125 ml) de lentilles
250 ml d'eau
2 comprimés d'huile de poisson norvégienne de bonne qualité

Collation du soir

½ tasse (125 ml) de fromage cottage
1 cuillérée à table (15 ml) de graines de citrouille hachées
250 ml d'eau

20ᵉ jour. Samedi

Commencez la journée avec une cuillérée à thé (5 ml) d'aliment fonctionnel en poudre à base de peptides dilué dans 180 ml d'eau ou un comprimé de Fraction-G ou Fraction-SX de maïtaké.

Exercices physiques quotidiens.

Après avoir nettoyé votre peau, appliquez une crème à base de neuropeptides sur votre visage et votre cou.

Petit-déjeuner

2 tranches de bacon canadien ou de bacon à la dinde
½ tasse (125 ml) de fromage cottage
½ tasse (125 ml) de céréales de sarrasin (voir la recette à
     l'annexe A)
1 kiwi
250 ml de thé vert ou d'eau

Suppléments : régime de supplémentation quotidien, 2 comprimés d'huile de poisson norvégienne de bonne qualité, 1 supplément de neuropeptides

Déjeuner

½ tasse (125 ml) d'houmous (voir la recette à l'annexe A)
120 à 180 grammes de poulet, de saumon ou de tofu grillé
2 branches de céleri
1 pomme

Suppléments : régime de supplémentation quotidien, 2 comprimés
d'huile de poisson norvégienne de bonne qualité

Collation

Yogourt frappé : mélangez au mélangeur 180 ml de yogourt
    nature et 1 portion d'açayer
3 noix de Grenoble
250 ml d'eau

Dîner

Poulet grillé à l'indienne (voir la recette à l'annexe A)
½ tasse (125 ml) d'orge cuite (voir la recette à l'annexe A)
1 tranche de cantaloup de 5 centimètres
250 ml d'eau
2 comprimés d'huile de poisson norvégienne de bonne qualité

Collation du soir

30 à 60 grammes de poitrine de dinde ou de poulet en tranches
¼ tasse (60 ml) de graines de citrouille
½ (125 ml) tasse de cerises
250 ml d'eau

21ᵉ jour. Dimanche

Commencez la journée avec une cuillérée à thé (5 ml) d'aliment
fonctionnel en poudre à base de peptides dilué dans 180 ml d'eau ou
un comprimé de Fraction-G ou Fraction-SX de maïtaké.

Exercices physiques quotidiens : relaxation.

Après avoir nettoyé votre peau, appliquez une crème à base de neuropeptides sur votre visage et votre cou.

Petit-déjeuner

90 à 180 grammes de saumon grillé ou fumé
⅛ à ¼ tasse (30 à 60 ml) (avant cuisson) de gruau à l'ancienne avec ½ cuillérée à thé (2,5 ml) de cannelle
1 kiwi
250 ml de thé vert ou d'eau

Suppléments : régime de supplémentation quotidien, 2 comprimés d'huile de poisson norvégienne de bonne qualité, 1 supplément de neuropeptides

Déjeuner

Hamburger à la dinde (voir la recette à l'annexe A)
Salade verte assaisonnée d'huile d'olive extra vierge et de jus de citron au goût
½ tasse (125 ml) de petits fruits
250 ml d'eau

Suppléments : régime de supplémentation quotidien, 2 comprimés d'huile de poisson norvégienne de bonne qualité

Collation

½ tasse (125 ml) de fromage cottage recouvert d'une cuillérée à table (15 ml) de graines de lin moulues
1 pomme
250 ml d'eau

Dîner

> Délice de flétan aux poivrons rouges et aux poireaux braisés
>   (voir la recette à l'annexe A)
> ½ tasse (125 ml) de sarrasin pilaf (voir recette à l'annexe A)
> 250 ml d'eau
> 2 comprimés d'huile de poisson norvégienne de bonne qualité

Collation du soir

> 30 à 60 grammes de poitrine de dinde et de poulet en tranches
> 3 olives
> 3 fraises
> 250 ml d'eau

QUATRIÈME SEMAINE

22ᵉ jour. Lundi

Commencez la journée avec une cuillérée à thé (5 ml) d'aliment fonctionnel en poudre à base de peptides dilué dans 180 ml d'eau ou un comprimé de Fraction-G ou Fraction-SX de maïtaké.

Exercices physiques quotidiens.

Après avoir nettoyé votre peau, appliquez une crème à base de neuropeptides sur votre visage et votre cou.

Déjeuner

> Omelette : 2 œufs entiers, 2 blancs d'œufs, herbes fraîches,
>   ciboulette et échalotes hachées

Yogourt ou kéfir frappé : mélangez au mélangeur 180 ml de yogourt ou kéfir non sucré, ¼ tasse (60 ml) de petits fruits, 1 cuillérée à thé (5 ml) de graines de lin moulues et 1 portion d'açayer

250 ml de thé vert ou d'eau

Suppléments : régime de supplémentation quotidien, 2 comprimés d'huile de poisson norvégienne de bonne qualité, 1 supplément de neuropeptides

Déjeuner

Cocktail de crevettes géantes, de crabe ou de homard (voir la recette à l'annexe A)

Salade verte assaisonnée d'huile d'olive et de jus de citron au goût, garnie avec ½ avocat

1 poire

250 ml d'eau

Suppléments : régime de supplémentation quotidien, 2 comprimés d'huile de poisson norvégienne de bonne qualité

Collation

½ tasse (125 ml) de fromage cottage recouvert d'une cuillérée à table (15 ml) de graines de tournesol ou de citrouille hachées

1 pomme

250 ml d'eau

Dîner

Poulet au citron (voir la recette à l'annexe A)

Avoine pilaf parfumée au safran et au persil (voir la recette à l'annexe A)

Plat de fruits mélangés servi avec de minces tranches de melon,
de kiwi et de pomme
250 ml d'eau
2 comprimés d'huile de poisson norvégienne de bonne qualité

Collation du soir

30 à 60 grammes de poitrine de dinde ou de poulet en tranches
3 amandes
¼ tasse (60 ml) de bleuets
250 ml d'eau

23ᵉ jour. Mardi

Commencez la journée avec une cuillérée à thé (5 ml) d'aliment
fonctionnel en poudre à base de peptides dilué dans 180 ml d'eau ou
un comprimé de Fraction-G ou Fraction-SX de maïtaké.

Exercices physiques quotidiens.

Après avoir nettoyé votre peau, appliquez une crème à base de
neuropeptides sur votre visage et votre cou.

Déjeuner

Omelette composée de 2 œufs entiers et 2 blancs d'œufs avec
½ tasse (125 ml) d'oignon et de champignons sautés
1 tranche de melon miel de 5 centimètres
250 ml de thé vert et d'eau

Suppléments : régime de supplémentation quotidien, 2 comprimés
d'huile de poisson norvégienne de bonne qualité, 1 supplément de
neuropeptides

Déjeuner

Soupe au poulet réconfortante (voir la recette à l'annexe A)
1 poire
250 ml d'eau

Suppléments : régime de supplémentation quotidien, 2 comprimés d'huile de poisson norvégienne de bonne qualité

Collation

30 à 60 grammes de poitrine de dinde
3 noix de Grenoble
1 pomme
250 ml d'eau

Dîner

Moruette avec sauce aux tomates et basilic (voir la recette à l'annexe A)
Épinards à l'ail et au gingembre (voir la recette à l'annexe A)
½ tasse (125 ml) d'orge cuite (voir la recette à l'annexe A)
¼ tasse (60 ml) de petits fruits
250 ml d'eau
2 comprimés d'huile de poisson norvégienne de bonne qualité

Collation du soir

½ tasse (125 ml) de fromage cottage recouvert d'une cuillérée à table (15 ml) de graines de lin moulues
¼ tasse (60 ml) de petits fruits
250 ml d'eau

24ᵉ jour. Mercredi

Commencez la journée avec une cuillérée à thé (5 ml) d'aliment fonctionnel en poudre à base de peptides dilué dans 180 ml d'eau ou un comprimé de Fraction-G ou Fraction-SX de maïtaké.

Exercices physiques quotidiens.

Après avoir nettoyé votre peau, appliquez une crème à base de neuropeptides sur votre visage et votre cou.

Petit-déjeuner

90 à 180 grammes de filet de saumon grillé ou fumé

Yogourt ou kéfir frappé : mélangez au mélangeur 180 ml de yogourt ou kéfir non sucré, ¼ tasse (60 ml) de petits fruits et 1 portion d'açayer

3 noix de macadamia

250 ml de thé vert ou d'eau

Suppléments : régime de supplémentation quotidien, 2 comprimés d'huile de poisson norvégienne de bonne qualité, 1 supplément de neuropeptides

Déjeuner

Roulé à la salade de poulet, de dinde ou de tofu (voir la recette à l'annexe A)

Grosse salade verte avec des tomates en tranches

1 tranche de cantaloup de 5 centimètres

Suppléments : régime de supplémentation quotidien, 2 comprimés d'huile de poisson norvégienne de bonne qualité

Collation

½ tasse (125 ml) d'houmous (voir la recette à l'annexe A)
2 branches de céleri
3 amandes
250 ml d'eau

Dîner

Curry aux crevettes (voir la recette à l'annexe A)
½ tasse (125 ml) d'avoine ou d'orge entière (faites cuire comme
    du riz brun)
1 tasse (250 ml) de salade composée de feuilles de laitue et d'un
    demi-avocat, assaisonnée d'huile d'olive extra vierge et de
    jus de citron au goût
250 ml d'eau
2 comprimés d'huile de poisson norvégienne de bonne qualité

Collation du soir

30 à 60 grammes de poitrine de poulet ou de dinde en tranches
½ tasse (125 ml) de graines de citrouille
1 pomme
250 ml d'eau

25ᵉ jour. Jeudi

Commencez la journée avec une cuillérée à thé (5 ml) d'aliment
fonctionnel en poudre à base de peptides dilué dans 180 ml d'eau ou
un comprimé de Fraction-G ou Fraction-SX de maïtaké.

Exercices physiques quotidiens.

Après avoir nettoyé votre peau, appliquez une crème à base de
neuropeptides sur votre visage et votre cou.

Petit-déjeuner

Omelette composée de 2 œufs entiers, de 2 blancs d'œufs,
    d'herbes fraîches et de 30 grammes de fromage feta
⅛ à ¼ tasse (30 à 60 ml) (avant cuisson) de gruau à l'ancienne
    recouvert d'une cuillérée à table (15 ml) de graines de
    citrouille hachées
1 kiwi
250 ml de thé vert ou d'eau

Suppléments : régime de supplémentation quotidien, 2 comprimés
d'huile de poisson norvégienne de bonne qualité, 1 supplément de
neuropeptides

Déjeuner

Hamburger au saumon sur un lit de feuilles de laitue (voir la
    recette à l'annexe A)
1 pomme
250 ml d'eau

Suppléments : régime de supplémentation quotidien, 2 comprimés
d'huile de poisson norvégienne de bonne qualité

Collation

Yogourt ou kéfir frappé : mélangez au mélangeur 180 ml de
    yogourt ou de kéfir non sucré, ¼ tasse (60 ml) de petits fruits,
    1 cuillérée à thé (5 ml) de graines de lin moulues et 1 portion
    d'açayer
250 ml d'eau

Dîner

Chili à la dinde ou au tofu (voir la recette à l'annexe A)
Salade verte assaisonnée d'huile d'olive extra vierge et de jus de
    citron au goût
1 poire
250 ml d'eau
2 comprimés d'huile de poisson norvégienne de bonne qualité

Collation du soir

½ tasse (125 ml) de fromage cottage recouvert d'une cuillérée à
    thé (5 ml) de graines de lin
¼ tasse (60 ml) de petits fruits
250 ml d'eau

26ᵉ jour. Vendredi

Commencez la journée avec une cuillérée à thé (5 ml) d'aliment
fonctionnel en poudre à base de peptides dilué dans 180 ml d'eau ou
un comprimé de Fraction-G ou Fraction-SX de maïtaké.
    Exercices physiques quotidiens.
    Après avoir nettoyé votre peau, appliquez une crème à base de
neuropeptides sur votre visage et votre cou.

Petit-déjeuner

2 bouts de saucisses à la dinde ou au tofu
2 œufs à la coque
½ tasse (125 ml) d'orge cuite recouverte par 1 cuillérée à table
    (15 ml) de yogourt et ¼ tasse (60 ml) de petits fruits
250 ml de thé vert ou d'eau

Suppléments : régime de supplémentation quotidien, 2 comprimés d'huile de poisson norvégienne de bonne qualité, 1 supplément de neuropeptides

Déjeuner

Soupe à la dinde méditerranéenne (voir la recette à l'annexe A)
3 noix de Grenoble
1 tranche de cantaloup de 5 centimètres

Suppléments : régime de supplémentation quotidien, 2 comprimés d'huile de poisson norvégienne de bonne qualité

Collation

Yogourt ou kéfir frappé : mélangez au mélangeur 180 ml de yogourt ou de kéfir non sucré, ¼ tasse (60 ml) de petits fruits, 1 cuillérée à thé (5 ml) de graines de lin moulues et 1 portion d'açayer
250 ml d'eau

Dîner

Ragoût de poisson simple et délicieux (voir la recette à l'annexe A)
Salade verte assaisonnée d'huile d'olive extra vierge et de jus de citron au goût
250 ml d'eau
2 comprimés d'huile de poisson norvégienne de bonne qualité

Collation du soir

1 œuf dur
3 tomates cerises
3 noix de macadamia
250 ml d'eau

27ᵉ jour. Samedi

Commencez la journée avec une cuillérée à thé (5 ml) d'aliment fonctionnel en poudre à base de peptides dilué dans 180 ml d'eau ou un comprimé de Fraction-G ou Fraction-SX de maïtaké.

Exercices physiques quotidiens.

Après avoir nettoyé votre peau, appliquez une crème à base de neuropeptides sur votre visage et votre cou.

Petit-déjeuner

Omelette composée de 2 œufs entiers, de 2 blancs d'œufs,
    d'herbes fraîches, d'échalotes ou de ciboulette hachées
Yogourt ou kéfir frappé : mélangez au mélangeur 180 ml de
    yogourt ou de kéfir non sucré, ¼ tasse (60 ml) de petits fruits,
    1 cuillérée à thé (5 ml) de graines de lin moulues et 1 portion
    d'açayer
3 amandes
250 ml de thé vert ou d'eau

Suppléments : régime de supplémentation quotidien, 2 comprimés d'huile de poisson norvégienne de bonne qualité, 1 supplément de neuropeptides

Déjeuner

Salade de saumon (voir la recette à l'annexe A)
1 tranche de cantaloup de 5 centimètres
250 ml d'eau

Suppléments : régime de supplémentation quotidien, 2 comprimés d'huile de poisson norvégienne de bonne qualité

Collation

1 œuf dur
1 pomme
3 noix de Grenoble
250 ml d'eau

Dîner

Poivrons farcis à la méditerranéenne (voir la recette à l'annexe A)
Salade verte assaisonnée d'huile d'olive extra vierge et de jus de citron au goût
250 ml d'eau
2 comprimés d'huile de poisson norvégienne de bonne qualité

Collation du soir

½ tasse (125 ml) de fromage cottage recouvert d'une cuillérée à table (15 ml) de graines de citrouille ou de tournesol hachées
1 kiwi
250 ml d'eau

28ᵉ jour. Dimanche

Commencez la journée avec une cuillérée à thé (5 ml) d'aliment fonctionnel en poudre à base de peptides dilué dans 180 ml d'eau ou un comprimé de Fraction-G ou Fraction-SX de maïtaké.

Exercices physiques quotidiens : relaxation.

Après avoir nettoyé votre peau, appliquez une crème à base de neuropeptides sur votre visage et votre cou.

Petit-déjeuner

2 tranches de bacon à la dinde
2 œufs à la coque
½ tasse (125 ml) de céréales de sarrasin (voir la recette à l'annexe A)
250 ml de thé vert ou d'eau

Suppléments : régime de supplémentation quotidien, 2 comprimés d'huile de poisson norvégienne de bonne qualité, 1 supplément de neuropeptides

Déjeuner

Salade césar avec poulet ou crevettes grillés (voir la recette à l'annexe A)
1 tranche de cantaloup de 5 centimètres

Suppléments : régime de supplémentation quotidien, 2 comprimés d'huile de poisson norvégienne de bonne qualité

Collation

Yogourt ou kéfir frappé : mélangez au mélangeur 180 ml de
yogourt ou de kéfir non sucré, ¼ tasse (60 ml) de petits fruits,
1 cuillérée à thé (5 ml) de graines de lin moulues et 1 portion
d'açayer
250 ml d'eau

Dîner

Salade au poulet et aux noix servie avec des haricots blancs et
des artichauts (voir la recette à l'annexe A)
1 poire
250 ml d'eau
2 comprimés d'huile de poisson norvégienne de bonne qualité

Collation du soir

30 grammes de poitrine de dinde en tranches
3 olives
3 tomates cerises
250 ml d'eau

J'espère que vous suivrez mon programme et constaterez qu'il
peut vous aider à changer votre vie. Mes patients m'ont confié en
avoir fait l'expérience, et je sais qu'il en sera de même pour vous.
C'est votre passeport pour une vie nouvelle, une vie meilleure.
Puissiez-vous y prendre plaisir et profiter de toutes les récompenses
qu'il vous apportera.

Les recettes du Programme Perricone de 28 jours

Annexe A

CES RECETTES UTILISENT PLUSIEURS DES ALIMENTS ARC-EN-CIEL, super-aliments, et herbes et épices, présentés aux chapitres 3, 4 et 5. Elles ont été élaborées pour vous fournir les nutriments et les antioxydants dont vous avez besoin. Elles sont faciles à faire et délicieuses.

Petit-déjeuner

Céréales de sarrasin

Donne deux portions

2 tasses d'eau
1 tasse (250 ml) de gruau de sarrasin
1 pomme, sans trognon et hachée
¼ tasse (60 ml) de graines de tournesol
1 cuillérée à thé (5 ml) de cannelle
¼ tasse (60 ml) de yogourt

Faire bouillir 2 tasses (500 ml) d'eau. Ajouter le gruau d'avoine. Ramener à ébullition. Remuer une fois.

Ajouter la pomme, les graines et la cannelle.

Mettre à feu doux et cuire à découvert pendant 20 minutes ou jusqu'à ce que les graines soient cuites. Servir chaud avec du yogourt.

Déjeuner

Houmous

Donne une excellente trempette que vous pouvez déguster avec des branches de céleri et d'autres légumes crus. Délicieux au déjeuner ou en collation, ce mets contient des protéines, des fibres, des antioxydants et du calcium. Adapté du livre The Whole Food Bible.

Donne environ 2 ½ tasses (750 ml)

1 ½ tasse (375 ml) de pois chiches cuits ou en conserve, plus ½ tasse (125 ml) de liquide des haricots (utilisez de l'eau si vous n'avez pas de liquide)
3 gousses d'ail pelées
¼ tasse (60 ml) de tahini (graines de sésame moulues ; disponible dans les magasins d'aliments santé et au rayon de produits naturels de nombreux supermarchés)
2 cuillérées à table (30 ml) d'huile d'olive extra vierge
Jus d'un citron
1 cuillérée à thé (5 ml) de sel
Feuilles de laitue
Poivre de Cayenne ou paprika

Placer les pois chiches et l'ail dans un mélangeur ou un robot ménager. Réduire en purée, jusqu'à ce que les pois chiches commencent à se défaire.

Ajouter le quart ou la moitié du liquide ou de l'eau (selon la consistance que vous désirez obtenir), le tahini, l'huile d'olive, le jus de citron et le sel. Continuer à réduire en purée jusqu'à ce que tous les ingrédients soient bien mélangés et que le mélange ait une consistance onctueuse. Mettre au frais pendant au moins 2 heures.

Servir sur un lit de laitue. Garnir d'une pincée de poivre de Cayenne ou de paprika.

Roulé à la salade de poulet, de dinde ou de tofu

Pour 2 personnes

Pour le roulé

1 ½ tasse (375 ml) de poitrine de poulet ou de dinde cuite ou de
    tofu ferme en cubes
½ branche de céleri haché
1 petite pomme, sans trognon et hachée
1 cuillérée à table (15 ml) de jus de citron frais
4 noix de Grenoble
¼ tasse (60 ml) de pousses de luzerne ou de brocoli
2 grandes feuilles de chou, lavées

Mélanger tous les ingrédients (sauf les feuilles de chou) dans un petit bol. Diviser le mélange en deux portions et étendre chaque portion sur une feuille de chou. Rouler la feuille de chou et replier les extrémités comme s'il s'agissait d'un pâté impérial.

Pour la sauce

1 tasse (250 ml) de yogourt
1 cuillérée à table (15 ml) de jus de citron
1 cuillérée à thé (5 ml) de persil frais
1 cuillérée à thé (5 ml) d'aneth frais ou séché

Mélanger le yogourt, le jus de citron et les herbes et servir en accompagnement.

Hamburger de saumon sur un lit de feuilles de laitue

Recette rapide et délicieuse pour le déjeuner ou le dîner

Donne 3 hamburgers

1 boîte de saumon sauvage de l'Alaska
3 échalotes émincées
1 cuillérée à table (15 ml) de gingembre frais pelé et finement râpé
1 gros blanc d'œuf
1 cuillérée à table (15 ml) de sauce soya
1 cuillérée à table (15 ml) d'huile d'olive
1 ½ tasse (375 ml) de feuilles de laitue

Égoutter le saumon, puis le mélanger avec les échalotes et le gingembre dans un grand bol en verre ou en céramique jusqu'à ce que tous les ingrédients soient bien mélangés.

Battre ensemble le blanc d'œuf et la sauce soya dans un petit bol et les ajouter au mélange de saumon ; former 3 boulettes d'environ 2 centimètres d'épaisseur.

Faire chauffer l'huile d'olive dans une poêle à frire de 30 centimètres à feu moyen. Ajoutez les boulettes et cuire de 6 à 7 minutes, en les retournant délicatement une fois pendant la cuisson, jusqu'à ce que les boulettes soient dorées et bien cuites.

Dresser les assiettes avec les feuilles de laitue. Placer les boulettes sur le lit de verdure et servir immédiatement.

Salade de saumon

Donne 2 portions

450 grammes de saumon cuit en cubes ou 1 boîte (450 grammes) de
    saumon, égoutté
Jus d'un gros citron
1 tasse (250 ml) de haricots blancs cuits ou en conserve, égouttés
⅓ tasse (80 ml) d'huile d'olive extra vierge
Feuilles d'estragon frais hachées provenant de plusieurs tiges
1 tasse (250 ml) de tomates cerises coupées en deux
¼ tasse (60 ml) d'échalotes hachées
¼ tasse (60 ml) de feuilles de basilic frais émincées
¼ tasse (60 ml) de feuilles de persil frais émincées
Sel et poivre fraîchement moulu, au goût
4 tasses (1 litre) de laitue romaine déchiquetée en petits morceaux

Mélanger délicatement le saumon avec le jus de citron, les haricots
et l'huile d'olive. Ajouter le reste des ingrédients et remuer jusqu'à
ce que la vinaigrette soit répartie uniformément.

Salade de poulet ou de tofu au gingembre

Adaptée du livre The Whole Food Bible

Pour 2 personnes

2 tasses (500 ml) de poitrine de poulet cuite ou de tofu ferme haché
¼ tasse (60 ml) d'oignon rouge haché
½ branche de céleri
1 cuillérée à thé (5 ml) de graines de tournesol
¼ cuillérée à thé (1,25 ml) de gingembre frais finement émincé
1 ½ cuillérée à table (22 ml) d'huile d'olive extra vierge
2 cuillérées à table (30 ml) de jus de citron frais
Laitue romaine

Mélanger les ingrédients jusqu'à ce qu'ils soient uniformément recouverts d'huile d'olive et de jus de citron. Servir sur un lit de laitue romaine.

Hamburger à la dinde

Vous pouvez également faire cuire le mélange dans un moule à pain pour obtenir un pain de viande traditionnel. Adaptée du livre The Whole Food Bible.

Donne 4 hamburgers ou 1 pain de viande

700 grammes de dinde biologique hachée
¼ tasse (60 ml) d'oignon émincé
¾ tasse (180 ml) d'avoine grossièrement moulue (mettre au mélangeur et pulser jusqu'à ce que l'avoine ait la consistance de miettes de pain)
1 œuf
¼ tasse (60 ml) de céleri émincé
¼ tasse (60 ml) de lait, de lait de soya ou de bouillon de poulet
1 cuillérée à thé (5 ml) de sel de mer
1 gousse d'ail émincée
3 cuillérées à table (45 ml) de persil frais haché

Mélanger tous les ingrédients. Former des boulettes de 2,5 centimètres d'épaisseur et les placer dans une poêle légèrement huilée. Faire cuire les hamburgers à feu moyen pendant environ 5 minutes ou jusqu'à ce qu'ils soient dorés et croustillants. Retourner les hamburgers délicatement et cuire encore 5 minutes jusqu'à ce qu'ils soient dorés, que leur température interne atteigne 75° C et que la viande ait perdu sa teinte rosée. Servir chaud.

Si vous préparez un pain à la viande, préchauffer le four à 177° C. Verser le mélange dans un moule à pain de 20 centimètres par 10 centimètres légèrement huilé. Cuire approximativement 45 minutes ou jusqu'à ce que le pain commence à se décoller du moule.

Cocktail de crevettes géantes, de crabe ou de homard

De nos jours, plusieurs supermarchés offrent des crevettes, du crabe et du homard cuits sur place, ce qui rend ce plat simple, mais néanmoins délicieux, encore plus facile à réaliser.

Placer 4 à 6 grosses crevettes ou 120 à 180 grammes de chair de crabe ou de homard dans un petit bol. Garnir de quartiers de citron. Servir avec la sauce à cocktail.

Pour la sauce à cocktail

¾ tasse (180 ml) de ketchup (utilisez le ketchup non sucré de
    marque Westbrae, disponible dans les magasins d'aliments
    santé et au rayon des aliments naturels de votre supermarché)
1 à 1 ½ cuillérée à table (15 à 22 ml) de jus de citron frais
3 cuillérées à table (45 ml) de raifort égoutté au goût
¼ cuillérée à thé (1,25 ml) de Tabasco

Mélanger tous les ingrédients ensemble à l'aide d'une fourchette. Servir frais.

Soupe à la dinde méditerranéenne

Donne 4 portions

1 cuillérée à table (15 ml) d'huile d'olive
1 poivron rouge ou vert en dés
1 oignon jaune haché
2 branches de céleri hachées
3 grosses gousses d'ail hachées
1 cuillérée à table (15 ml) de basilic séché
2 cuillérées à table (30 ml) de graines de fenouil
¼ cuillérée à thé (1,25 ml) de piment rouge séché et broyé
6 tasses (1,5 litres) de bouillon de poulet faible en sel
1 boîte (840 ml) de tomates italiennes en dés égouttées
1 boîte (250 ml) de haricots blancs
680 grammes de dinde cuite en dés
Fromage parmesan ou romano râpé
Sel et poivre

Chauffer l'huile dans une grande poêle à frire à feu moyen. Ajouter le poivron, l'oignon, le céleri, l'ail, le basilic, les graines de fenouil et le piment rouge broyé. Faire sauter pendant environ 10 minutes ou jusqu'à ce que les légumes soient tendres.

Ajouter le bouillon et les tomates. Couvrir la poêle et laisser mijoter pendant 10 minutes.

Ajouter les haricots et la dinde et cuire jusqu'à ce que le tout soit chaud, pendant environ 1 minute.

Garnir chaque bol d'une cuillérée à table de fromage, ajouter du sel et du poivre au goût.

Soupe au poulet réconfortante

Donne 4 portions

6 tasses (1,5 litres) de bouillon de poulet faible en gras

1 tasse (250 ml) d'avoine ou d'orge entière non cuite

2 cuillérées à table (30 ml) de thym frais haché ou 2 cuillérées à thé (10 ml) de thym séché

1 cuillérée à table (15 ml) d'huile d'olive

1 oignon haché

2 branches de céleri hachées

2 échalotes en fines tranches

3 grosses gousses d'ail hachées

700 grammes de poitrine de poulet cuit en dés

Sel et poivre

Persil frais haché

Dans une grande marmite, amener le bouillon de poulet à ébullition. Ajouter l'avoine ou l'orge, ainsi que le thym. Ramener la soupe à ébullition.

Réduire à feu moyen et laisser mijoter, à découvert, jusqu'à ce que les céréales soient tendres, en remuant de temps en temps, pendant environ 30 minutes.

Dans une grande poêle à frire, faire chauffer 1 cuillérée à table (15 ml) d'huile d'olive. Faire sauter l'oignon, le céleri, les échalotes et l'ail à feu moyen jusqu'à ce qu'ils deviennent translucides. Verser les légumes dans le bouillon de poulet.

Ajouter le poulet et laisser mijoter jusqu'à ce que la viande soit chaude. Pour une soupe plus claire, ajouter un peu de bouillon. Saler et poivrer. Garnir avec du persil et servir.

Salade grecque garnie de poulet grillé, de saumon, de crevettes ou de tofu

Donne 2 généreuses portions

2 cuillérées à table (30 ml) d'huile d'olive extra vierge

2 cuillérées à thé (10 ml) de jus de citron frais

1 gousse d'ail émincée

1 tasse (250 ml) de jeunes pousses d'épinards ou de laitue romaine déchiquetée en petites bouchées

1 petit poivron vert haché

½ concombre en dés

½ oignon rouge en tranches

1 tasse (250 ml) de tomates cerises coupées en deux

½ tasse (125 ml) d'olives grecques ou kalamata

2 cuillérées à thé (10 ml) d'origan frais haché finement

3 cuillérées à table de persil italien frais haché

180 grammes de fromage feta en dés

½ tasse (125 ml) de pois chiches

Poivre noir fraîchement moulu au goût

240 à 360 grammes de poulet, de saumon, de crevettes ou de tofu grillé

Battre l'huile d'olive, le jus de citron et l'ail dans un petit bol. Réserver.

Mélanger le reste des ingrédients dans un grand bol en bois. Ajouter l'assaisonnement et remuer délicatement jusqu'à ce que tous les ingrédients soient recouverts de vinaigrette.

Salade César avec poulet ou crevettes grillés

Donne 2 portions

2 tasses (500 ml) de laitue romaine déchiquetée en petites bouchées

1 grosse gousse d'ail émincée

¼ tasse (60 ml) d'huile d'olive extra vierge

Sel et poivre fraîchement moulu au goût

½ cuillérée à thé (2,5 ml) de sauce Worcestershire

Jus d'un citron

¼ tasse (60 ml) de fromage romano pecorino fraîchement râpé

240 à 360 grammes de poitrine de poulet grillé, coupée en lanières, ou 8 crevettes géantes

Laver et sécher la laitue.

À l'aide d'une cuillère en bois, broyer l'ail dans un grand bol à salade en bois. Ajouter la laitue et l'huile d'olive et remuer jusqu'à ce que la laitue soit entièrement recouverte d'huile. Ajouter les assaisonnements, la sauce Worcestershire et le jus de citron et continuer à remuer. Ajouter le fromage râpé et remuer délicatement jusqu'à ce qu'il soit distribué également.

Préparer le poulet ou les crevettes et les déposer sur la salade.

Dîner

FRUITS DE MER

Délice de flétan aux poivrons rouges et aux poireaux braisés

Ce plat est très facile à faire, mais il est si délicieux que vos amis croiront que vous avez passé des heures dans la cuisine. Vous pouvez remplacer le flétan par un poisson à chair ferme comme la morue ou la sole. Vous pouvez le préparer sur le grill ou dans une rôtissoire. Servez-le avec une céréale comme l'orge ou l'avoine qui absorbera la marinade. Adaptée du livre The Whole Food Bible.

Donne 4 généreuses portions

700 grammes de flétan

2 poivrons rouges, sans trognon, épépinés et coupés en fines lanières

3 poireaux moyens (n'utilisez que la partie blanche) tranchés finement et bien rincés

Pour la marinade

3 cuillérées à table (45 ml) d'huile d'olive extra vierge

2 cuillérées à thé (20 ml) de sauce tamari faible en sel (une sauce soya disponible dans les magasins d'aliments santé)

2 cuillérées à table (30 ml) de jus de citron frais

2 cuillérées à table (30 ml) de vin blanc sec

2 gousses d'ail émincées

2 morceaux (d'environ 3 centimètres de diamètre) de gingembre frais pelé et émincé

Laver le flétan, puis l'assécher en le tapotant. Mélanger les ingrédients de la marinade, puis placer le poisson et la marinade dans un plat en verre ou en céramique. Laisser mariner pendant une heure au réfrigérateur, en retournant plusieurs fois le poisson.

Allumer le grill (si vous utilisez un grill au bois ou au charbon de bois plutôt qu'un grill au gaz) 45 minutes avant le début de la cuisson ou faire préchauffer le four 15 minutes avant la cuisson.

Retirer le poisson de la marinade et réserver. Vider la marinade dans une grande poêle et chauffer. Ajouter le poivron rouge et le poireau et faire sauter à feu moyen pendant 15 minutes ou jusqu'à ce que les légumes soient tendres. Ne pas faire brunir.

Après avoir fait sauter les légumes pendant 5 minutes, placer le flétan sur le grill ou dans le four à 8 ou 15 centimètres de l'élément chauffant. Cuire de 4 à 5 minutes de chaque côté, jusqu'à ce que la chair devienne opaque et s'émiette facilement.

Placer le poisson dans un plat de service et garnir avec les poivrons rouges et le poireau.

Curry aux crevettes

Cette recette facile combine le curry, le gingembre et l'ail pour créer un mets délicieux. Servir avec un accompagnement d'avoine ou d'orge entière, préparée comme du riz brun. Adaptée du livre The Whole Food Bible.

Donne 4 portions

700 grammes de crevettes, décortiquées et déveinées
Jus d'une lime
3 cuillérées à table (45 ml) d'huile d'olive
3 petits oignons grossièrement hachés
2 gousses d'ail émincées
2 morceaux (d'environ 3 centimètres de diamètre) de gingembre
    frais pelé et émincé
1 à 2 cuillérées à table (15 à 30 ml) de poudre de curry au goût
3 grosses tomates en dés, plus 1 tasse (250 ml) de jus de tomate ou
    1 boîte (420 ml) de tomates

Arroser les crevettes (ou le poulet ou le tofu) de jus de lime et réserver.

Chauffer l'huile dans une grande poêle à frire. Ajouter l'oignon, l'ail et le gingembre. Faire cuire à feu moyen, en remuant fréquemment, pendant environ 5 minutes ou jusqu'à ce que les oignons soient translucides. Ne pas faire brunir.

Ajouter la poudre de curry, bien remuer, et continuer à faire sauter le mélange pendant encore 3 minutes, en remuant fréquemment. Ajouter les tomates et le jus de tomate. Remuer, couvrir et laisser mijoter pendant 15 minutes, en remuant de temps en temps.

Retirer le couvercle et ajouter les crevettes. Bien remuer et faire cuire à feu moyen pendant 3 à 5 minutes ou jusqu'à ce que les crevettes prennent une couleur rosée. Servir immédiatement.

Saumon Teriyaki

Cette sauce Teriyaki peut également être utilisée avec du poulet ou du tofu. Si vous utilisez des brochettes en bois, assurez-vous de les faire tremper dans l'eau pour éviter qu'elles ne roussissent durant la cuisson. Adaptée du livre The Whole Food Bible.

Donne 4 portions

Pour la sauce Teriyaki

¼ tasse (60 ml) de sauce tamari faible en sel
¼ tasse (60 ml) de Xérès sec
1 cuillérée à table (15 ml) d'huile de sésame
1 cuillérée à table (15 ml) de gingembre fraîchement râpé
2 gousses d'ail broyées

Pour le poisson

900 grammes de saumon sauvage de l'Alaska en darnes ou en filets
Quartiers de citron

Mélanger les ingrédients pour la sauce.

Placer le poisson dans un plat en verre ou en céramique, verser la marinade par-dessus et laisser mariner au réfrigérateur pendant 2 heures.

Allumer le grill ou faire préchauffer le four. Retirer le poisson de la marinade et le placer sur une plaque de cuisson. Faire griller le poisson sur le grill (ou dans le four sous l'élément chauffant), en l'arrosant de marinade, pendant 3 ou 4 minutes. Retourner le poisson et poursuivre la cuisson, toujours en l'arrosant, pendant encore 3 ou 4 minutes. Éviter de trop faire cuire.

Le reste de la marinade peut être réchauffé et servi avec le poisson. Garnir de quartiers de citron.

Filets de saumon sauvage aux noisettes sur lit de verdure

Vous pouvez également remplacer les noisettes par des amandes ou des graines de tournesol. Adaptée du livre The Whole Food Bible.

Donne 4 portions

½ tasse (125 ml) d'amandes
¼ tasse (60 ml) de persil fraîchement haché
1 cuillérée à table (15 ml) de zeste de citron biologique (n'utilisez pas l'écorce de citrons non biologiques, car ces derniers sont traités avec des fongicides)
Une pincée de sel de mer et de poivre frais
4 filets de saumon sans la peau, de 180 grammes chacun
2 cuillérées à table d'huile d'olive
4 tasses (1 litre) de feuilles de laitue biologique (roquette, mesclun, épinard, etc.)
Quartiers de citron

Moudre les amandes dans un moulin à café ou un robot ménager en évitant d'en faire une purée. Mélanger les amandes, le persil, le zeste de citron, le sel et le poivre dans une assiette.

Assécher le saumon, puis paner les filets des deux côtés en les trempant dans le mélange aux amandes.

Chauffer l'huile dans une grande poêle à frire à feu moyen. Ajouter le saumon et cuire environ 5 minutes de chaque côté, jusqu'à ce qu'il soit bien cuit.

Disposer 1 tasse (250 ml) de verdure dans chaque assiette. Transférer le saumon chaud dans les assiettes. Garnir de quartiers de citron et servir immédiatement.

Ragoût de poisson simple et délicieux

Ce ragoût de style méditerranéen contient beaucoup de tomates et d'ail. D'autres types de fruits de mer peuvent également être utilisés, même si je préfère personnellement le saumon sauvage de l'Alaska. Servir avec une salade verte croquante. Adaptée du livre The Whole Food Bible.

Donne 4 grosses portions

1 boîte (840 ml) de tomates italiennes avec le jus

2 cuillérées à table (30 ml) d'huile d'olive extra vierge

2 oignons hachés

5 gousses d'ail hachées

2 tasses (500 ml) de vin blanc sec*

3 cuillérées à table (45 ml) de basilic, d'origan et de thym frais hachés

4 tasses (1 litre) d'eau

2 tasses (500 ml) de bouillon de poisson ou de jus de palourdes

Une pincée de safran

1 boîte (450 ml) de haricots blancs biologiques

900 grammes de saumon, de flétan, de moruette ou de brosme coupés en dés

Sel de mer et poivre noir fraîchement moulu au goût

Une pincée de poivre de Cayenne au goût

Égoutter et couper les tomates en dés en conservant le jus, puis réserver.

Dans une marmite, chauffer l'huile d'olive et faire délicatement sauter les oignons et l'ail à feu moyen pendant cinq minutes ou jusqu'à ce qu'ils soient translucides. Ne pas faire brunir. Ajouter le vin, les tomates, le jus de tomate et les herbes, puis faire sauter 5 autres minutes.

Ajouter l'eau et le bouillon (ou le jus de palourdes) et amener à ébullition. Ajouter le safran et laisser mijoter doucement de 5 à

*Une fois que le vin est porté à ébullition, l'essentiel de son contenu en alcool s'évapore.

8 minutes. Ajouter les haricots et le poisson et laisser doucement mijoter pendant dix minutes, à couvert. Assaisonner de sel, de poivre et de poivre de Cayenne au goût, et servir.

Moruette avec sauce aux tomates et basilic

Cette recette ne pourrait être plus simple ou plus délicieuse. Un peu d'orge cuite et une salade verte croquante constituent un excellent accompagnement. Adaptée du livre The Whole Food Bible.

Donne 4 portions

2 cuillérées à table (30 ml) d'huile d'olive extra vierge
900 grammes de moruette, coupée en quatre morceaux

Pour la sauce

2 tasses (500 ml) de basilic frais haché
3 grosses gousses d'ail hachées
½ cuillérée à thé (2,5 ml) de sel de mer
¼ cuillérée à thé (1,25 ml) de poivre moulu
⅛ cuillérée à thé (0,6 ml) de poivre de Cayenne
2 cuillérées à table (30 ml) d'huile d'olive extra vierge
2 cuillérées à table (30 ml) de vinaigre de vin rouge
2 tasses (500 ml) de tomates italiennes

Préchauffer le four à 200° C (400° F).

Verser 2 cuillérées à table (30 ml) d'huile d'olive dans le fond d'une casserole allant au four et suffisamment grande pour contenir le poisson. Placer le poisson dans la casserole.

Placer le basilic, l'ail, le sel, le poivre, le poivre de Cayenne, 2 cuillérées à table (30 ml) d'huile d'olive et le vinaigre dans un mélangeur ou un robot ménager. Pulser pendant 10 secondes.

Ajouter les tomates et mélanger jusqu'à ce qu'elles soient hachées, mais non en purée.

Verser la sauce sur le poisson, couvrir et cuire de 15 à 20 minutes ou jusqu'à ce que la chair du poisson soit opaque et s'émiette facilement.

VOLAILLE

Poulet au citron

Adaptée du livre The Whole Food Bible

Donne 4 généreuses portions

1 cuillérée à thé (5 ml) de sel de mer
¼ cuillérée à thé (1,25 ml) de poivre moulu
½ tasse (125 ml) de graines de tournesol ou de noix de Grenoble
    moulues
900 grammes de poitrine de poulet biologique, sans la peau,
    désossée, coupée en deux et aplatie (0,5 cm d'épaisseur)
3 cuillérées à table (45 ml) d'huile d'olive
¼ tasse (60 ml) de vin blanc sec
¼ tasse (60 ml) de jus de citron frais
1 cuillérée à table (15 ml) de beurre
2 cuillérées à table (30 ml) de persil frais haché
1 citron en fines tranches

Mélanger le sel et le poivre avec les graines ou les noix moulues. Paner les morceaux de poulet en les trempant dans ce mélange. Secouer le surplus de panure et réserver.

Dans une grande poêle à frire, chauffer l'huile à feu moyen. Faire sauter les poitrines de poulet environ 3 minutes de chaque côté ou jusqu'à ce qu'elles soient légèrement dorées. Retirer de la poêle et déposer sur un essuie-tout, puis retourner pour absorber le surplus d'huile.

Mélanger le vin et le jus de citron, puis verser dans la poêle. Amener à ébullition en grattant le fond de la poêle pour déloger tous les petits morceaux de poulet qui sont demeurés collés. Ajouter les morceaux de poulet et laisser mijoter pendant 5 minutes. Retirer les morceaux de poulet et les déposer sur une plaque chauffante.

À feu élevé, amener le liquide à ébullition et laisser réduire pour obtenir ¼ de tasse (60 ml) de sauce. À l'aide d'un fouet, incorporer le beurre et verser sur le poulet. Garnir de persil et de quartiers de citron.

Ding au poulet et aux amandes

Ne vous laissez pas intimider par la liste des ingrédients ; faire sauter à feu vif est une méthode de cuisson facile et rapide. Servir sur un lit d'orge ou d'avoine entière cuite. Adaptée du livre The Whole Food Bible.

Donne 4 généreuses portions

Pour la marinade

3 cuillérées à table (45 ml) de sauce tamari faible en sel
3 cuillérées à table (45 ml) de Xérès sec
3 gousses d'ail émincées
2 cuillérées à table (30 ml) de gingembre frais émincé
1 cuillérée à table (15 ml) d'huile d'olive extra vierge
900 grammes de poitrine de poulet, sans la peau, désossée et
   coupée en lanières d'un centimètre

Dans un bol en verre ou en céramique de grandeur moyenne, mélanger tous les ingrédients pour la marinade. Ajouter le poulet et laisser reposer à la température ambiante pendant au moins 15 minutes, voire une heure entière.

Pour le sauté

3 cuillérées à table (45 ml) d'huile d'olive extra vierge

3 tasses (750 ml) de fleurons de brocoli

250 grammes de champignons, lavés et coupés en tranches de 0,5 centimètre d'épaisseur

60 grammes de pois écossés

3 échalotes coupées en fines tranches (utilisez la partie blanche et la partie verte)

1 tasse (250 ml) d'amandes légèrement rôties*

1 cuillérée à thé (5 ml) d'huile de sésame asiatique (disponible dans les magasins d'aliments naturels)

Faire chauffer un wok ou une grande poêle à frire. Ajouter 1 cuillérée à table (15 ml) d'huile d'olive. Faire sauter le brocoli à feu moyen de 3 à 4 minutes, jusqu'à ce qu'il devienne d'un vert éclatant. Retirer et réserver.

Refaire chauffer le wok. Ajouter une autre cuillérée à table (15 ml) d'huile d'olive. Faire sauter les champignons, le céleri et les pois de 2 à 3 minutes. Retirer du wok et réserver.

Refaire chauffer le wok. Ajouter une autre cuillérée à table (15 ml) d'huile d'olive. Retirer le poulet de la marinade à l'aide d'une cuillère perforée, le déposer dans le wok et faire sauter environ 5 minutes, jusqu'à ce que la chair soit opaque. Ajouter tous les autres légumes, ainsi que les échalotes et les amandes, et faire sauter afin que les parfums se mélangent. Retirer du feu. Arroser d'huile de sésame grillé. Servir immédiatement sur un lit d'orge ou d'avoine cuite.

---

*Pour faire rôtir les amandes, placez-les dans le four à 175°C (350°F) pendant 8 à 10 minutes ou jusqu'à ce qu'elles soient légèrement dorées.

Poulet grillé à l'indienne

Servir avec une salade croquante et votre recette de riz préférée, en remplaçant le riz par de l'orge ou de l'avoine. Adaptée du livre The Whole Food Bible.

Donne 4 portions

900 grammes de poitrine de poulet, sans la peau et désossée

Pour la marinade

1 tasse (250 ml) de yogourt nature
1 cuillérée à thé (5 ml) de curcuma
1 cuillérée à thé (5 ml) de paprika
½ cuillérée à thé (2,5 ml) de cardamone
1 cuillérée à table (15 ml) de jus de citron fraîchement pressé
2 cuillérées à table (30 ml) de jus de lime fraîchement pressée
2 cuillérées à table (30 ml) d'huile d'olive extra vierge
1 cuillérée à table (15 ml) de gingembre finement râpé
4 grosses gousses d'ail émincées
½ cuillérée à thé (2,5 ml) de cumin
4 échalotes, avec la partie verte, émincées
½ cuillérée à thé (2,5 ml) de sel
Poivre blanc ou rouge au goût
Garnir de quartiers de lime ou de citron

Couper les poitrines de poulet en morceaux de 2,5 centimètres. Placer dans un bol de grandeur moyenne.

Dans un autre bol, mélanger le yogourt, le curcuma, le paprika, la cardamone, le jus de citron et de lime, l'huile d'olive, le gingembre, l'ail, le cumin, les échalotes, le sel et le poivre. Verser la marinade sur les cubes de poulet et bien mélanger avec vos mains pour recouvrir les morceaux uniformément. Laisser mariner au réfrigérateur pendant 2 heures.

Enfiler les morceaux de poulet sur des brochettes et cuire à feu moyen-élevé pendant 5 à 7 minutes, en retournant fréquemment les brochettes. Arroser le poulet avec le restant de la marinade après l'avoir retourné. Servir avec des quartiers de citron ou de lime.

Soupe aux lentilles et aux saucisses à la dinde

Cette soupe est assez consistante pour servir de plat principal. Elle contient des protéines et des fibres, en plus d'être riche en antioxydants. Adaptée du livre The Whole Food Bible.

Donne 6 portions

2 tasses (500 ml) de lentilles

8 à 10 tasses (2 à 2,5 litres) de bouillon de légumes ou d'eau

2 cuillérées à table (30 ml) d'huile d'olive extra vierge

4 gousses d'ail émincées

1 gros oignon haché

2 branches de céleri hachées

450 grammes de saucisse à la dinde ou au poulet

2 tomates pelées et épépinées, en dés (ou une boîte de 450 ml de tomates en dés ou broyées)

1 cuillérée à thé (5 ml) de curcuma au goût

1 cuillérée à thé (5 ml) de cumin

Feuilles d'un brin de thym frais ou ½ cuillérée à thé (2,5 ml) de thym séché

Une pincée de piment fort séché

Sel de mer au goût

Yogourt nature pour la garniture

½ tasse (125 ml) de persil frais haché (à feuilles plates si disponible) pour la garniture

Laver et trier les lentilles (pour être sûr qu'il ne reste plus de petites pierres), puis amener le bouillon ou l'eau à ébullition dans une grande marmite. Baisser le feu et laisser mijoter pendant 10 minutes.

Pendant ce temps, chauffer l'huile d'olive dans une grande poêle à frire. Faire sauter l'ail, l'oignon, le céleri et les saucisses pendant 5 minutes à feu moyen. Ajouter les tomates et faire sauter 5 autres minutes.

Ajouter le mélange légumes/saucisses et l'assaisonnement aux lentilles. Laisser mijoter de 20 à 30 minutes ou jusqu'à ce que les lentilles soient tendres, mais non pâteuses. Servir avec une cuillérée de yogourt nature et garnir de persil haché.

Curry au poulet ou au tofu

Le curry, le gingembre et l'ail se mélangent ici pour donner un plat délicieux et facile à faire. Servir avec de l'avoine ou de l'orge entière préparée comme du riz brun. Adaptée du livre The Whole Food Bible.

Donne 4 portions

700 grammes de poitrine de poulet, sans la peau et désossée, ou de tofu ferme en cubes

Jus d'une lime

3 cuillérées à table (45 ml) d'huile d'olive

3 petits oignons hachés grossièrement

2 gousses d'ail émincées

2 morceaux (d'environ 3 centimètres de diamètre) de gingembre frais pelé et émincé

1 à 2 cuillérées à table (15 à 30 ml) de poudre de curry au goût

3 grosses tomates hachées, plus une tasse (250 ml) de jus de tomate ou une boîte (420 ml) non égouttée.

Arroser le poulet ou le tofu avec le jus de la lime et réserver.

Faire chauffer l'huile dans une grande poêle à frire. Ajouter l'oignon, l'ail et le gingembre. Cuire à feu moyen pendant environ 5 minutes, en remuant fréquemment, jusqu'à ce que les oignons soient translucides. Ne pas faire brunir.

Ajouter la poudre de curry, bien remuer et continuer à faire sauter le mélange 3 autres minutes, en remuant fréquemment. Ajouter les tomates et le jus. Remuer, couvrir et laisser mijoter pendant 15 minutes, en remuant à l'occasion.

Retirer le couvercle et ajouter le poulet ou le tofu. Bien remuer et cuire à feu moyen de 10 à 15 minutes ou jusqu'à ce que le poulet soit bien cuit ; si vous utilisez du tofu, 3 à 5 minutes de cuisson devraient suffire. Servir immédiatement.

Poivrons farcis à la méditerranéenne

Vous pouvez utiliser des poivrons rouges ou verts, les rouges étant plus doux. Adaptée du livre The Whole Food Bible.

Donne 3 portions principales ou 6 portions d'accompagnement

2 cuillérées à table (30 ml) d'huile d'olive extra vierge
1 gros oignon émincé
700 grammes de dinde hachée
1 tasse (250 ml) d'orge entière
1 ¾ tasse (450 ml) d'eau
6 poivrons rouges ou verts de grosseur moyenne
½ tasse (125 ml) de graines de tournesol
¼ tasse (60 ml) de fromage Romano pecorino fraîchement râpé
¼ tasse (60 ml) de menthe fraîche hachée
¼ tasse (60 ml) de persil frais haché
¼ tasse (60 ml) de jus de citron frais
¼ tasse (60 ml) de vin blanc sec
½ cuillérée à thé (2,5 ml) de cannelle
Sel de mer et poivre fraîchement moulu au goût

Préchauffer le four à 175° C (350° F)

Dans une casserole de 2 ou 3 litres, faire chauffer l'huile d'olive et faire sauter l'oignon et la dinde hachée à feu moyen pendant environ 10 minutes. Ajouter l'orge et faire sauter, en remuant fréquemment, pendant quelques minutes. Ajouter l'eau, amener à ébullition, réduire le feu et laisser mijoter pendant 45 minutes ou jusqu'à absorption complète de l'eau.

Amener une grande marmite remplie d'eau à ébullition. Pendant ce temps, couper le dessus des poivrons en faisant très attention et réserver pour plus tard. Retirer délicatement le cœur et les graines pour créer une cavité. Blanchir les poivrons dans l'eau bouillante pendant 5 minutes. Retirer de l'eau et placer sur un essuie-tout pour les égoutter.

Faire rôtir au four les graines de tournesol sur une plaque pendant environ 5 minutes, en secouant fréquemment la plaque. Retirer et réserver, en laissant le four en marche pour les poivrons.

Lorsque l'orge est cuite, la mélanger avec les graines de tournesol, le fromage, les herbes, le jus de citron, le vin, la cannelle, le sel et le poivre dans un grand bol. Bien mélanger et assaisonner au goût. Farcir les poivrons avec le mélange, remettre les dessus et placer les poivrons dans un plat allant au four juste assez grand pour qu'ils puissent se tenir debout. Cuire de 25 à 30 minutes ou jusqu'à ce que la farce soit bien chaude. Servir immédiatement.

Chili à la dinde ou au tofu

Utilisez des haricots en conserve pour un plat rapide à préparer. Mélanger différentes sortes de haricots : haricots secs, pinto, soya noir, etc. Adaptée du livre The Whole Food Bible.

Donne 6 portions

2 cuillérées à table (30 ml) d'huile d'olive extra vierge
1 gros oignon espagnol haché
3 gousses d'ail émincées
1 poivron jaune et 1 poivron rouge (ou 2 poivrons rouges) hachés
900 grammes de dinde hachée ou de tofu ferme en cubes
1 cuillérée à table (15 ml) de cumin
2 cuillérées à table (30 ml) de poudre de Chili
2 ¼ tasses (560 ml) ou 1 boîte (450 ml) de haricots secs ou pinto
    égouttés
2 ¼ tasses (560 ml) ou 1 boîte (450 ml) de haricots blancs cuits
    égouttés
1 boîte (840 ml) de tomates italiennes hachées, avec le liquide
1 cuillérée à table (15 ml) de vinaigre balsamique
Sauce Tabasco ou poivre de Cayenne au goût
Olives noires et échalotes hachées
1 cuillérée à table (15 ml) de fromage parmesan ou romano râpé
    par portion

Dans une marmite de 5 à 6 litres, chauffer l'huile d'olive et faire sauter l'oignon, l'ail et les poivrons pendant 10 minutes à feu moyen. Ajouter la dinde ou le tofu et faire sauter 5 autres minutes. Ajouter le cumin et la poudre de Chili et cuire 5 minutes de plus.

Ajouter les haricots cuits, les tomates italiennes hachées, leur jus et le vinaigre balsamique. Cuire, à couvert, pendant 15 minutes.

Ajouter le Tabasco ou le poivre de Cayenne au goût et poursuivre la cuisson 15 autres minutes. Servir chaud garni d'olives, d'échalotes et de fromage râpé.

Salade au poulet et aux noix servie avec des haricots blancs et des artichauts

Donne 4 portions

900 grammes de poitrine de poulet sans la peau et désossée
¾ tasse (200 ml) d'oignon rouge en fines tranches
3 branches de céleri hachées
½ tasse (125 ml) de noix de Grenoble hachées
1 tasse (250 ml) de cœurs d'artichaut coupés en deux
10 tomates cerises coupées en deux
2 tasses (500 ml) de feuilles de laitue
3 cuillérées à table (45 ml) de persil frais haché
3 cuillérées à table (45 ml) d'huile d'olive extra vierge
⅓ tasse (80 ml) de jus de citron
⅓ tasse (80 ml) de fromage Romano pecorino fraîchement râpé
Sel et poivre au goût
1 tasse de haricots blancs ou de pois chiches cuits ou en conserve

Dans un grand bol à salade en bois, mélanger délicatement le poulet, l'oignon, le céleri, les noix de Grenoble, les cœurs d'artichaut, les tomates, les feuilles de laitue et le persil. Ajouter l'huile d'olive et continuer à retourner jusqu'à ce que tous les ingrédients soient légèrement recouverts d'huile.

Ajouter le jus de citron et remuer légèrement. Ajouter le fromage râpé, le sel, le poivre et les haricots, et continuer à retourner légèrement jusqu'à ce que le fromage soit distribué également.

Garnir de quartiers de citron et servir.

Accompagnements

Épinards à l'ail et au gingembre

Adaptée du livre The Whole Food Bible.

Donne 4 portions

700 grammes d'épinards
2 cuillérées à table (30 ml) d'huile d'olive extra vierge
3 gousses d'ail émincées
1 cuillérée à table de gingembre frais pelé et émincé
¼ cuillérée à thé (1,25 ml) de poivre de Cayenne
¼ tasse (60 ml) d'eau
Graines de sésame rôties pour la garniture*

Laver les épinards à fond.

Chauffer l'huile dans une grande poêle à frire. Ajouter l'ail, le gingembre et le poivre de Cayenne. Cuire à feu moyen pendant 30 secondes, en remuant fréquemment. Ajouter les épinards et remuer pendant 1 minute. Ajouter l'eau, continuer à faire sauter en remuant, jusqu'à ce que les épinards aient complètement fondu.

Retirer les épinards à l'aide d'une cuillère perforée. Garnir de graines de sésame.

* Pour faire rôtir les graines de sésame, faites-les sauter dans une poêle à feu moyen jusqu'à ce qu'elles soient légèrement dorées.

Orge cuite

L'orge est une ancienne céréale, excellente pour la santé. Elle résiste bien à la cuisson, demeurant ferme et caoutchouteuse. L'orge accompagne à merveille les fruits de mer et le poulet, et les restes peuvent être utilisés pour préparer de copieuses salades de céréales. Adaptée du livre The Whole Food Bible.

Donne 6 portions d'accompagnement

½ tasse (125 ml) de graines de tournesol
3 échalotes pelées et émincées
1 oignon émincé
1 poireau bien lavé en fines tranches
3 cuillérées à table (45 ml) d'huile d'olive extra vierge
225 grammes de champignons tranchés
3 branches de céleri hachées
1 tasse (250 ml) d'orge
1 cuillérée à thé (5 ml) de thym séché
1 cuillérée à thé (5 ml) de romarin séché
1 cuillérée à thé (5 ml) de marjolaine séchée
2 cuillérées à table (30 ml) de sauce tamari faible en sel
3 tasses (750 ml) d'eau ou de bouillon de légumes bouillants

Préchauffer le four à 175° C (350° F). Faire rôtir les graines de tournesol au four environ 7 minutes ou jusqu'à ce qu'elles soient légèrement dorées ; retirer du four (en le laissant à la même température).

Dans une grande poêle, faire sauter les échalotes, l'oignon et le poireau dans l'huile d'olive pendant 5 minutes à feu moyen. Ajouter les champignons, le céleri, les graines de tournesol, l'orge, les herbes et la sauce tamari et continuer à faire sauter pendant 5 autres minutes, en remuant fréquemment.

Ajouter le bouillon de légumes ou l'eau au mélange. Amener à ébullition et transférer le mélange dans une casserole allant au four. Cuire, à couvert, pendant 1 ¼ heure.

Avoine pilaf parfumée au safran et au persil

Adaptée du livre The Whole Food Bible.

Donne 4 portions

2 tasses (500 ml) d'eau ou de bouillon
½ cuillérée à thé (2,5 ml) de safran broyé
2 cuillérées à table (30 ml) d'huile d'olive extra vierge`
1 échalote ou une grosse gousse d'ail émincée
1 oignon jaune moyen en dés
1 tasse (250 ml) de gruau d'avoine entière (ces grains ressemblent
    à du riz brun ; disponible dans les magasins d'aliments
    naturels)
½ tasse (125 ml) de persil frais
Feuilles de 2 tiges de romarin ou 1 cuillérée à thé (5 ml) de romarin
    séché
4 cuillérées à table (60 ml) de fromage parmesan ou romano (pour
    un goût supérieur, utilisez un fromage importé et râpez-le
    vous-même)

Faire bouillir ½ tasse (125 ml) d'eau ou de bouillon et verser sur le safran. Réserver.

Chauffer l'huile dans une grande casserole. Faire sauter l'échalote et l'oignon à feu moyen pendant environ 5 minutes. Ajouter l'avoine et remuer pour enduire tous les grains. Cuire à feu moyen pendant environ 5 minutes, en remuant fréquemment.

Ajouter 1 ½ tasse d'eau ou de bouillon, puis ajouter le mélange safrané et amener à ébullition. Réduire le feu et laisser mijoter, à couvert, pendant environ 45 minutes ou jusqu'à ce que l'eau soit entièrement absorbée.

Retirer le couvercle, faire gonfler l'avoine à l'aide d'une fourchette, ajouter les herbes et servir immédiatement. Recouvrir chaque portion d'une cuillérée à table (15 ml) de fromage parmesan ou romano râpé.

Sarrasin pilaf

Donne 4 portions

2 cuillérées à table (30 ml) d'huile d'olive extra vierge
1 oignon haché
1 tasse (250 ml) de sarrasin entier non cuit
3 ½ tasses (875 ml) de bouillon de poulet
¼ cuillérée à thé (1,25 ml) d'origan
1 cuillérée à table (15 ml) de zeste d'orange (utilisez des oranges
    biologiques)
⅓ tasse (80 ml) de pacanes finement hachées
Sel et poivre au goût
2 cuillérées à table (30 ml) de persil haché
¼ tasse (60 ml) de fromage romano pecorino râpé

Chauffer l'huile d'olive dans une grande casserole et faire sauter
l'oignon jusqu'à ce qu'il soit translucide. Ajouter le sarrasin. Bien
mélanger. Ajouter le bouillon de poulet, couvrir et cuire environ
20 minutes ou jusqu'à ce que le liquide soit entièrement absorbé.

Ajouter l'origan, le zeste d'orange, les pacanes, le sel et le poivre.
Mélanger et servir, en recouvrant chaque portion de persil et de
fromage.

330 ## Salade de concombres fraîche et crémeuse

Cette salade rafraîchissante accompagne à merveille les plats épicés. Adaptée du livre The Whole Food Bible.

Donne 4 portions de salade

1 ½ tasse (375 ml) de yogourt
3 concombres pelés, épépinés et coupés en petits dés
1 gousse d'ail émincée
1 cuillérée à table (15 ml) d'huile d'olive extra vierge
2 cuillérées à table (30 ml) de jus de citron frais
Une pincée de sel et de poivre au goût

Bien mélanger tous les ingrédients et réfrigérer pendant 2 heures.

Guide ressource

Produits topiques à base de peptides-neuropeptides (anti-inflammatoires/anti-vieillissement)

- N. V. Perricone, M.D., Ltd., au 888-823-7837 ou www.nvperriconemd.com
- N. V. Perricone, M.D., Ltd., Flagship Store, 791 Madison Avenue (au coin de la 67ᵉ rue), New York, NY
- Nordstrom
- Sephora.com
- Certains magasins Neiman Marcus
- Certains magasins Saks
- Henri Bendel
- Clyde's on Madison (926 Madison Avenue, au coin de la 74ᵉ rue, New York, NY)
- Bloomingdales

Produits topiques à base de peptides (sans neuropeptides)

Je ne peux me porter garant des produits suivants étant donné que je ne les ai pas moi-même testés. Si un produit dit contenir des « pentapeptides », notez que ce ne sont pas des neuropeptides. Les pentapeptides *ne possèdent pas* l'efficacité des neuropeptides, une substance beaucoup plus sophistiquée qui doit être synthétisée sur une base individuelle. Ces pentapeptides, qui coûtent quelques dollars le kilo, ne sont tout simplement pas aussi efficaces que les neuropeptides, dont le coût peut dépasser les vingt-six mille dollars le kilo !

- Neova Copper Peptide
- StriVectin-SD
- Olay Regenerist
- Philosophy When Hope Is Not Enough
- Pentapeptide-SF Eye Contour Serum
- DDF Wrinkle Relax
- Desert Essence Age Reversal Face Serum
- Desert Essence Age Reversal Face Cream

Produits pour la peau anti-vieillissement et anti-inflammatoires avec acide alpha-lipoïque et DMAE

- N. V. Perricone, M.D., Ltd., au 888-823-7837 ou www.nvperriconemd.com
- N. V. Perricone, M.D., Ltd., Flagship Store, 791 Madison Avenue (au coin de la 67e rue), New York, NY
- Nordstrom
- Sephora.com
- Certains magasins Neiman Marcus : allez au www.neimanmarcus.com/store/info/index.jhtml
- Certains magasins Saks
- Henri Bendel
- Clyde's on Madison (926 Madison Avenue, au coin de la 74e rue, New York, NY)
- Bloomingdales

Produits alimentaires à base de polysaccharides (anti-inflammatoires/anti-vieillissement)

- N. V. Perricone, M.D., Ltd., au 888-823-7837 ou www.nvperriconemd.com
- N. V. Perricone, M.D., Ltd., Flagship Store, 791 Madison Avenue (au coin de la 67e rue), New York, NY

Extraits de maïtaké Fraction-D et Fraction-SX

- Maitake Products, Inc., au 800-747-7418 ou www.maitake.com
- www.gnc.com
- www.americannutrition.com
- www.wellfix.com
- www.vitamindiscountwarehouse.com
- www.vitacost.com

Suppléments à base de peptides

N. V. Perricone, M.D., Ltd., au 888-823-7837 ou www.nvperriconemd.com

Aliments arc-en-ciel

AÇAYER (FRUIT AMAZONIEN RICHE EN ANTIOXYDANTS)

L'açayer contient plus d'antioxydants que les bleuets sauvages, la grenade ou le vin rouge, en plus de contenir des acides gras essentiels oméga, des acides aminés, du calcium et des fibres. Sambazon est la seule source de boissons à base d'açayer aux États-Unis, au www.sambazon.com. Les produits de marque Sambazon sont disponibles dans les magasins Whole Foods Market et Wild

Oats, ainsi que dans certains magasins d'aliments santé et certaines buvettes. Sambazon — dont le nom est un acronyme pour « *saving and managing the Brazilian Amazon* » (sauver et gérer l'Amazone brésilien) — soutient les économies indigènes par le biais d'une exploitation responsable et d'un développement durable, récoltant les ressources renouvelables de la forêt pluvieuse plutôt que de récolter la forêt elle-même.

JUS ET CONCENTRÉ DE GRENADE (EXTRÊMEMENT RICHES EN ANTIOXYDANTS)

- POM Wonderful au 310-966-5800 ou au www.pomwonderful.com
- Également disponibles dans certains supermarchés et magasins d'aliments naturels.

SAUMON SAUVAGE DE L'ALASKA/THON/FLÉTAN

Vital Choice Seafood au www.vitalchoice.com ou au 800-608-4825. Le saumon sauvage de l'Alaska présente un profil en acides gras nettement supérieur (moins de gras saturés et un meilleur ratio acides gras oméga-3/gras saturés) à celui des saumons d'élevage, qui sont beaucoup plus « graisseux ». Les produits Vital Choice Seafood (saumon, thon et flétan) sont pêchés en mer, immédiatement congelés, placés dans la neige carbonique, puis livrés par FedEx ou UPS, et ce, à un prix abordable. En 2000, le saumon sauvage de l'Alaska est devenu le produit de la pêche certifié durable par le Marine Stewardship Council.

RECETTES SAVOUREUSES ET BONNES POUR LA SANTÉ

The Whole Food Bible, par Christopher Kilham, disponible au www.amazon.com et www.innertraditions.com.

INFORMATION ET ÉDUCATION EN SANTÉ

Ces sites Internet offrent une information pertinente sur différents sujets, comme la nutrition, la guérison naturelle, la dépendance et l'approche holistique de la santé :

- www.tuberose.com
- www.doitnow.com

PETITS FRUITS BIOLOGIQUES

- Diamond Organics, Inc. vend des petits fruits certifiés biologiques (en saison, de mai à octobre) directement à ses clients. Allez au www.diamondorganics.com/fruit.html#summer ou téléphonez au 888-ORGANIC (888-674-2642).
- Vital Choice Seafood vend des bleuets sauvages biologiques, au www.vitalchoice.com ou au 800-608-4825.

FRUITS ET LÉGUMES ARC-EN-CIEL BIOLOGIQUES

- Diamond Organics, Inc. vend des fruits et des légumes certifiés biologiques directement à ses clients. Allez au www.diamondorganics.com/vegetables.html et au www.diamondorganics.com/fruit.html ou téléphonez au 800-434-4246

Dix super-aliments

AÇAYER (FRUIT AMAZONIEN RICHE EN ANTIOXYDANTS)

Voir la rubrique Aliments arc-en-ciel.

LA FAMILLE DES ALLIUM (OIGNONS, AIL, ÉCHALOTES, OIGNONS VERTS, POIREAUX)

- Diamond Organics, Inc. vend des légumes appartenant à la famille des allium certifiés biologiques directement à ses clients. Allez au www.diamondorganics.com/rootsandtubers.html ou téléphonez au 800-434-4246.

ORGE ET SARRASIN

- Diamond Organics, Inc. vend de l'orge et du sarrasin certifiés biologiques directement à ses clients. Allez au www.diamondorganics.com/wholegrains.html ou téléphonez au 800-434-4246.

LES ALIMENTS VERTS : POUSSES D'ORGE ET DE BLÉ, SPIRULINE, CHLOROPHYLLE, ALGUE BLEU-VERT (BGA)

- Jeunes pousses d'orge : www.mothernature.com/shop/sections/index.cfm/s/99378
- Jeunes pousses de blé : www.mothernature.com/shop/sections/index.cfm/s/99383
- Chlorophylle : www.mothernature.com/shop/sections/index.cfm/s/99395
- Algue bleu-vert (BGA) : www.mothernature.com/shop/sections/index.cfm/s/99394
- Divers aliments verts : www.mothernature.com/shop/sections/index.cfm/s/99379
- Green Foods Corporation : www.greenfoods.com/home.html. Vente au détail et vente par Internet : www.greenfoods.com/products/where_to_buy.html
- Spiruline : www.mothernature.com/shop/sections/index.cfm/s/99399 ou www.earthrise.com

HARICOTS ET LENTILLES

- Westbrae Natural offre des haricots certifiés biologiques, y compris des variétés peu communes, partout au pays : allez au www.westbrae.com/products/index.html ou téléphonez au 800-434-4246.

PIMENTS FORTS (CHILI)

- Diamond Organics, Inc. vend des piments forts certifiés biologiques directement à ses clients. Allez au www.diamondorganics.com/vegetables.html#peppers ou téléphonez au 888-674-2642.

NOIX ET GRAINES

- Diamond Organics, Inc. vend une grande variété d'aliments biologiques, y compris des noix et des graines certifiées biologiques. Allez au www.diamondorganics.com/dryfruitandnuts.html ou téléphonez au 888-674-2642.
- L'entreprise Jaffee Bros. Natural Foods, fondée en 1948, se spécialise dans les fruits, les noix et les graines biologiques. Allez au www.organicfruitsandnuts.com/default.asp ou téléphonez au 760-749-1133.

KÉFIR ET YOGOURT

- Helios Nutrition est une petite laiterie biologique de Sauk Centre dans le Minnesota qui produit plusieurs saveurs de kéfir avec FOS (polysaccharides probiotiques). Pour connaître leurs points de vente, téléphonez au 888-3-HELIOS ou allez au www.heliosnutrition.com/html/where_to_buy.html.

- Le yogourt Stonyfield Farm est disponible dans de nombreuses épiceries. Consultez leur site Internet au www.stonyfield.com/StoreLocator/.
- Le yogourt Horizon Organic est disponible dans de nombreuses épiceries. Consultez leur site Internet au www.horizonorganic.com/findingproducts/index.html.
- Diamond Organics, Inc. vend du yogourt biologique directement à ses clients. Allez au www.diamondorganics.com/dairy.html#strauss ou téléphonez au 800-434-4246.
- Vous trouverez les produits Lifeway Kefir au www.lifeway.com, Lifeway Foods, Inc., 6431 West Oakton Avenue, Morton Grove, IL 60053, 847-967-1010 ou Royal Baltic, 9829 Ditmas Avenue, Brooklyn, NY 11236, 718-385-7152.

POUSSES

- L'Association internationale des producteurs de pousses (ISGA), au www.isga-sprouts.org, est une association professionnelle regroupant des producteurs et des entreprises qui offrent leurs produits et services à l'industrie des pousses. Visitez leur site Internet pour une information exceptionnelle, des recettes et des conseils santé.
- Steve « Sproutman » Meyerowitz est l'un des principaux partisans mondiaux de la culture des pousses à la maison. Son excellent et très instructif site Internet vous apprendra comment cultiver votre propre jardin sur le bord de votre fenêtre, et ce, douze mois par année. Vous pouvez rejoindre Steve et commander les Publications Sproutman au 413-528-5200, au www.sproutman.com ou au P.O. Box 1100, Great Barrington, MA 01230.

Épices

L'entreprise New Chapter, Inc. vend des suppléments à dosage élevé à base d'extraits de gingembre et de curcuma (Gingerforce et Tumericforce), ainsi que des formules contenant diverses herbes anti-inflammatoires, comme le Zyflamend, qui a été utilisé avec succès par des chercheurs de l'Université Columbia pour inhiber le cancer de la prostate dans le cadre d'une étude in vitro.

Les extraits offerts par New Chapter contiennent un large éventail de constituants actifs végétaux, car ils utilisent la méthode de pointe d'extraction au dioxyde de carbone supercritique, ainsi que la méthode traditionnelle à l'eau et à l'alcool. Leurs produits New Chapter sont décrits au www.new-chapter. com/product/supercritical.lasso. Pour connaître leurs points de vente, téléphonez au 800-543-7279 ou allez au www.new-chapter.com/buy/index.html.

Suppléments alimentaires

PROGRAMME DE SUPPLÉMENTATION
POUR LA GESTION DU POIDS

Le programme de supplémentation pour la gestion du poids du Dr N. V. Perricone est disponible chez les détaillants suivants :

- N. V. Perricone, M.D., Ltd., au 888-823-7837 ou www.nvperriconemd.com
- N. V. Perricone, M.D., Ltd., Flagship Store, 791 Madison Avenue (au coin de la 67ᵉ rue), New York, NY
- Nordstrom
- Sephora.com
- Certains magasins Neiman Marcus
- Certains magasins Saks

SUPPLÉMENTS ANTI-INFLAMMATOIRES, ANTI-VIEILLISSEMENT

Les suppléments alimentaires Total Skin and Body du Dr N. V. Perricone sont disponibles chez les détaillants suivants :

- N. V. Perricone, M.D., Ltd., au 888-823-7837 ou www.nvperriconemd.com
- N. V. Perricone, M.D., Ltd., Flagship Store, 791 Madison Avenue (au coin de la 67e rue), New York, NY
- Nordstrom
- Sephora.com
- Certains magasins Neiman Marcus
- Certains magasins Saks

VITAMINES, MINÉRAUX ET NUTRIMENTS ANTI-VIEILLISSEMENT

- N. V. Perricone, M.D., Ltd., au 888-823-7837 ou www.nvperriconemd.com
- N. V. Perricone, M.D., Ltd., Flagship Store, 791 Madison Avenue (au coin de la 67e rue), New York, NY
- Optimum Health International au 800-228-1507 ou www.opthealth.com
- Life Extension Foundation au 800-544-4440 ou www.lef.org

COMPRIMÉS D'HUILE DE POISSON DE BONNE QUALITÉ

- N. V. Perricone, M.D., Ltd., au 888-823-7837 ou www.nvperriconemd.com
- N. V. Perricone, M.D., Ltd., Flagship Store, 791 Madison Avenue (au coin de la 67e rue), New York, NY
- Vital Choice Seafood au 800-608-4825 ou www.vitalchoice.com.
- Optimum Health International au 800-228-1507 ou www.opthealth.com

SUPPLÉMENTS DE BENFOTIAMINE

La benfotiamine est une variante synthétique de la vitamine B_1, possédant des propriétés anti-vieillissement uniques.

- www.nvperriconemd.com
- Benfotiamine.net au www.benfotiamine.net
- iHerb.com au www.iherb.cpm/benfotiamine.html

SUPPLÉMENTS ANTI-INFLAMMATOIRES, ANTI-ACNÉ

Le système de soutien nutritionnel Skin Clear du Dr N. V. Perricone est disponible chez les détaillants suivants :

- N. V. Perricone, M.D., Ltd., au 888-823-7837 ou www.nvperriconemd.com
- Nordstrom
- Sephora
- Certains magasins Neiman Marcus
- Certains magasins Saks

SUPPLÉMENTS À BASE D'EXTRAITS DE PÉPINS DE RAISIN PCO

Les suppléments de marque Flavay sont manufacturés selon les spécifications du Dr Jaques Masquelier, découvreur des PCO et détenteur du brevet international. Par conséquent, les suppléments de PCO de marque Flavay correspondent aux spécifications des extraits de pépins de raisin riches en PCO utilisés dans la plupart des tests en laboratoires et des essais cliniques qu'ils ont menés jusqu'à ce jour. Vous pouvez commander les produits Flavay au 800-200-1203, 775-787-6737 ou www.healthyalternatives.com/order.html.

SUPPLÉMENTS D'ANTHOCYANINE
À BASE D'EXTRAITS DE BAIES

InterHealth USA vend le produit OptiBerry, un mélange d'extraits de bleuets sauvages, de fraises, de canneberges, de myrtilles sauvages, de baies de sureau et de framboises, garantissant une extraordinaire quantité d'anthocyanines actives. Vous pouvez trouver des produits contenant de l'OptiBerry au www.interhealthusa.com/faqs/optiberry/faqs.aspx#wherecanibuy it.

SUPPLÉMENTS DE RESVERATROL (EXTRAITS DE HUZHANG)

InterHealth USA vend le produit Protykin, un extrait de Huzhang (*Polygonum cuspidatum*) standardisé (200 :1), riche en resveratrol, l'un des antioxydants qui donnent au raisin et au vin rouge leurs exceptionnelles propriétés anticarcinogènes et cardiovasculaires. Vous pouvez trouver des produits contenant du Protykinau www.interhealthusa.com/faqs/protykin_faqs.aspx#wherecani buyit

Bibliographie

Chapitres 1 et 2

Arion VY, Zimina IV, Lopuchin YM. Contemporary views on the nature and clinical application of thymus preparations. Russ J Imniunol. 1997 Dec;2(3-4):157-66.

Association of Early Childhood Educators, Ontario, Canada. The importance of touch for children. Posted August 1997 at http://collections.ic.gc.ca/chi9d/dots/00000949.htm

Balasubramaniam A. Clinical potentials of neuropeptide Y family of hormones. Am J Surg. 2002 Apr;183(4):430-4. Review.

Ben-Efraim S, KeisariY, Ophir R, Pecht M,Trainin N, Burstein Y. Immunopotentiating and immunotherapeutic effects of thymic hormones and factors with special emphasis on thymic humoral factor THF-gamma2. Crit Rev Immunol. 1999;19(4):261-84. Review.

Berczi I, Chalmers IM, Nagy E, Warrington RJ. The immune effects of neuropeptides. Baillieres Clin Rheumatol. 1996 May;10(2):227-57. Review.

Black PH. Stress and the inflammatory response: a review of neurogenic inflammation. Brain Behav Immun. 2002 Dec; 16(6):622-53. Review.

Bodey B. Thymic hormones in cancer diagnostics and treatment. Expert Opin Biol Ther. 2001 Jan; 1(1):93-907. Review.

Bodey B, Bodey B Jr, Siegel SE, Kaiser HE. Review of thymic hormones in cancer diagnosis and treatment. Int J Immunopharmacol. 2000 Apr;22(4):261-73. Review.

Datar P, Srivastava S, Coutinho E, Govil G. Substance P: structure, function, and therapeutics. Curr Top Med Chem. 2004;4(1):75-103. Review.

Davis TP, Konings PN. Peptidases in the CNS: formation of biologically active, receptor-specific peptide fragments. Crit Rev Neurobiol. 1993;7(3-4):163-74. Review.

Friedman MJ. What might the psychobiology of posttraumatic stress disorder teach us about future approaches to pharmacotherapy? J Clin Psychiatry. 2000;61 Suppl 7:44-51. Review

344

Frucht-Pery J, Feldman ST, Brown SI. The use of capsaicin in herpes zoster ophthalmicus neuralgia. Acta Ophthalmol Stand. 1997 Jun;75(3):311-3.

Galli L, de Martino M, Azzari C, Bernardini R, Cozza G, de Marco A, Lucarini D, Sabatini C, Vierucci A. [Preventive effect of thymomodulin in recurrent respiratory infections in children.] Pediatr Med Chir. 1990 May Jun;12(3).229-32 Italian.

Gambert SR, Garthwaite TL, Pontzer CH, Cook EE, Tristani FE, Duthie EH, Martinson DR, Hagen TC, McCarty DJ. Running elevates plasma beta-endorphin immunoreactivity and ACTH in untrained human subjects. Proc Soc Exp Biol Med. 1981 Oct;168(1):1-4.

Geenen V, Kecha O, Brilot F, Hansenne I, Renard C, Martens H. Thymic T-cell tolerance of neuroendocrine functions: physiology and pathophysiology. Cell Mol Biol (Noisy-le-grand). 2001 Feb;47(1):179-88. Review.

Gianoulakis C. Implications of endogenous opioids and dopamine in alcoholism: human and basic science studies. Alcohol Alcohol Suppl. 1996 Mar; L33-42. Review.

Goldstein AL, Badamchian M. Thymosins: chemistry and biological properties in health and disease. Expert Opin Biol Ther. 2004 Apr;4(4):559-73.

Goldstein AL, Schulof RS, Naylor PH, Hall NR. Thymosins and antithymosins: properties and clinical applications. Med Oncol Tumor Pharmacother, 1986;3(3-4).211-21. Review.

Goya RG, Console GM, Herenu CB, Brown OA, Rimoldi OJ. Thymus and aging: potential of gene therapy for restoration of endocrine thymic function in thymus-deficient animal models. Gerontology. 2002 Sep-Oct;48(5):325-8.

Gutzwiller JP, Degen L, Matzinger D, Prestin S, Beglinger C. Interaction between GLP-1 and CCK33 in inhibiting food intake and appetite in men. Am j Physiol Regul Integr Comp Physiol. 2004 Apr 22.

Hill AJ, Peikin SR, Ryan CA, Blundell JE. Oral administration of proteinase inhibitor Il from potatoes reduces energy intake in man. Physiol Behav. 1990 Aug;48(2):241-6.

Holmes A, Heilig M, Rupniak NM, Steckler T, Griebel G. Neuropeptide systems as novel therapeutic targets for depression and anxiety disorders. Trends Pharmacol Sci. 2003 Nov24(11):580-8.

Hughes J, Kosterlitz HW, Smith TW. The distribution of methionine-enkephalin and leucine-enkephalin in the brain and peripheral tissues. 1977. Br J Pharmacol. 1997 Feb;120 (Suppl 4):428-36, discussion 426-7.

Jessop DS, Harbuz MS, Lightman SL. CRH in chronic inflammatory stress. Peptides. 2001 May;22(5):803-7. Review.

Kastin AJ, Zadina JE, Olson RD, Banks WA. The history of neuropeptide research: version 5.a. Ann NY Acad Sci. 1996 Mar 22;780:1-18. Review.

Katsuno M, Aihara M, Kojima M, Osuna H, Hosoi J, Nakamura M, Toyoda M, Matsuda H, Ikezawa Z. Neuropeptide concentrations in the skin of a murine (NC/Nga mice) model of atopic dermatitis. J Dermatol Sci. 2003 Oct;33(1):55-65.

Khavinson VKh. Peptides and ageing. Neuroendocrinol Lett. 2002;23 Suppl 3:11-144. Review.

Khavinson VKh, Morozov VG. Peptides of pineal gland and thymus prolong human life. Neuroendocrinol Lett. 2003 Jun-Aug24(3-4):233-40.

Komarcevic A. [The modern approach to wound treatment.] Med Pregl. 2000 Jul-Aug;53(78):363-8. Review. Croatian.

Kosterlitz HW, Corbett AD, Paterson SJ. Opioid receptors and ligands. NIDA Res Monogr. 1989;95:159-66. Review.

Kouttab NM, Prada M, Cazzola P. Thymomodulin: biological properties and clinical applications. Med Oncol Tumar Pharmacother. 1989;6(1):5-9. Review.

Kramer MS, Winokur A, Kelsey J, Preskorn SH, Rothschild AJ, Snavely ll, Ghosh K, Ball WA, Reines SA, Munjack D, Apter JT, Cunningham L, Kling M, Bari M, Getson A, Lee Y. Demonstration of the efficacy and safety of a novel Substance P(NK1) receptor antagonist in major depression. Nenropsychopharmacology. 2004 Feb;29(2)385-92.

Li L, Zhou JH, Xing ST, Chen ZR. [Effect of thymic factor D on lipid peroxide, glutathione, and membrane fluidity in liver of aged rats.] ZhongguoYao Li Xue Bao. 1993 Ju1;14(4):382-4. Chinese.

Low TL, Goldstein AL. Thyinosins: structure, function and therapeutic applications. Thymus. 1984;6(1-2):27-42. Review.

Maiorano V, Chianese R, Fumarulo R, Costantino E, Contini M, Carnimeo R, Cazzola P. Thymomodulin increases the depressed production of superoxide anion by alveolar macrophages in patients with chronic bronchitis. Int J Tissue React. 1989; 11(1):21-5.

Martin-Du-Pan RC. [Thymic hormones. Neuroendocrine interactions and clinical use in congenital and acquired immune deficiencies.] Ami Endocrinol (Paris). 1984;45(6):355-68. Review. French.

Morgan CA 3rd, Wang S, Southwick SM, Rasmusson A, Hazlett G, Hauger RL, Charney DS. Plasma Neuropeptide-Y concentrations in humans exposed to military survival training. Biol Psychiatry. 2000 May 15;47(10):902-9.

Pacher P, Kecskemeti V. Trends in the development of new antidepressants. Is there a light at the end of the tunnel? Curr Med Chem. 2004 Apr;11(7):925-43.

Pacher P, Kohegyi E, Kecskemeti V, Furst S. Current trends in the development of new antidepressants. Curr Med Chem. 2001 Feb;8(2):89-100. Review.

Paez X, Hernandez L, Baptista T. [Advances in the molecular treatment of depression.] Rev Neurol. 2003 Sep 1-15;37(5):459-70. Review. Spanish.

Parker J. Do It Now Foundation. www.doitnow.org

Pert CB, Pasternak G, Snyder SH. Opiate agonists and antagonists discriminated by receptor binding in brain. Science. 1973 Dec 28;182(119):1359-61.

346

Rains C, Bryson HM. Topical capsaicin. A review of its pharmacological properties and therapeutic potential in post-herpetic neuralgia, diabetic neuropathy and osteoarthritis. Drugs Aging. 1995 Oct;7(4):317-28. Review.

Rasmusson AM, Hauger RL, Morgan CA, Bremner JD, Charney DS, Southwick SM. Low baseline and yohimbine-stimulated plasma Neuropeptide Y (NPY) levels in combat-related PTSD. Biol Psychiatry. 2000 Mar 15;47(6):526-39.

Schulof RS. Thymic peptide hormones: basic properties and clinical applications in cancer. Crit Rev Oncol Hematol. 1985;3(4):309-76. Review.

Silva AP, Cavadas C, Grouzmann E. Neuropeptide Y and its receptors as potential therapeutic drug targets. Clin Chim Acta. 2002 Dec;326(1-2):3-25. Review.

Tada H, Nakashima A, Awaya A, Fujisaki A, Inoue K, Kawamura K, Itoh K, Masuda H, Suzuki T. Effects of thymic hormone on reactive oxygen species-scavengers and renal function in tacrolimus-induced nephrotoxicity. Life Sci. 2002 Jan 25;70(10):1213-23.

Toyoda M, Morohashi M. New aspects in acne inflammation. Dermatology. 2003;206(1):1723. Review.

Toyoda M, Nakamura M, Makino T, Hino T, Kagoura M, Morohashi M. Nerve growth factor and Substance P are useful plasma markers of disease activity in atopic dermatitis. Br J Derniatol. 2002 Ju1;147(1):71-9.

Toyoda M, Nakamura M, Morohashi M. Neuropeptides and sebaceous glands. Eur J Dermatol. 2002 Sep-Oct;12(5):422-7. Review.

Chapitre 3

Aquaxan™ HD algal meal use in aquaculture diets: enhancing nutritional performance and pigmentation. Technical report 2102.001. [www.fda.gov/ohrms /dockets/dailys/00/jun00/061900/rpt0065_tab6.pdf]

Arab L, Steck S. Lycopene and cardiovascular disease. Am J Clin Nutr. 2000;7L1691S-1695S.

Atalay M, Gordillo G, Roy S, Rovin B, Bagchi D, Bagchi M, Sen CK. Anti-angiogenic property of edible berry in a model of hemangioma. FEBS Lett. 2003 Jun 5;544(1-3):252-7.

Aviram M. 11th Biennial Meeting of the Society for Free Radical Research International, Paris, 2002.

Aviram M, Dornfeld L. Pomegranate juice consumption inhibits serum angiotensin converting enzyme activity and reduces systolic blood pressure. Atherosclerosis. 2001 Sep;158(1):195-8.

Aviram M, Dornfeld L, Kaplan M, Coleman R, Gaitini D, Nitecki S, Hofman A, Rosenblat M,Volkova N, Presser D, Attias J, HayekT, Fuhrman B. Pomegranate juice flavonoids inhibit low-density lipoprotein oxidation and cardiovascular diseases: studies in atherosclerotic mice and in humans. Drugs Exp Clin Res. 2002;28(2-3):49-62. Review.

Aviram M, Dornfeld L, Rosenblat M, Volkova N, Kaplan M, Coleman R, Hayek T, Presser D, Fuhrman B. Pomegranate juice consumption reduces oxidative stress, atherogenic modifications to LDL, and platelet aggregation: studies in humans and in atherosclerotic apolipoprotein E-deficient mice. Am J Clin Nutr. 2000 May;71(5):1062-76.

Bagchi D, Bagchi M, Stohs SJ, Das DK, Ray SD, Kuszynski CA, Joshi SS, Pruess HG. Free radicals and grape seed proanthocyanidin extract: importance in human health and disease prevention. Toxicology. 2000 Aug 7;148(2-3):187-97.

Bagchi D, Bagchi M, Stohs S, Ray SD, Sen CK, Preuss HG. Cellular protection with proanthocyanidins derived from grape seeds. Ann NY Acad Sci. 2002 May;957:260-70. Review.

Bagchi D, Sen CK, Bagchi M, Atalay M. Anti-angiogenic, antioxidant, and anti-carcinogenic properties of a novel anthocyanin-rich berry extract formula. Biochemistry (Mosc). 2004 Jan;69 (1) :75-80.

Bianchini F, Vainio H. Wine and resveratrol: mechanisms of cancer prevention? Eur J Cancer Prev. 2003 Oct;12(5):417-25. Review.

Block G, Patterson B, Subar A. Fruit, vegetables, and cancer prevention: a review of the epidemiological evidence. Nutr Cancer. 1992;18(1):1-29. Review.

Burros M. Farmed salmon looking less rosy. New York Times, May 28, 2003.

Caballero-George C, Vanderheyden PM, De Bruyne T, Shahat AA, Van den Heuvel H, Solis PN, Gupta MP, Claeys M, Pieters L, Vauquelin G, Vlietinck AJ. In vitro inhibition of [3H] angiotensin II binding on the human AT 1 receptor by proanthocyanidins from Guazuma ulmifolia bark. Planta Med. 2002 Dec; 68(12):1066-71.

Cal C, Garban H, Jazirehi A, Yeh C, Mizutani Y, Bonavida B. Resveratrol and cancer: chemoprevention, apoptosis, and chemo-immunosensitizing activities. Curr Med Chem Anti-Canc Agents. 2003 Mar;3(2):77-93. Review.

Calixto JB, Yunes RA. Natural bradykinin antagonists. Mem Inst Oswaldo Cruz. 1991;86 Suppl 2:195-202. Review.

Cao G, Russell RM, Lischner N, Prior RL. Serum antioxidant capacity is increased by consumption of strawberries, spinach, red wine or vitamin C in elderly women. J Nutr. 1998 Dec;128(12):2383-90.

Cao G, Shukitt-Hale B, Bickford PC, Joseph JA, McEwen J, Prior RL. Hyperoxia-induced changes in antioxidant capacity and the effect of dietary antioxidants. J Appl Physiol. 1999 Jun;86(6):1817-22.

Carson C, Lee S, De Paola C, et al. Antioxidant intake and cataract in the Melbourne Visual Impairment Project [abstract]. Ain j Epidetniol. 1994; 139 (Suppl 11):A65.

Dauer A, Hensel A, Lhoste E, Knasmuller S, Mersch-Sundennann V. Genotoxic and antigenotoxic effects of catechin and tannins from the bark of Hamamelis

348

virginiana L. in metabolically competent, human hepatoma cells (Hep G2) using single cell gel electrophoresis. Phytochemistry. 2003 May;63(2):199-207.

Durak I, Avci A, Kacmaz M, Buyukkocak S, Cimen MY, Elgun S, Ozturk HS. Comparison of antioxidant potentials of red wine, white wine, grape juice and alcohol. Curr Med Res Opin. 1999;15(4):316-20.

Fahey J W, Zhang Y, Talalay P. Broccoli sprouts: an exceptionally rich source of inducers of enzymes that protect against chemical carcinogens. Proc Natl Acad Sci USA. 1997 Sep 16;94(19):10367-72.

Fisher ND, Hughes M, Gerhard-Herman M, Hollenberg NK. Flavanol-rich cocoa induces nitric-oxide-dependent vasodilation in healthy humans. J Hypertens. 2003 Dec;21(12):2281-6.

Flagg EW, Coates RJ, Greenberg RS. Epidemiologic studies of antioxidants and cancer in humans. J Am Coll Nutr. 1995;14:419-27.

Frances FJ. Pigments and other colorants. In: Food chemistry, 2nd edition. Fennema OR, ed. New York, Marcel Dekker, Inc., 1985.

Freedman JE, Parker C 3rd, Li L, Perlman JA, Frei B, Ivanov V, Deak LR, Iafrati MD, Folts JD. Select flavonoids and whole juice from purple grapes inhibit platelet function and enhance nitric oxide release. Circulation. 2001;103:2792-8.

Frieling UM, Schaumberg DA, KupperTS, et al. A randomized 12-year primary-prevention trial of beta carotene supplementation for nonmelanoma skin cancer in the Physicians' Health Study. Arch Dermatol. 2000;136:179-84.

Galli RL, Shukitt-Hale B,Youdim KA, Joseph JA. Fruit polyphenolics and brain aging: nutritional interventions targeting age-related neuronal and behavioral deficits. Ann NY Acad Sci. 2002 Apr;959:128-32. Review.

Gil MI,Tomas-Barberan FA, Hess-Pierce B, Holcroft DM, Kader AA. Antioxidant activity of pomegranate juice and its relationship with phenolic composition and processing. J Agric Food Chem. 2000 Oct;48(10):4581-9.

Giovannucci E. Tomatoes, tomato-based products, lycopene, and cancer: review of the epidemiologic literature. J Natl Cancer Inst. 1999;91:317-31.

Goldberg J, Flowerdew G, Smith E, et al. Factors associated with age-related macular degeneration. An analysis of data from the first National Health and Nutrition Examination Survey. Am J Epidemiol. 1988;128:700-10.

Gorinan C, Park A. The fires within. Time. February 23, 2004.

Hackett AM. In: Plant flavonoids in biology and medicine: biochemical pharmacological and structure activity relationships. Cody V, Middleton EJ, Harborne JB, eds. New York, Liss 1986, 177-94.

Han B, Jaurequi J,Tang BW, Nünni ME. Proanthocyanidin: a natural crosslinking reagent for stabilizing collagen matrices. J Biomed Mater Res. 2003 Apr 1;65A(1):118-24.

Hennekens CH, Buring JE, Manson JE, et al. Lack of effect of long-term supplementation with beta carotene on the incidence of malignant neoplasms and cardiovascular disease. N Engl J Med. 1996;334:1145-9.

Holick CN, Michaud DS, Stolzenberg-Solomon R, Mayne ST, Pietinen P,Taylor PR,Virtamo J, Albanes D. Dietary carotenoids, serum beta-carotene, and retinol and risk of lung cancer in the alpha-tocopherol, beta-carotene cohort study. Am J Epidemiol. 2002 Sep 15;156(6):536-47.

Hollenberg NK. Flavanols and cardiovascular health: what is the evidence for chocolate and red wine? American Heart Association Scientific Sessions, Unofficial Satellite Symposium, November 11, 2001, Anaheim, California.

Hou DX. Potential mechanisms of cancer chemoprevention by anthocyanins. Curr Mol Med. 2003 Mar;3(2):149-59. Review.

Hou DX, Kai K, Li JJ, Lin S, Terahara N, Wakamatsu M, Fujii M, Young MR, Colburn N. Anthocyanidins inhibit activator protein 1 activity and cell transformation: structure-activity relationship and inolecular mechanisms. Carcinogenesis. 2004 Jan;25(1):29-36. Epub September 26, 2003.

Howell AB. Cranberry proanthocyanidins and the maintenance of urinary tract health. Crit Rev Food Sci Nutr. 2002;42 Suppl 3:273-8. Review.

Howell AB, Foxman B. Cranberry juice and adhesion of antibiotic-resistant uropathogens. JAMA. 2002 Jun 19;287(23):3082-3. No abstract available.

Ito H, Kobayashi E, Takamatsu Y, Li SH, Hatano T, Sakagami H, Kusama K, Satoh K, Sugita D, Shimura S, Itoh Y, Yoshida T. Polyphenols from Eriobotrya japonica and their cytotoxicity against human oral tumor cell lines. Chem Pharm Bull (Tokyo). 2000 May;48(5):687-93.

Ito Y, Gajalakshmi KC, Sasaki R, Suzuki K, Shanta V A study on serum carotenoid levels in breast cancer patients of Indian women in Chennai (Madras), India. J EpidemioL 1999 Nov;9 (5) :306-14.

Jang M, Pezzuto JM. Cancer chemopreventive activity of resveratrol. Drugs Exp Clin Res. 1999;25(2-3):65-77.

Kakegawa, et al. Inhibitory effects of tannins on hyaluronidase activation and on the degranulation from rat mesentery mast cells. Chem Pharm Bull. 1985; 33(11)3079-82.

Kaplan M, Hayek T, Raz A, Coleman R, Dornfeld L,Vaya J, Aviram M. Pomegranate juice supplementation to atherosclerotic mice reduces macrophage lipid peroxidation, cellular cholesterol accumulation and development of atherosclerosis. J Nutr. 2001 Aug;131(8):2082-9.

Keck AS, Finley JW. Cruciferous vegetables: cancer protective mechanisms of glucosinolate hydrolysis products and seleniuni. Integr Cancer Ther. 2004 Mar;3(1):5-12.

Kim ND, Mehta R, Yu W, Neeman I, Livney T, Amichay A, Poirier D, Nicholls P Kirby A, Jiang W, Mansel R, Ramachandran C, Rabi T, Kaplan B, Lansky E. Chemopreventive and adjuvant therapeutic potential of pomegranate (Punica granatum) for human breast cancer. Breast Cancer Res Treat. 2002 Feb;71(3):203-17.

Kohlmeier L, Weterings KGC, Steck S, Kok FJ. Tea and cancer prevention: an evaluation of the epidemiologic literature. Nutr Cancer. 1997;27:1-13.

350

Kollar P, Hotolova H. [Biological effects of resveratrol and other constituents of wine.] Ceska Slov Farm. 2003 Nov;52(6):272-81. Review. Czech.

Krinsky NI. Micronutrients and their influence on mutagenicity and malignant transformation. Ann NY Acad Sci. 1993 May 28;686:229-42. Review.

Krinsky NI, Landrum JT, Bone RA. Biologic mechanisms of the protective role of lutein and zeaxanthin in the eye. Annu Rev Nutr. 2003;23:171-201. Epub February 27, 2003. Review.

Kris-Etherton PM, Keen CL. Evidence that the antioxidant flavonoids in tea and cocoa are beneficial for cardiovascular health. Curr Opin Lipidol. 2002 Feb;13(l):41-9. Review.

Kuttan R, et al. Collagen treated with (+) catechin becomes resistant to the action of mammalian collagenases. Experientia. 1981;37. Berhauser Verlag, Basel, Switzerland.

Lamson DW, Brignall MS. Antioxidants and cancer, part 3: quercetin. Altern Med Rev. 2000 Jun;5(3):196-208. Review.

La Vecchia C, Tavani A. Fruit and vegetables, and human cancer. Eur J Cancer Prev. 1998 Feb;7(1):3-8. Review.

Lee EH, Faulhaber D, Hanson KM, Ding W, Peters S, Kodali S, Granstein RD. Dietary lutein reduces ultraviolet radiation-induced inflammation and immunosuppression. J Invest Dermatol. 2004 Feb;122(2):510-7.

Lee IM, Cook NR, Manson JE, et al. Beta-carotene supplementation and incidence of cancer and cardiovascular disease: the Women's Health Study. J Natl Cancer Inst. 1999;91:2102-6.

Lee KW, Kim YJ, Kim DO, Lee HJ, Lee CY. Major phenolics in apple and their contribution to the total antioxidant capacity. J Agric Food Chem. 2003 Oct 22;51(22):6516-20.

Lee KW, Kim YJ, Lee HJ, Lee CY. Cocoa has more phenolic phytochemicals and a higher antioxidant capacity than teas and red wine. J Agric Food Chem. 2003 Dec 3;51(25):7292-5.

Li WG, Zhang XY, Wu YJ, Tian X. Anti-inflammatory effect and mechanism of proanthocyanidins from grape seeds. Acta Pharmacol Sin. 2001 Dec;22(12):1117-20.

Lopez-Velez M, Martinez-Martinez F, Del Valle-Ribes C. The study of phenolic compounds as natural antioxidants in wine. Crit Rev Food Sci Nutr. 2003;43(3):233-44. Review.

Lugasi A, Hovari J. Antioxidant properties of commercial alcoholic and nonalcoholic beverages. Nahrung. 2003 Apr;47(2):79-86.

Malik M, Zhao C, Schoene N, Guisti MM, Moyer MP, Magnuson BA. Anthocyanin-rich extract from Aronia meloncarpa E induces a cell cycle block in colon cancer but not normal colonic cells. Nutr Cancer. 2003;46(2):186-96.

Mazza G, Kay CD, Cottrell T, Holub BJ. Absorption of anthocyanins from blueberries and serum antioxidant status in human subjects. J Agric Food Chem. 2002 Dec 18;50(26):7731-7.

Mazza G, Miniati E. Small fruits. In: Anthocyanins in fruits, vegetables, and grains; Boca Raton, FL, CRC Press, 1993,85-130.

McAlindon TE, Jacques P, Zhang Y, et al. Do antioxidant micronutrients protect against the development and progression of knee osteoarthritis? Arthritis Rheum. 1996;39:648-56.

McBride J. High-ORAC foods may slow aging. USDA Agricultural Research Service Web site. http://www.ars.usda.gov/is/pr/1999/990208.htm.

Micozzi MS, Beecher GR, Taylor PR, Khachik E. Carotenoid analyses of selected raw and cooked foods associated with a lower risk for cancer.J Natl Cancer Inst. 1990 Feb 21;82(4):2825. Erratum in: J Natl Cancer Inst. 1990 Apr 18;82(8):715.

Milbury PE, Cao G, Prior RL, Blumberg J. Bioavailability of elderberry anthocyanins. Mech Ageing Dev. 2002 Apr 30;123(8):997-1006.

Miller MJ, Vergnolle N, McKnight W, Musah RA, Davison CA, Trentacosti AM, Thompson JH, Sandoval M, Wallace JL. Inhibition of neurogenic inflammation by the Amazonian herbal medicine sangre de grado. J Invest Dermatol. 2001 Sep-, 117(3):725-30.

Mittal A, Elmets CA, Katiyar SK. Dietary feeding of proanthocyanidins from grape seeds prevents photocarcinogenesis in SKH-1 hairless mice: relationship to decreased fat and lipid peroxidation. Carcinogenesis. 2003 Aug;24(8):1379-88. Epub June 5, 2003.

Moeller SM, Jacques PF, Blumberg JB. The potential role of dietary xanthophylls in cataract and age-related macular degeneration. J Am Coll Nutr. 2000 Oct;19 Suppl 5:522S-527S. Review.

Moyer RA, Hummer KE, Finn CE, Frei B, Wrolstad RE. Anthocyanins, phenolics, and antioxidant capacity in diverse sinall fruits: vaccinium, rubus, and ribes. J Agric Food Chem. 2002 Jan 30;50(3):519-25.

Murphy KJ, Chronopoulos AK, Singh I, Francis MA, Moriarty H, Pike MJ, Turner AH, Marin NJ, Sinclair AJ. Dietary flavanols and procyanidin oligomers from cocoa (Theobroma cacao) inhibit platelet function. Am J Clin Nutr. 2003 Jun;77(6):1466-73.

Nkondjock A, Ghadirian P. Intake of specific carotenoids and essential fatty acids and breast cancer risk in Montreal, Canada. Am J Clin Nutr. 2004 May;79(5):857-64.

O'Byrne DJ, Devaraj S, Grundy SM, Jialal I. Comparison of the antioxidant effects of Concord grape juice flavonoids alpha-tocopherol on markers of oxidative stress in healthy adults. Am J Clin Nutr. 2002 Dec;76(6):1367-74. [Co-sponsored by Welch's Foods Inc. (Concord, MA) and the National Institutes of Health.]

Omenn GS, Goodman GE, Thornquist MD, et al. Effects of a combination of beta carotene and vitamin A on lung cancer and cardiovascular disease. N Engl J Med. 1996;334:1150-5.

352

Orsini F, Pelizzoni F, Verotta L, Aburjai T, Rogers CB. Isolation, synthesis, and antiplatelet aggregation activity of resveratrol 3-O-beta-D-glucopyranoside and related compounds. J Nat Prod. 1997 Nov;60(11):1082-7.

Polyphenol flavonoid content and anti-oxidant activities of varions juices: a conlparative study. The Lipid Research Laboratory, Technion Faculty of Medicine, The Rappaport Family Institute for Research in the Medical Sciences and Rambam Medical Center, Haifa, Israel.

Robert AM, Tixier JM, Robert L, Legeais JM, Renard G. Effect of procyanidolic oligomers on the permeability of the blood-brain barrier. Pathol Biol (Paris). 2001 May;49(4):298-304.

Rock CL, Saxe GA, Ruffin MT 4th, et al. Carotenoids, vitamin A, and estrogen receptor status in breast cancer. Nutr Cancer. 1996;25:281-96.

Roy S, Khanna S, Alessio HM, Vider J, Bagchi D, Bagchi M, Sen CK. Anti-angiogenic property of edible berries. Free Radic Res. 2002 Sep;36(9):1023-31.

Schmidt K. Antioxidant vitamins and beta-carotene: effects on immunocompetence. Am J Clin Nutr. 1991 Jan;53 Suppl 1:383S-385S.

Schubert SY, Lansky EP, Neeman I. Antioxidant and eicosanoid enzyme inhibition properties of pomegranate seed oil and fermented juice flavonoids. J Ethnopharmacol. 1999
Jul;66(1):11-7.

Seddon JM, Ajani UA, Sperduto RD, et al. Dietary carotenoids, vitamins A, C, and E, and advanced age-related macular degeneration. Eye Disease Case-Control Study Group. JAMA. 1994;272:1413-20.

Seeram NP, Zhang Y, Nair MG. Inhibition of proliferation of human cancer cells and cyclooxygenase enzymes by anthocyanidins and catechins. Nutr Cancer. 2003;46(1):101-6.

Shapiro TA, Fahey JW, Wade KL, Stephenson KK, Talalay P. Chemoprotective glucosinolates and isothiocyanates of broccoli sprouts: metabolism and excretion in humans. Cancer Epidemiol Biomarkers Prev. 2001 May;10(5):501-8.

Shi J,Yu J, Pohorly JE, Kakuda Y. Polyphenolics in grape seeds-biochemistry and functionaliry. J Med Food. 2003 Winter;6(4):291-9.

Singletary KW, Meline B. Effect of grape seed proanthocyanidins on colon aberrant crypts and breast tumors in a rat dual-organ tumor model. Nutr Cancer. 2001;39(2):252-8.

Singletary KW, Stansbury MJ, Giusti M, Van Breemen RB, Wallig M, Rimando A. Inhibition of rat mammary tumorigenesis by Concord grape juice constituents. J Agric Food Chem. 2003 Dec 3;51(25):7280-6.

Slomski G. Lycopene. Gale encyclopedia of alternative medicine 2001.

Spencer JP, Schroeter H, Rechner AR, Rice-Evans C. Bioavailability of flavan-3-ols and procyanidins: gastrointestinal tract influences and their relevance to bioactive forms in vivo. Antioxid Redox Signal. 2001 Dec;3(6):1023-39. Review.

Steinmetz KA, Potter JD. Vegetables, fruit, and cancer prevention: a review. J Am Diet Assoc. 1996 Oct;96(10):1027-39. Review.

Stoclet JC, Kleschyov A, Andriambeloson E, Diebolt M, Andriantsitohaina R. Endothelial no release caused by red wine polyphenols. J Physiol Pharmacol. 1999 Dec;50(4):535-40.

Subarnas A, Wagner H. Analgesic and anti-inflammatory activity of the proanthocyanidin shellegueain A from Polypodium feei METT. Phytomedicine. 2000 Oct;7(5):401-5.

Tan WF, Lin LP, Li MH, Zhang YX,Tong YG, Xiao D, Ding J. Quercetin, a dietary-derived flavonoid, possesses antiangiogenic potential. Eur J PharmacoL 2003 Jan 17;459(2-3):255-62.

Teikari JM, Rautalahti M, Haukka J, et al. Incidence of cataract operations in Finnish male smokers unaffected by alpha tocopherol or beta carotene supplements. J Epidemiol Community Health. 1998;52:468-72.

Tijburg LBM, Mattern T, Folts JD, Weisgerber UM, Katan MB. Tea flavonoids and cardiovascular diseases: a review. Crit Rev Food Sci Nutr. 1997;37:771-85.

Toniolo P, Van Kappel AL, Akhmedkhanov A, Ferrari P, Kato I, Shore RE, Riboli E. Serum carotenoids and breast cancer. Am J Epidemiol. 2001 Jun 15; 153(12):1142-7.

Turujman SA, Wamer WG, Wei RR, Albert RH. Rapid liquid chromatographic method to distinguish wild salmon from aquacultured salmon fed synthetic astaxanthin. J AOAC Int. 1997 May-Jun;80(3):622-32.

van Doorn HE, van der Kruk GC, van Holst GJ. Large scale determination of glucosinolates in brussels sprouts samples after degradation of endogenous glucose. J Agric Food Chem. 1999 Mar;47(3):1029-34.

Vena JE, Graham S, Freudenheim J, et al. Diet in the epidemiology of bladder cancer in western New York. Nutr Cancer. 1992;18:255-64.

Vinson JA, Teufel K, Wu N. Red wine, de-alcoholised red wine, and especially grape juice, inhibit atherosclerosis in a hamster model. Atherosclerosis. 2001;156:1:67-72.

Vitale S, West S, Hallfrish J, et al. Plasma antioxidants and risk of cortical and nuclear cataract. Epidemiology. 1993;4:195-203.

Wang H, Cao G, Prior RL. Total antioxidant capacity of fruits. J Agr Food Chem. 1996;44(3):701-5.

Weisburger JH. Chemopreventive effects of cocoa polyphenols on chronic diseases. Exp Biol Med (Maywood). 2001 Nov;226(10):891-7. Review.

Yamagishi M, Natsume M, Osakabe N, Nakamura H, Furukawa F, Imazawa T, Nishikawa A, Hirose M. Effects of cacao liquor proanthocyanidins on PhIP-induced mutagenesis in vitro, and in vivo mammary and pancreatic tumorigenesis in female Sprague-Dawley rats. Cancer Lett. 2002 Nov 28;185(2):123-30.

Yamagishi M, Natsume M, Osakabe N, Okazaki K, Furukawa F, Imazawa T, Nishikawa A, Hirose M. Chemoprevention of lung carcinogenesis by cacao liquor

354   proanthocyanidins in a male rat multi-organ carcinogenesis model. Cancer Lett. 2003 Feb 28;191(l):49-57.

Ye X, Krohn RL, Liu W, Joshi SS, Kuszynski CA, McGinn TR, Bagchi M, Preuss HG, Stohs SJ, Bagchi D. The cytotoxic effects of a novel IH636 grape seed proanthocyanidin extract on cultured human cancer cells. Mol Cell Biochem. 1999 Jun;196(1-2):99-108.

Zhang LX, et al. Carotenoids enhance hap junctional communication and inhibit lipid peroxidation in C3H/10T1/2 cells: relationship to their cancer chemopreventive action. Carcinogenesis. 1991;12:2109-14.

Zheng W, Sellers TA, Doyle TJ, et al. Retinol, antioxidant vitamins, and cancer of the upper digestive tract in a prospective cohort study of postmenopausal women. Am j Epidemiol. 1995;142:955-60.

Ziegler RG. Vegetables, fruits, and carotenoids and the risk of cancer. Am j Clin Nutr. 1991 Jan;53(Suppll):2515-259S. Review.

Chapitre 4

AAP 2000 red book: report of the committee on infections diseases, 25th ed. American Academy of Pediatrics, 2000.

Afzal M, AI-Hadidi D, Menon M, Pesek J, Dhami MS. Ginger: an ethnomedical, chemical and pharmacological review. Drug Metabol Drug Interact. 2001;18(3-4):159-90. Review.

Agerholm-Larsen L, Raben A, Haulrik N, Hansen AS, Manders M, Astrup A. Effect of 8 week intake of probiotic milk products on risk factors for cardiovascular diseases. Eur j Clin Nutr. 2000 Apr; 54(4):288-97.

Aggarwal BB, Kumar A, Bharti AC. Anticancer potential of curcumin: preclinical and clinical studies. Anticancer Res. 2003 Jan-Feb;23(1A):363-98. Review.

Ahmed RS, Seth V, Banerjee BD. Influence of dietary ginger (Zingiber officinales Rosc) on antioxidant defense system in rat: comparison with ascorbic acid. Indian j Exp Biol. 2000 Jun;38(6):604-6.

Altman RD, Marcussen KC. Effects of a ginger extract on knee pain in patients with osteoarthritis. Arthritis 1Zheum.2001;44:2531-8.

Anderson JW, Deakins DA, Floore TL, Smith BM, Whitis SE. Dietary fiber and coronary heart disease. Crit Rev Food Sci Nutr. 1990; 29:95-147.

Anderson JW, Gustafson NJ. Hypocholesterolemic effect of oat and bean products. Am J Clin Nutr. 1988;48:749-53.

Anderson JW, Gustafson NJ, Spencer DB, Tietyen J, Bryant CA. Seruni lipid response of hypercholesterolemic men to single and divided doses of canned beans. Am j Clin Nutr. 1990; 51:1013-9.

Anderson JW, Johnstone BM, Cook-Newell ME. Meta-analysis of the effects of soy protein intake on serum lipids. N Engl J Med. 1995;333:276-82.

Antonio MA, Hawes SE, Hillier SL. The identification of vaginal Lactobacillus species and the demographic and microbiologic characteristics of women colonized by these species. J Infect Dis. 1999 Dec;180(6):1950-6.

Bazzano LA, He J, Ogden LG, Loria C, Vupputuri S, Myers L, Whelton PK. Legume consumption and risk of coronary heart disease in U.S. men and women. Arch Intern Med. 2001;161:2573-8.

Bengmark S. Colonic food: pre- and probiotics. Am J Gastroenterol. 2000 Jan;95Supp1 1:55S7. Review.

Bomba A, Nemcova R, Gancarcikova S, Herich R, Pistl J, Revajova V, Jonecova Z, Bugarsky A, Levkut M, Kastel R, Baran M, Lazar G, Hluchy M, Marsalkova S, Posivak J. The influence of omega-3 polyunsaturated fatty acids (omega-3 pufa) on lactobacilli adhesion to the intestinal mucosa and on immunity in gnotobiotic piglets. Berl Munch Tierarztl Wochenschr. 2003 JulAug;116(7-8):312-6.

Borchers AT, Keen CL, Gershwin ME. The influence of yogurt/Lactobacillus on the innate and acquired immune response. Clin Rev Allergy Immunol. 2002 Jun,22(3):207-30. Review.

Bordia A, Verma SK, Srivastava KC. Effect of ginger (Zingiber officinale Rosc.) and fenugreek (Trigonella foenumgraecum L.) on blood lipids, blood sugar and platelet aggregation in patients with coronary artery disease. Prostaglandins Leukot Essent Fatty Acids. 1997;56:379-84.

Bressani R, Elias LG. The nutritional role of polyphenols in beans. In: Polyphenols in cereals and legumes. Hulse JH, ed. Ottawa, Canada, IllRC-145e, IDRC, 1979.

Bressani R, Elias LG, Braham JE. Reduction of digestibility of legume protein by tannins. In: Workshop on physiological effects of legumes in the laymen diet, XII International Congress of Nutrition, San Diego, California, August 1981.

Brouet I, Ohshima H. Curcumin, an anti-tumour promoter and anti-inflammatory agent, inhibits induction of nitric oxide synthase in activated macrophages. Biochem Biophys Res Commun. 1995 Jan 17;206(2):533-40.

Calabrese V, Scapagnini G, Colombrita C, Ravagna A, Pennisi G, Giuffrida Stella AM, Galli F, Butterfield DA. Redox regulation of heat shock protein expression in aging and neurodegenerative disorders associated with oxidative stress: a nutritional approach. Amino Acids. 2003 Dec;25(3-4):437-44. Epub November 7, 2003.

Caragay AB. Cancer-preventative foods and ingredients. Food Tech. 1992;46(4):65-8.

Carroll KK. Review of clinical studies on cholesterol lowering response to soy protein. J Am Diet Assoc. 1991;91:820-7.

Cav GH, Sofic E, Prior RL. Antioxidant capacity of tea and common vegetables. J Agr Food Chem. 1996 Nov;44(11):3426-31.

Cesarone MR, Belcaro G, Incandela L, Geroulakos G, Griffin M, Lennox A, DeSanctis MT, Acerbi G. Flight microangiopathy in medium-to-long distance

356

flights: prevention of edema and microcirculation alterations with HR (Paroven, Venoruton; 0-(beta-hydroxyethyl)-rutosides): a prospective, randomized, controlled trial. J Cardiovasc Pharmacol Ther. 2002 Jan;7 Suppl 1:S17S20.

Cesarone MR, Incandela L, DeSanctis MT, Belcaro G, Griffin M, Ippolito E, Acerbi G. Treatment of edema and increased capillary filtration in venons hypertension with HR (Paroven,Venoruton; 0-(beta-hydroayethyl)-rutosides): a clinical, prospective, placebo-controlled, randomized, dose-ranging trial. J Cardiovasc Pharmacol Ther. 2002 Jan;7 Suppl 1:S21-S24.

Chainani-Wu N. Safety and anti-inflammatory activity of curcumin: a component of turmeric (Curcuma longa). J Altern Complement Med. 2003 Feb;9(1):161-8. Review.

Chan MM. Inhibition of tumor necrosis factor by curcumin, a phytochemical. Biochem Pharmacol. 1995 May 26;49(11):1551-6.

Chan MM, Huang HI, Fenton MR, Fong D. In vivo inhibition of nitric oxide synthase gene expression by curcumin, a cancer preventive natural product with anti-inflammatory properties. Biochem Pharmacol. 1998 Jun 15;55(12):1955-62.

Chauhan DP. Chemotherapeutic potential of curcumin for colorectal cancer. Curr Pharm Des. 2002;8(19):1695-706. Review.

Chung WI, Yow CM, Benzie IF. Assessment of membrane protection by traditional Chinese medicine using a flow cytometric technique: preliminary findings. Redox Rep. 2003;8(1):31-3.

Conney AH, Lysz T, Ferraro T, Abidi TF, Manchand PS, Laskin JD, Huang MT. Inhibitory effect of curcurnin and some related dietary compounds on tumor promotion and arachidonic acid metabolism in mouse skin. Adv Enzyme Regul. 1991;31;385-96. Review.

Cyong JA. A pharmacological study of the antiinflammatory activity of Chinese herbs-a review. Int J Acupuncture Electro-Ther Res. 1982;(7):173-202.

Danielsson G, Jungbeck C, Peterson K, Norgren L. A randomised controlled trial of micronised purified flavonoid fraction vs. placebo in patients with chronic venons disease. Eur J Vasc Endovasc Surg. 2002 Jan;23(1):73-6.

Delzenne N, Cherbut C, Neyrinck A. Prebiotics: actual and potential effects in inflammatory and malignant colonic diseases. Curr Opin Clin Nutr Metab Care. 2003 Sep;6(5):581-6. Review.

Deodhar SD, et al. Preliminary studies on anti-rheumatic activity of curcumin. Ind. J. Med. Res. 1980;71:632-4.

Dhuley JN. Anti-oxidant effects of cinnamon (Cinnamomum verum) bark and greater cardamom (Amomum subulatum) seeds in rats fed high fat diet. Indian J Exp Biol. 1999 Mar;37(3) 238-42.

Dickerson C. Neuropeptide regulation of proinflammatory cytokine responses. J Leukoc Biol. 1998 May;63(5):602-5.

Dorai T, Cao YC, Dorai B, Buttyan R, Katz AE. Therapeutic potential of curcumin in human prostate cancer. III. Curcumin inhibits proliferation, induces apoptosis, and inhibits angiogenesis of LNCaP prostate cancer cells in vivo. Prostate. 2001 Jun 1;47(4):293-303.

D'Souza AL, et al. Probiotics in prevention of antibiotic associated diarrhoea: meta-analysis. Br Med J. 2002 Jun 8;324:1361.

Duenas M, Sun B, Hernandez T, Estrella I, Spranger MI. Proanthocyanidin composition in the seed coat of lentils (Lens culinaris L.). J Agric Food Chem. 2003 Dec 31;51(27):79998004.

Duvoix A, Morceau F, Delhalle S, Schmitz M, Schnekenburger M, Galteau MM, Dicato M, Diederich M. Induction of apoptosis by curcumin: mediation by glutathione S-transferase P1-1 inhibition. Biochem Pharmacol. 2003 Oct 15;66(8):1475-83.

Elmer GW. Probiotics: "living drugs." Am J Health Syst Pharm. 2001 Jun 15;58(12):1101-9. Review.

Fernandes G, Lawrence R, Sun D. Protective role of n-3 lipids and soy protein in osteoporosis. Prostaglandins Leukot Essent Fatty Acids. 2003 Jun;68(6):361-72. Review.

Fernandez-Orozco R, Zielinski H, Piskula MK. Contribution of low-molecular-weight antioxidants to the antioxidant capacity of raw and processed lentil seeds. Nahrung. 2003 Oct;47(5):291-9.

Floch MH, Hong-Curtiss J. Probiotics and functional foods in gastrointestinal disorders. Curr Gastroenterol Rep. 2001 Aug;3(4):343-50.

Food and Drug Administration HHS. Code of Federal Regulations. Office of the Federal Register National Archives and Records Administration. 1991. 21CFR, 131.200 (yogurt).

Friedrich MJ. A bit of culture for children: probiotics may improve health and fight disease. JAMA. 2000 Sep 20;284(11):1365-6.

Fuhrman B, Rosenblat M, Hayek T, Coleman R, Aviram M. Ginger extract consumption reduces plasma cholesterol, inhibits LDL oxidation and attenuates development of atherosclerosis in atherosclerotic, apolipoprotein E-deficient mice. J Nutr. 2000 May;130(5):1124-31.

Gaon D, Garcia H, Winter L, Rodriguez N, Quintas R, Gonzalez SN, Oliver G. Effect of Lactobacillus strains and Saccharomyces boulardii on persistent diarrhea in children. Medicina (B Aires). 2003;63(4):293-8.

Gaon D, Garmendia C, Murrielo NO, de Cucco Games A, Cerchio A, Quintas R, Gonzalez SN, Oliver G. Effect of Lactobacillus strains (L. casei and L. acidophilus strains cerela) on bacterial overgrowth-related chronic diarrhea. Medicina (B Aires). 2002;62(2):159-63.

Geil PB, Anderson JW. Nutrition and health implications of dry beans: a review. J Am Coll Nutr. 1994 Dec;13(6):549-58. Review

Ghosh S, Playford RJ. Bioactive natural compounds for the treatment of gastrointestinal disorders. Clin Sci (Lond). 2003 Jun;104(6):547-56. Review.

358

Grand RJ, et al. Lactose intolerance. UpToDate Electronic Database (Version 9.2). 2001.

Guardia T, Rotelli AE, Juarez AO, Pelzer LE. Anti-inflammatory properties of plant flavonoids. Effects of rutin, quercetin and hesperidin on adjuvant arthritis in rat. Farmaco. 2001 Sep;56(9):683-7.

Han SS, Keum YS, Chun KS, Surh YJ. Suppression of phorbol ester-induced NF-kappaB activation by capsaicin in cultured human promyelocytic leukemia cells. Arch Pharm Res. 2002 Aug;25 (4) :475-9.

Han SS, Keum YS, Seo HJ, Chun KS, Lee SS, Surh YJ. Capsaicin suppresses phorbol ester-induced activation of NF-kappaB/Rel and AP-1 transcription factors in mouse epidermis. Cancer Lett. 2001 Mar 26;164(2):119-26.

Han SS, KeumYS, Seo HJ, Surh YJ. Curcumin suppresses activation of NF-kappaB and AP1 induced by phorbol ester in cultured human promyelocytic leukemia cells. J Biochem Mol Biol. 2002 May 31;35(3):337-42.

Health and nutritional properties of probiotics in food including powder milk with live lactic acid bacteria joint FAO/WHO expert consultation. Cordoba, Argentina, October 1-4, 2001 (EN). http://www.who.int/foodsafery /publications/fs_ management/en/probiotics.pdf.

Herman C, Adlercreutz T, Goldin BR, et al. Soybean phytoestrogen intake and cancer risk. J Nutr 1995;125:757S-770S.

Ho C-T, Lee CY, Huang MT. Phenolic compounds in food and their effects on health I: analysis, occurrence, and chemistry. American Chemical Society Symposium Series 506, 315 pages, 1992. American Chemical Society, Washington, DC.

Ho C-T, Lee CY, Huang MT. Phenolic compounds in food and their effects on health II: antioxidants and cancer prevention. American Chemical Society Symposium Series 507, 402 pages, 1992. American Chemical Society, Washington, DC.

Hughes VL, Hillier SL. Microbiologic characteristics of Lactobacillus products used for colonization of the vagina. Obstet Gynecol. 1990;75:244-8.

Ihme N, Kiesewetter H, Jung F, Hoffniann KH, Birk A, Muller A, Grutzner KI. Leg oedema protection from a buckwheat herb tea in patients with chronic venons insufficiency: a singlecentre, randomised, double-blind, placebo-controlled clinical trial. Eur J Clin Pharmacol. 1996;50(6):443-7.

Incandela L, Belcaro G, Renton S, DeSanctis MT, Cesarone MR, Bavera P, Ippolito E, Bucci M, Griffin M, Geroulakos G, Dugall M, Golden G, Acerbi G. HR (Paroven, Venoruton; 0-(betahydroxyethyl)-rutosides) in venous hypertensive microangiopathy: a prospective, placebo-controlled, randomized trial. J Cardiovasc Pharmacol Ther. 2002 Jan;7 Suppl 1:S7-S10.

Incandela L, Cesarone MR, DeSanctis MT, Belcaro G, Dugall M,Acerbi G. Treatment of diabetic microangiopathy and ederna with HR (Paroven, Venoruton;

0-(beta-hydroxyethyl)-rutosides): a prospective, placebo-controlled, randomized study. J Cardiovasc Pharmacol Ther. 2002 Jan;7 Suppl 1:S11-S15.

Isolauri E. Probiotics: from anecdotes to clinical demonstration. J Allergy Clin Immunol. 2001 Dec;108(6):1062.

Ito K, Nakazato T, Yamato K, MiyakawaY, Yamada T, Hozumi N, Segawa K, Ikeda Y, Kizaki M. Induction of apoptosis in leukemic cells by homovanillic acid derivative, capsaicin, through oxidative stress: implication of phosphorylation of p53 at Ser-15 residue by reactive oxygen species. Cancer Res. 2004 Feb 1;64(3):1071-8.

Jambunathan R, Singh U. Studies on desi and kabuli chickpea (Cicer arietinum 1.) cultivars. 3. Mineral and trace element composition. J Agric Food Chem. 1981 Sep-Oct;29(5):1091-3.

Janssen PL, Meyboom S, van Staveren WA, et al. Consumption of ginger (Zingiber officinale Roscoe) does not affect ex vivo platelet thromboxane production in humans. Eur J Clin Nutr. 1996;50:772-4.

Jobin C, Bradham CA, Russo MP, Juma B, Narula AS, Brenner DA, Sartor RB. Curcumin blocks cytokine-mediated NF-kappa B activation and proinflammatory gene expression by inhibiting inhibitory factor I-kappa B kinase activity. J Immunol. 1999 Sep 15;163(6):3474-83.

Joe B, Lokesh BR. Effect of curcumin and capsaicin on arachidonic acid metabolism and lysosomal enzyme secretion by rat peritoneal macrophages. Lipids. 1997 Nov;32(11):1173-80.

Joe B, Lokesh BR. Role of capsaicin, curcumin and dietary n-3 fatty acids in lowering the generation of reactive oxygen species in rat peritoneal macrophages. Biochim Biophys Acta. 1994 Nov 10;1224(2):255-63.

Kan H, Onda M, Tanaka N, Furukawa K. [Effect of green tea polyphenol fraction on 1,2-dimethylhydrazine (DMH)-induced colorectal carcinogenesis in the rat.] Nippon Ika Daigaku Zasshi. 1996 Apr;63(2):106-16. Japanese.

Kang G, Kong PJ, Yuh YJ, Lim SY, Yim SV, Chun W, Kim SS. Curcumin suppresses lipopolysaccharide-induced cyclooxygenase-2 expression by inhibiting activator protein 1 and nuclear factor kappaB bindings in BV2 microglial cells. J Pharmacol Sci. 2004 Mar;94(3):325-8.

Kaur P, et al. Probiotics: potential pharmaceutical applications. Eur J Phar Sci. 2002 Feb; 15:1-9.

Kawa JM,Taylor CG, Przybylski R. Buckwheat concentrate reduces serum glucose in streptozotocin-diabetic rats. j Agric Food Chem. 2003 Dec 3;51(25):7287-91.

Keating A, Chez RA. Ginger syrup as an antiemetic in early pregnancy. Altern Ther Health Med. 2002;8:89-91.

Kennedy AR. The evidence for soybean products as cancer preventive agents. J Nutr. 1995;125:733S-743S.

Kent HL. Epidemiology of vaginitis. Am j Obstet Gynecol 1991; 165:1168-76.

360

Kiessling G, Schneider J, Jahreis G. Long-term consumption of fermented dairy products over 6 months increases HDL cholesterol. Eur J Clin Nutr. 2002 Sep;56(9):843-9.

Kihara N, de la Fuente SG, Fujino K, Takahashi T, Pappas TN, Mantyh CR. Vanilloid receptor-1 containing primary sensory neurones mediate dextran sulphate sodium induced colitis in rats. Gut. 2003 May;52(5):713-9.

Kikuzaki H, Nakatani N. Antioxidant effects of some ginger constituents. J Food Sci. 1993;58:1407.

Kiuchi F, et al. Inhibitors of prostaglandin biosynthesis from ginger. Chem Pharm Bull (Tokyo). 1982 Feb;30(2):754-7. Folia Pharmacologica Japonica. 1986 Oct;88(4):263-9.

Kolida S, Tuohy K, Gibson GR. Prebiotic effects of inulin and oligofructose. Br j Nutr. 2002 May;87 Suppl 2:S193-S197. Review.

Kurzer MS, Xu X. Dietary phytoestrogens. Ann Rev Nutr. 1997;17:353-81. Review.

Kwak JY. A capsaicin-receptor antagonist, capsazepine, reduces inflammation-induced hyperalgesic responses in the rat: evidence for an endogenous capsaicin-like substance. Neuroscience. 1998 Sep;86(2):619-26.

Lee YB, et al. Antioxidant property in ginger rhizome and its application to meat products. J Food Sci. 1986;51(1):20-3.

Li CH, Matsui T, Matsumoto K, Yamasaki R, Kawasaki T. Latent production of angiotensin 1-converting enzyme inhibitors from buckwheat protein. J Pept Sci. 2002 Jun;8(6):267-74.

Li SQ, Zhang QH. Advances in the development of functional foods from buckwheat. Crit Rev Food Sci Nutr. 2001 Sep;41(6):451-64. Review.

Liacini A, Sylvester J, Li WQ, Huang W, Dehnade F, Ahmad M, Zafarullah M. Induction of matrix metalloproteinase-13 gene expression by TNF-alpha is mediated by MAP kinases, AP-1, and NF-kappaB transcription factors in articular chondrocytes. Exp Cell Res. 2003 Aug 1;288(1):208-17.

Lien HC, Sun WM, Chen YH, et al. Effects of ginger on motion sickness and gastric slowwave dysrhythmias induced by circular vection. Am J Physiol Gastrointest Liver Physiol. 2003;284:G481-G489.

Liepke C, Adermann K, Raida M, Magert HJ, Forssmann WG, Zucht HD. Human milk provides peptides highly stimulating the growth of bifidobacteria. Eur J Biochem. 2002 Jan;269(2):712-8.

Lim GP, Chu T, Yang F, Beech W, Frautschy SA, Cole GM. The curry spice curcumin reduces oxidative damage and amyloid pathology in an Alzheimer transgenic mouse. J Neurosci. 2001 Nov 1;21(21):8370-7.

Liu N, Huo G, Zhang L, Zhang X [Effect of Zingiber officinale Rosc on lipid peroxidation in hyperlipidemia rats.] Wei Sheng Yan Jiu. 2003 Jan;32(1):22-3. Chinese.

Lu P, Lai BS, Liang P, Chen ZT, Shun SQ. [Antioxidation activity and protective effection of ginger oil on DNA damage in vitro.] Zhongguo ZhongYao Za Zhi. 2003 Sep;28(9):873-5. Chinese.

Lumb AB. Effect of dried ginger on human platelet function. Thromb Haemost. 1994,71:110-1.

Majamaa H, Isolauri E. Probiotics: a novel approach in the management of food allergy. J Allergy Clin Immunol. 1997 Feb;99(2):179-85.

Menne E, Guggenbuhl N, Roberfroid M. Fn-type chicory inulin hydrolysate has a prebiotic effect in humans. J Nutr. 2000 May;130(5):1197-9.

Messina M, Messina V. Increasing use of soy foods and their potential role in cancer prevention. J Am Diet Assoc. 1991;91:836-40.

Messina M, Messina V. The simple soybean and your health. New York, Avery Publishing Company, 1994.

Messina MJ, Persky V, Setchell KD, et al. Soy intake and cancer risk: a review of the in vitro and in vivo data. Nutr Cancer. 1994;21(2):113-31.

Metchnikoff E. The prolongation of life: optimistic studies. New York, G.P. Putnam's Sons, 1908.

Miraglia del Giudice M Jr, De Luca MG, Capristo C. Probiotics and atopic dermatitis. A new strategy in atopic dermatitis. Dig Liver Dis. 2002 Sep;34 Suppl 2:S68-S71.

Mitchell JA. Role of nitric oxide in the dilator actions of capsaicin-sensitive nerves in the rabbit coronary circulation. Neuropeptides. 1997 Aug;31(4):333-8.

Murosaki S, Muroyama K, Yamamoto Y, Yoshikai Y. Antitumor effect of heat-killed Lactobacillus plantarum L-137 through restoration of impaired interleukin-12 production in tumorbearing rince. Cancer Immunol Immunother. 2000 Jun; 49(3):157-64.

Nestel P, Cehun M, Pomeroy S, Abbey M, Duo L, Weldon G. Cholesterol-lowering effects of sterol esters and non-esterified sitostanol in margarine, butter and low-fat foods. Eur j Cardio Nurs. 2001;55:1084-90.

Nyirjesy P, et al. Over-the-counter and alternative medicines in the treatment of chronic vaginal symptoms. Obstet Gynecol. 1997;90:50-3.

Oh GS, Pae HO, Seo WG, Kim NY, Pyun KH, Kim IK, Shin M, Chung HT. Capsazepine, a vanilloid receptor antagonist, inhibits the expression of inducible nitric oxide synthase gene in lipopolysaccharide-stimulated RAW264.7 macrophages through the inactivation of nuclear transcription factor-kappa B. Int Immunopharmacol. 2001 Apr,l(4):777-84.

Ohta T, Nakatsugi S, Watanabe K, Kawamori T, Ishikawa F, Morotomi M, Sugie S, Toda T, Sugimura T, Wakabayashi K. Inhibitory effects of Bifidobacterium-fermented soy milk on 2amino-1-methyl-6-phenylimidazo[4,5-b]pyridine-induced rat mammary carcinogenesis, with a partial contribution of its eomponent isoflavones. Carcinogenesis. 2000 May;21(5):937-41.

362

Onoda M, Inano H. Effect of curcumin on the production of nitric oxide by cultured rat mammary gland. Nitric Oxide. 2000 Oct;4(5):505-15.

Ostrakhovitch EA, Afanas'ev IB. Oxidative stress in rheumatoid arthritis leukocytes: suppression by rutin and other antioxidants and chelators. Biochem Pharmacol. 2001 Sep 15;62(6):743-6.

Pan MH, Lin-Shiau SY, Lin JK. Comparative studies on the suppression of nitric oxide synthase by curcumin and its hydrogenated metabolites through down-regulation of IkappaB kinase and NFkappaB activation in macrophages. Biochem Pharmacol. 2000 Dec 1;60(11):1665-76.

Park JM, Adam RM, Peters CA, Guthrie PD, Sun Z, Klagsbrun M, Freeman MR. AP-1 mediates stretch-induced expression of HB-EGF in bladder smooth muscle cells. Am j Physiol. 1999 Aug;277(2 Pt 1):C294-C301.

Patel PS, Varney ML, Dave BJ, Singh RK. Regulation of constitutive and induced NFkappaB activation in malignant melanoma cells by capsaicin modulates interleukin-8 production and cell proliferation. J Interferon Cytokine Res. 2002 Apr;22(4):427-35.

Peterson KF, Dufour S, Befroy D, Garcia R, Shulman GL Impaired activity in the insulinresistant offspring of patients with type 2 diabetes. N Engl J Med. 2004 Feb 12;350:664-71.

Petruzzellis V, Troccoli T, Candiani C, Guarisco R, Lospalluti M, Belcaro G, Dugall M. Oxerutins (Venoruton): efficacy in chronic venous insufficiency-a double-blind, randomized, controlled study. Angiology. 2002 May Jun;53(3):257-63.

Phan TT, See P, Lee ST, Chan SY. Protective effects of curcumin against oxidative damage on skin cells in vitro: its implication for wound healing. J Trauma. 2001 Nov;51(5):927-31.

Plummer SM, Holloway KA, Manson MM, Munks RJ, Kaptein A, Farrow S, Howells L. Inhibition of cyclo-oxygenase 2 expression in colon cells by the chemopreventive agent curcumin involves inhibition of NF-kappaB activation via the NIK/IKK signalling complex. Oncogene. 1999 Oct 28;18(44):6013-20.

Pongrojpaw D, Chiamchanya C. The efficacy of ginger in prevention of post-operative nausea and vomiting after outpatient gynecological laparoscopy. J Med Assoc Thai. Nutr. 1995;125:606S-611 S.

Potter SM. Overview of proposed mechanims for the hypocholesterolemic effect of soy. J Nutr. 1995;125;606S-611S.

Potter SM, Bakhit RM, Essex-Sorlie DL, et al. Depression of plasma in men by cunsumption of baked products containing soy protein. Am J Clin Nutr. 1995;58;501-6.

Prasad NS, Raghavandra R, Lokesh BR, Naidu KA. Spice phenolic inhibit human PMNL 5-lipoxygenase. Prostaglandins Leukot Essent Fatty Acids. 2004 Jun;70(6):521-8.

Rafter JJ. Scientific basis of biomakers and benefits of functional foods for reduction of disease risk: cancer. Br J Nutr. 2002 Nov;88 Suppl 2:S219-S224. Review.

Ramirez-Tortosa MC, Mesa MD, Aguilera MC, Quiles JL, Baro L, Ramirez-Tortosa CL, Martinez-Victoria E, Gil A. Oral administration of a tumeric extract inhibits LDL oxidation and has hypocholesterolemic effects in rabbits with experimental atherosclerosis. Atherosclerosis. 1999 Dec;147(2):371-8.

Rao BN. Bioactive phytochemicals in Indian foods and their potential in health promotion and disease prevention. Asia Pac j Clin Nutr. 2003;12(1):9-22. Review.

Rao CV, et al. Antioxidant activity of curcumin and related compounds. Lipid peroxide formation in experimental inflammation. Cancer Res 1993;55:259.

Rautava S, Isolauri E.The development of gut immune responses and gut microbiota: effects of probiotics in prevention and treatment of allergic disease. Curr Issues Intest Microbiol. 2002 Mar;3 (1) :15-22.

Reid G, Bocking A. The potential for probiotics to prevent bacterial vaginosis and preterm labor. Am j Obstet Gynecol. 2003 Oct;189(4):1202-8. Review.

Reid G, Howard J, Gan BS. Can bacterial interference prevent infection? Trends Microbiol. 2001 Sep;9(9):424-8.

Reuter G. [Probiotics-possibilities and limitations of their application in food, animal feed, and in pharmaceutical preparations for men and animals.] Berl Munch Tierarztl Wochenschr. 2001 Nov-Dec;114(11-12):410-9. Review. German.

Rolfe RD. The role of probiotic cultures in the control of gastrointestinal health. J Nutr. 2000 Feb;130 (Suppl 2S):396S-402S. Review.

Roos K, et al. Effect of recolonization with "interfering" streptococci on recurrences of acute and secretory otitis media in children: randomized placebo controlled trial. Br Med J. 2001;32:210.

Saavedra JM, Tschernia A. Human studies with probiotics and prebiotics: clinical implications. Br J Nutr. 2002 May;87 Suppl 2:S241-S246. Review.

Saito Y. The antioxidant effects of petroleum ether soluble and insoluble fractions from spices. Eiyo To Shokuryo. 1976;29:505-10.

Satoskar RR, Shah SJ, Shenoy SG. Evaluation of anti-inflammatory property of curcumin (diferuloyl methane) in patients with postoperative inflammation. Int J Clin Pharmacol Ther Toxicol. 1986 Dec;24(12):651-4.

Schiffrin EJ, Blum S. Interactions between the microbiota and the intestinal mucosa. Eur J Clin Nutr. 2002 Aug;56 Suppl 3:S60-S64. Review.

Schultz M, Scholmerich J, Rath HC. Rationale for probiotic and antibiotic treatment strategies in inflammatory bowel diseases. Dig Dis. 2003;21(2):105-28. Review.

Setchell KD, Lydeking-Olsen E. Dietary phytoestrogens and their effect on bone: evidence from in vitro and in vivo, human observational, and dietary intervention studies. Am J Clin Nutr. 2003 Sep;78 (Suppl 3):593S-609S. Review.

Shah BH, Nawaz Z, Pertani SA, Roomi A, Mahmood H, Saeed SA, Gilani AH. Inhibitory effect of curcumin, a food spice from turmeric, on platelet-activating factor- and arachidonic acid-mediated platelet aggregation through inhibition of

364

thromboxane formation and Ca2+ signaling. Biochem Pharmacol. 1999 Oct 1;58(7):1167-72.

Shalev E, Battino S, Weiner E, Colodner R, Keness Y. Ingestion of yogurt containing Lactobacillus acidophilus compared with pasteurized yogurt as prophylaxis for recurrent candidal vaginitis and bacterial vaginosis. Arch Fam Med. 1996 Nov-Der,5(10):593-6.

Sharma SC, et al. Lipid peroxide formation in experimental inflammation. Biochem Pharmacol. 1972;21:1210.

Shutler SM, Bircher GM, Tredger JA, Morgan LM, Walker AF Low AG. The effect of daily baked bean (Phaseolus vulgaris) consumption on the plasma lipid levels of young, normo-cholesterolaemic men. Br J Nutr. 1989;61:257-65.

Simpson HCR, Lousley S, Geekie M, Simpson RW, Carter RD, Hockaday TDR, Mann JI. A high carbohydrate leguminous fibre diet improves all aspects of diabetic control. Lancet. 1981;i:1-5.

Singh S, Aggarwal BB. Activation of transcription factor NF-kappa B is suppressed by curcumin (diferuloylmethane) [corrected]. J Biol Chem. 1995 Oct 20;270(42):24995-5000. Erratum in: J Biol Chem. 1995 Dec 15;270(50):30235.

Singh S, Natarajan K, Aggarwal BB. Capsaicin (8-methyl-N-vanillyl-6-nonenamide) is a potent inhibitor of nuclear transcription factor-kappa B activation by diverse agents. J Immunol. 1996 Nov 15;157(10):4412-20.

Smith BM, Whitis SE. Dietary fiber and coronary heart disease. Crit Rev Food Sci Nutr. 1990;29:95-147.

Sobel JD. Overview of vaginitis. UpToDate Electronic Database (Version 9.2), 2001.

Soliman KF Mazzio EA. In vitro attenuation of nitric oxide production in C6 astrocyte cell culture by varions dietary compounds. Proc Soc Exp Biol Med. 1998 Sep;218(4):390-7.

Soni KB, Kuttan R. Effect of oral curcumin administration on serum peroxides and cholesterol levels in human volunteers. Ind J Physiol Pharmacol. 1992;(36):273, 293.

Sreekanth KS, Sabu MC,Varghese L, Manesh C, Kuttan G, Kuttan R. Antioxidant activity of Smoke Shield in-vitro and in-vivo. J Pharm Pharmacol. 2003 Jun;55(6):847-53.

Srimal R, Dhawan B. Pharmacology of diferuloyl methane (curcumin), a non-steroidal antiinflammatory agent. j Pharm Pharmac. 1973;(25):447-52.

Srinivas L, et al. Turmerin: a water-soluble antioxidant peptide from turmeric. Arch Biochem Biophy. 1992;(292):617.

Srivasta R, Srimal RC. Modification of certain inflammation-induced biochemical changes by curcumin. Indian j Med Res. 1985;(81):215-23.

Srivastava KC. Effects of onion and ginger consumption on platelet thromboxane production in humans. Prostaglandins Leukot Essent Fatty Acids. 1989;35;183-5.

Srivastava KC. Effects of aqueous extracts of onion, garlic and ginger on platelet aggregation and metabolism of arachidonic acid in the blood vascular system: in vitro study. Prostagladins Leukot Med. 1984:13;227-35.

Srivastava KC. Isolation and effects of some ginger components on platelet aggregation and eicosanoid biosynthesis. Prostaglandins Leukot Med. 1986;25:187-98.

Srivastava KC, Mustafa T. Ginger (Zingiber officinale) and rheumatic disorders. Med Hypotheses. 1989 May;29(1):25-8.

Srivastava KC, Mustafa T. Ginger (Zingiber officinale) in rheumatic and musculoskeletal disorders. Med Hypotheses. 1992 Dec;39(4):342-8.

Stavric B. Antimutagens and anticarcinogens in foods. Food Chem Toxicol. 1994 Jan;32(1):79-90. Review.

Steele MG.The effect on serum cholesterol levels of substituting milk with a soya beverage. Aust J Nutr Diet. 1992;49:24-8.

Suekawa M, et al. [Pharmacological studies on ginger. IV Effect of (6)-shogaol on the arachidonic cascade.] Nippon Yakurigaku Zasshi. 1986 Oct;88(4):263-9.

Surh YJ. Anti-tumor promoting potential of selected spice ingredients with antioxidative and anti-inflammatory activities: a short review. Food Chem Toxicol. 2002 Aug;40(8):1091-7. Review.

Surh YJ, Chun KS, Cha HH, Han SS, Keum YS, Park KK, Lee SS. Molecular mechanisms underlying chemopreventive activities of anti-inflammatory phytochemicals: down-regulation of COX-2 and iNOS through suppression of NF-kappa B activation. Mutat Res. 2001 Sep 1;480-1, 243-68. Review.

Surh YJ, Han SS, KeumYS, Seo HJ, Lee SS. Inhibitory effects of curcumin and capsaicin on phorbol ester-induced activation of eukaryotic transcription factors, NF-kappaB andAP-1. Biofactors. 2000;12(1-4):107-12.

Susan M, Rao MNA. Induction of glutathione S-transferase activity by curcumin in mice. Arznheim Foresh. 1992;42:962.

Tannock GW Normal microflora. New York, Chapman and Hall, 1995.

Tjendraputra E, Tran VH, Liu-Brennan D, Roufogalis BD, Duke CC. Effect of ginger constituents and synthetic analogues on cyclooxygenase-2 enzyme in intact cells. Bioorg Chem. 2001 Jun;29(3):156-63.

Turmeric for treating health ailments. Invented by Van Bich Nguyen, College Park, MD. No assignee. U.S. Patent 6,048,533. Issued April 11, 2000. This patent (and U.S. Patent 5,897,865, issued April 27, 1999) covers the therapeutic use of the common spice turmeric (Curcuma longa) for the treatment of skin disorders such as acne, blemishes, psoriasis, dandruff, dry skin, discoloration, irritation, and sun damage.

Udani J. Lactobacillus acidophilus to prevent traveler's diarrhea. Altern Med Alert. 1999;2:53-5.

Vanderhoof JA. Probiotics: future directions. Am J Clin Nutr. 2001 Jun;73:1152S-1155S.

366

Van Kessel K, Assefi N, Marrazzo J, Eckert L. Common complementary and alternative therapies for yeast vaginitis and bacterial vaginosis: a systematic review. Obstet Gynecol Surv. 2003 May;58(5):351-8. Review.

Wang CC, Chen LG, Lee LT,Yang LL. Effects of 6-gingerol, an antioxidant from ginger, on inducing apoptosis in human leukemic HL-60 cells. InVivo. 2003 Nov-Dec;17(6):641-5.

Weisburger JH. Tea and health: the underlying mechanisms. Proc Soc Exp Biol Med. 1999 Apr;220(4):271-5. Review.

Wood JR, et al. In vitro adherence of Laetobacillus species to vaginal epithelial cells. Am j Obstet Gynecol. 1985;153:740-3.

Zeneb MB, et al. Dairy (yogurt) augments fat loss and reduces central adiposity during energy restriction in obese subjects. FASEB. 2003;17(5):A1088.

Zhang J, Nagasaki M, Tanaka Y, Morikawa S. Capsaicin inhibits growth of adult T-cell leukemia cells. Leuk Res. 2003 Mar;27(3):275-83.

Chapitre 5

Abbey M, Noakes M, Belling GB, Nestel PJ. Partial replacement of saturated fatty acids with almonds or walnuts lowers total plasma cholesterol and low-density-lipoprotein cholesterol. Am J Clin Nutr. 1994 May;59(5):995-9.

Abila B, Richens A, Davies JA. Anticonvulsant effects of extracts of the West African black pepper, Piper guineense. J Ethnopharmacol. 1993 Jun;39(2):113-7.

Ahn SC, Oh WK, Kim BY, Kang DO, Kim MS, Heo GY, Ahn JS. Inhibitory effects of rosmarinic acid on Lck SH2 domain binding to a synthetic phosphopeptide. Planta Med. 2003 Ju1;69(7):642-6.

Ahsan H, Parveen N, Khan NU, Hadi SM. Pro-oxidant, antioxidant and cleavage activities on DNA of curcumin and its derivatives demethoxycurcumin and bisdemethoxycurcumin. Chem Biol Interact. 1999 Jul 1;121(2):161-75.

Akgul A, Kivanc M. Inhibitory effects of selected Turkish spices and oregano components on some foodborne fungi. Int J Food Microbiol. 1988 May;6(3):263-8.

Akoachere JF, Ndip RN, Chenwi EB, et al. Antibacterial effect of Zingiber officinale and Garcinia kola on respiratory tract pathogens. East Afr Med J. 2002 Nov;79(11):588-92.

Ali BH, Blunden G. Pharmacological and toxicological properties of Nigella sativa. Phytother Res. 2003 Apr;17(4):299-305. Review.

al-Sereiti MR, Abu-Amer KM, Sen P. Pharmacology of rosemary (Rosmarinus officinalis Linn.) and its therapeutic potentials. Indian J Exp Biol. 1999 Feb;37(2):124-30. Review.

Anderson RA, Broadhurst CL, Polansky MM, Schmidt WF, Khan A, Flanagan VP, Schoene NW, Graves DJ. Isolation and characterization of polyphenol type-A polymers from cinnamon with insulin-like biological activity. Diabetes Res Clin Pract. 2003 Dec;62(3):139-48.

Anuradha CV, Ravikumar P Restoration on tissue antioxidants by fenugreek seeds (Trigonella foenum graecum) in alloxan-diabetic rats. Indian J Physiol Pharmacol. 2001 Oct;45 (4) :408-20.

Ao P, Hu S, Zhao A. Institute of Chinese Material Medica, China Academy of Traditional Chinese Medicine, Beijing 100700. [Essential oil analysis and trace element study of the roots of Piper nigrum L.] Zhongguo ZhongYao Za Zhi. 1998 Jan;23(1):42-3, 63. Chinese.

Arbiser JL, Klauber N, Rohan R, et al. Curcumin is an in vivo inhibitor of angiogenesis. Mol Med. 1998 Jun;4(6):376-83.

Areias F, Valentao P, Andrade PB, Ferreres F, Seabra RM. Flavonoids and phenolic acids of sage: influence of some agricultural factors. J Agric Food Chem. 2000 Dec;48(12):6081-4.

Asai A, Nakagawa K, Miyazawa T. Antioxidative effects of turmeric, rosemary and capsicum extracts on membrane phospholipid peroxidation and liver lipid metabolism in mice. Biosci Biotechnol Biochem. 1999 Dec;63(12):2118-22.

Bagamboula CF, Uyttendaele and M, Debevere J. Antimicrobial effect of spices and herbs on Shigella sonnei and Shigella flexneri. J Food Prot. 2003 Apr;66(4):668-73.

Bagamboula CF, Uyttendaele and M, Debevere J. Inhibitory effect of thyme and basil essential oils, carvacrol, thymol, estragol, linalool and p-cymene towards Shigella sonnei and S. flexneri. Food Microbio. 2004 Feb;21(1):33-42.

Ballal RS, Jacobsen DW, Robinson K. Homocysteine: update on a new risk factor. Cleve Clin J Med. 1997 Nov-Dec 31;64(10):543-9.

Bierhaus A, ZhangY, Quehenberger P, Luther T, Haase M, Muller M, Mackman N, Ziegler R, Nawroth PE. The dietary pigment curcumin reduces endothelial tissue factor gene expression by inhibiting binding of AP-1 to the DNA and activation of NF-kappa B. Thromb Haemost. 1997 Apr;77(4):772-82.

Bode A. Ginger is an effective inhibitor of HCT116 human colorectal carcinoma in vivo. Paper presented at the Frontiers in Cancer Prevention Research Conference, Phoenix, Arizona, October 26-30, 2003.

Broadhurst CL, Polansky MM,Anderson RA. Insulin-like biological activity of culinary and medicinal plant aqueous extracts in vitro. J Agric Food Chem. 2000 Mar;48(3):849-52.

Calucci L, Pinzino C, Zandomeneghi M, et al. Effects of gamma-irradiation on the free radical and antioxidant contents in nine aromatic herbs and spices. J Agric Food Chem. 2003 Feb 12; 51(4):927-34.

Chithra V, Leelamma S. Coriandrum sativum changes the levels of lipid peroxides and activity of antioxidant enzymes in experimental animals. Indian J Biochem Biophys. 1999 Feb;36(1):5961

368

Chithra V, Leelamma S. Hypolipidemic effect of coriander seeds (Coriandrum sativum): mechanism of action. Plant Foods Hum Nutr. 1997;51(2):167-72.

Cipriani B, Borsellino G, Knowles H, Tramonti D, Cavaliere F, Bernardi G, Battistini L, Brosnan CE Curcumin inhibits activation ofVgamma9Vdelta2 T cells by phosphoantigens and induces apoptosis involving apoptosis-inducing factor and large scale DNA fragmentation. J Immunol. 2001 Sep 15;167(6):3454-62.

Cosentino S, Tuberoso CI, Pisano B, Satta M, Mascia V, Arzedi E, Palmas F. In-vitro antimicrobial activity and chemical composition of Sardinian Thymus essential oils. Lett Appl Microbiol. 1999 Aug;29(2):130-5.

Dapkevicius A, van Beek TA, Lel eld GP, van Veldhuizen A, de Groot A, Linssen JP, Venskutonis R. Isolation and structure elucidation of radical scavengers from Thymus vulgaris leaves. J Nat Prod. 2002 Jun;65(6):892-6.

Delaquis PJ, Stanich K, Girard B. et al. Antimicrobial activity of individual and mixed fractions of dill, cilantro, coriander and eucalyptus essential oils. Int J Food Microbiol. 2002 Mar 25;74(1-2):101-9.

Deshpande UR, Gadre SG, Raste AS, et al. Protective effect of turmeric (Curcuma longa L.) extract on carbon tetrachloride-induced liver damage in rats. Indian J Exp Biol. 1998 Jun;36(6):573-7.

Devasena T, Menon VP Enhancement of circulatory antioxidants by fenugreek during 1,2dimethylhydrazine-induced rat colon carcinogenesis. J Biochem Mol Biol Biophys. 2002 Aug;6(4):289-92.

Dorai T, CaoYC, Dorai B, et al. Therapeutic potential of curcumin in human prostate cancer. III. Curcumin inhibits proliferation, induces apoptosis, and inhibits angiogenesis of LNCaP prostate cancer cells in vivo. Prostate. 2001 Jun 1;47(4):293-303.

Dorman HJ, Deans SG. Antimicrobial agents from plants: antibacterial activity of plant volatile oils. J Appl Microbiol. 2000 Feb;88(2):308-16.

Dragland S, Senoo H, Wake K, Holte K, Blomhoff R. Several culinary and medicinal herbs are important sources of dietary antioxidants. J Nutr. 2003 May;133(5):1286-90.

Elgayyar M, Draughon FA, Golden DA, Mount JR. Antimicrobial activity of essential oils from plants against selected pathogenic and saprophytic microorganisms. J Food Prot. 2001 Jul;64(7):1019-24.

Exarchou V, Nenadis N, Tsimidou M, Gerothanassis IP, Troganis A, Boskou D. Antioxidant activities and phenolic composition of extracts from Greek oregano, Greek sage, and summer savary. J Agric Food Chem. 2002 Sep 11;50(19):5294-9.

Ficker CE, Arnason JT, Vindas PS, et al. Inhibition of human pathogenic fungi by ethnobotanically selected plant extracts. Mycoses. 2003 Feb;46(1-2):29-37.

Fischer-Rasmussen W, Kjaer SK, Dahl C, et al. Ginger treatment of hyperemesis gravidarum. Eur J Obstet Gynecol Reprod Biol. 1990;38:19-24.

Gagandeep, Dhanalakshmi S, Mendiz E, Rao AR, Kale RK. Chemopreventive effects of Cuminum cyminum in chemically induced forestomach and uterine cervix tumors in murine model systems. Nutr Cancer. 2003;47(2):171-80.

Genet S, Kale RK, Baquet NZ. Alterations in antioxidant enzymes and oxidative damage in experimental diabetic rat tissues: effect of vanadate and fenugreek (Trigonellafoenum graecum). Mol Cell Biochem. 2002 Jul;236(1-2):7-12.

Gray AM, Flatt PR. Insulin-releasing and insulin-like activity of the traditional anti-diabetic plant Coriandrum sativum (coriander). Br J Nutr. 1999 Mar;81(3):203-9.

Gururaj A, Kelakavadi M,Venkatesh D, et al. Molecular mechanisms of anti-angiogenic effect of curcumin. Biochem Biophys Res Commun. 2002 Oct 4;297(4):934.

Haddad JJ. Redox regulation of pro-inflammatory cytokines and IkappaB-alpha/NF-kappaB nuclear translocation and activation. Biochem Biophys Res Commun. 2002 Aug 30;296(4):84756. Erratum in: Biochem Biophys Res Commun. 2003 Feb 7;301(2):625.

Hammer KA, Carson CF, Riley TV. Antimicrobial activity of essential oils and other plant extracts. J Appl Microbiol. 1999 Jun;86(6):985-90.

Haraguchi H, Saito T, Ishikawa H, Date H, Kataoka S, Tamura Y, Mizutani K. Antiperoxidative components in Thymus vulgaris. Planta Med. 1996 Jun;62(3):217-21.

Haraguchi H, Saito T, Okamura N, Yagi A. Inhibition of lipid peroxidation and superoxide generation by diterpenoids from Rosmarinus officinalis. Planta Med. 1995 Aug;61(4):333-6.

Hidaka H, Ishiko T, Furunashi T, et al. Curcumin inhibits interleukin 8 production and enhances interleukin 8 receptor expression on the cell surface: impact on human pancreatic carcinoma cell growth by autocrine regulation. Cancer. 2002 Sep 15;96(6):1206-14.

Hitokoto H, Morozumi S, Wauke T, Sakai S, Kurata H. Inhibitory effects of spices on growth and toxin production of toxigenic fungi. Appl Environ Microbiol. 1980 Apr;39(4):818-22.

Houghton P. Sage, alternative treatment to Alzheimer's drug. Research presented at the British Pharmaceutical Conference in Harrogate, September 15-17, 2003.

Huang CD, Tliba O, Panettieri RA Jr, Amrani Y. Bradykinin induces interleukin-6 production in human airway smooth muscle cells: modulation by Th2 cytokines and dexamethasone. Am J Respir Cell Mol Biol. 2003 Mar;28(3):330-8.

Impari-Radosevich J, Deas S, Polansky MM, et al. Regulation of PTP-1 and insulin receptor kinase by fractions from cinnamon: implications for cinnamon regulation of insulin signaling. Horm Res. 1998 Sep;50(3):177-82.

370

Ippoushi K, Azuma K, Ito H, Horie H, Higashio H. [6]-Gingerol inhibits nitric oxide synthesis in activated J774.1 mouse macrophages and prevents peroxynitrite-induced oxidation and nitration reactions. Life Sci. 2003 Nov 14;73(26):3427-37.

Jagetia GC, Baliga MS,Venkatesh P, Ulloor JN. Influence of ginger rhizome (Zingiber officinale Rosc) on survival, glutathione and lipid peroxidation in mice after whole-body exposure to gamma radiation. Radiat Res. 2003 Nov;160(5):584-92.

Kalemba D, Kunicka A. Antibacterial and antifungal properties of essential oils. Curr Med Chem. 2003 May;10(10):813-29. Review.

Kang BY, Chung SW, Chung W, et al. Inhibition of interleukin-12 production in lipopolysaccharide-activated macrophage by curcumin. Eur J Pharmacol. 1999 Nov;384(23):191-5.

Kang BY, SongYJ, Kim KM, et al. Curcumin inhibits Th1 cytokine profile in CD4+ T cells by suppressing interleukin-12 production in macrophages. Br J Pharmacol. 1999 Sep;128(2):380-4.

Kaur C, Kapoor CH. antioxidant activity and total phenolic content of some Asian vegetables. Int J Food Sci Tech. 2002 Feb;37(2):153.

Kelm MA, Nair MG, Strasburg GM, DeWitt DL. Antioxidant and cyclooaygenase inhibitory phenolic compounds from Ocimum sanctum Linn. Phytomedicine. 2000 Mar;7(1):7-13.

Khan A, Safdar M, Ali Khan MM, Khattak KN, Anderson RA. Cinnamon improves glucose and lipids of people with type 2 diabetes. Diabetes Care. 2003 Dec;26(12):3215-8.

Khan N, Sharma S, Sultana S. Nigella sativa (black cumin) ameliorates potassium bromateinduced early events of carcinogenesis: diminution of oxidative stress. Hum Exp Toxicol. 2003 Apr;22(4):193-203.

Kikuzaki H, Kawai Y, Nakatani N. 1,1-Diphenyl-2-picrylhydrazyl radical-scavenging active compounds from greater cardamom (Amomum subulatum Roxb.). J Nutr Sci Vitaminol (Tokyo). 2001 Apr;47(2):167-71.

Kim DO, Lee KW, Lee HJ, Lee CY. Vitamin C equivalent antioxidant capacity (VCEAC) of phenolic phytochemicals. J Agric Food Chem. 2002 Jun 19;50(13):3713-7.

Kiuchi F, et al. Inhibition of prostaglandin and leukotriene biosynthesis by gingerols and diarylheptanoids. Chem Pharm Bull. 1992;40:387-91.

Kulevanova S, Kaftandzieva A, Dimitrovska A, et al. Investigation of antimicrobial activity of essential oils of several Macedonian Thymus L. species (Lamiaceae). Boll Chim Farm. 2000 NovDec 31;139(6):276-80.

Lagouri V, Boskou D. Nutrient antioxidants in oregano. Int J Food Sci Nutr. 1996 Nov;47 (6) :493-7.

Lambert RJ, Skandamis PN, Coote PJ, Nychas GJ. A study of the minimum inhibitory concentration and mode of action of oregano essential oil, thymol and carvacrol. J Appl Microbiol. 2001 Sep;91(3):453-62.

Langmead L, Dawson C, Hawkins C, Banna N, Loo S, Rampton DS. Antioxidant effects of herbal therapies used by patients with inflammatory bowel disease: an in vitro study. Aliment Pharmacol Ther. 2002 Feb;16(2):197-205.

Li D, Zimmerman TL, Thevananther S, Lee HY, Kurie JM, Karpen SJ. Interleukin-1 betamediated suppression of RXR:RAR transactivation of the Ntcp promoter is JNK-dependent. J Biol Chem. 2002 Aug 30;277(35):31416-22. Epub June 24, 2002.

Lim GP, Chu T, Yang F, et al. The curry spice curcumin reduces oxidative damage and amyloid pathology in an Alzheimer transgenic mouse. J Neurosci. 2001 Nov 1;21(21):8370-7.

Madar Z, Stark AH. New legume sources as therapeutic agents. Br J Nutr. 2002 Dec;88 Suppl 3:S287-S292. Review.

Malencic D, Gasic O, Popovic M, Boza P Screening for antioxidant properties of Salvia reflexa hornem. Phytother Res. 2000 Nov;14(7):546-8.

Martinez-Tome M, Jimenez AM, Ruggieri S, et al. Antioxidant properties of Mediterranean spices compared with common food additives. J Food Prot. 2001 Sep;64(9):1412-9.

Matsingou TC, Petrakis N, Kapsokefalou M, Salifoglou A. Antioxidant activity of organic extracts from aqueous infusions of sage. J Agric Food Chem. 2003 Nov 5;51(23):6696-701.

Meeker HG, Linke HA. The antibacterial action of eugenol, thyme oil, and related essential oils used in dentistry. Compendium 1988 Jan;9(1):32, 34-5, 38 passim.

Mujumdar AM, Dhuley JN, Deshmukh VK, et aLAnti-inflammatory activity of piperine. Jpn J Med Sci Biol. 1990 Jun;43(3):95-100.

Murcia MA, Egea I, Romojaro F, Parras P, Jimenez AM, Martinez-Tome M. Antioxidant evaluation in dessert spices compared with common food additives. Influence of irradiation procedure. J Agric Food Chem. 2004 Apr 7;52(7):1872-81.

Nair S, Nagar R, Gupta R. Antioxidant phenolics and flavonoids in common Indian foods. J Assoc Physicians India. 1998 Aug;46(8):708-10.

Nakamura K, Yasunaga Y, Segawa T, et al. Curcumin down-regulates AR gene expression and activation in prostate cancer cell lines. Int J Oncol. 2002 Oct;21(4):825-30.

Natarajan C, Bright JJ. Peroxisome proliferator-activated receptor-gamma agonists inhibit experimental allergic encephalomyelitis by blocking IL-2 production, IL-12 signaling and Th1 differentiation. Genes Immun. 2002 Apr;3(2):59-70.

Nature Immunology Online. 2001; 10. 1038/ni732.

Olszewska M, Glowacki R, Wolbis M, Bald E. Quantitative determination of flavonoids in the flowers and leaves of Prunus spinosa L. Acta Pol Pharm. 2001 May Jun 30;58(3):199-203.

372   Opalchenova G, Obreshkova D. Comparative studies on the activity of basil-an essential oil from Ocimum basilicum L.-against multidrug resistant clinical isolates of the genera Staphylococcus, Enterococcus and Pseudomonas by usi. J Microbiol Methods. Jul;54(1):105-10.

Orafidiya LO, Oyedele AO, Shittu AO, Elujoba AA. The formulation of an effective topical antibacterial product containing Ocimum gratissimum leaf essential oil. Int J Pharm. 2001 Aug 14;224(1-2):177-83.

Otsuka H, Fujioka S, Komiya T, et al. [Studies on anti-inflammatory agents. VI. Anti-inflammatory constituents of Cinnamomum sieboldii Meissn (author's transl)]. Yakugaku Zasshi. 1982 Jan;102 (2) :162-72.

Ouattara B, Simard RE, Holley RA, et al. Antibacterial activity of selected fatty acids and essential oils against six meat spoilage organisms. Int J Food Microbiol. 1997 Jul 22;37(2-3):155-62.

Pandian RS, Anuradha CV, Viswanathan P. Gastroprotective effect of fenugreek seeds (Trigonella foenum graecum) on experimental gastric ulcer in rats. J Ethnopharmacol. 2002 Aug;81(3):393-7.

Park SY, Kim DS. Discovery of natural products from Curcuma longa that protect cells from beta-amyloid insult: a drug discovery effort against Alzheimer's disease. J Nat Prod. 2002 Sep;65(9):1227-31.

Perry EK, Pickering AT, Wang W W, Houghton PJ, Perry NS. Medicinal plants and Alzheimer's disease: from ethnobotany to phytotherapy. J Pharm Pharmacol. 1999 May;51(5):527-34.

Perry EK, PickeringAT,WangWW, Houghton P, Perry NS. Medicinal plants and Alzheimer's disease: integrating ethnobotanical and contemporary scientific evidence. J Altern Complement Med. 1998 Winter;4(4):419-28. Review.

Perry NS, Houghton PJ, Sampson J, Theobald AE, Hart S, Lis-Balchin M, Hoult JR, Evans P, Jenner P, Milligan S, Perry EK. In-vitro activity of S. lavandulaefoha (Spanish sage) relevant to treatment of Alzheimer's disease. J Pharm Pharmacol. 2001 Oct;53(10):1347-56.

Perry NS, Houghton PJ,Theobald A, Jenner P, Perry EK. In-vitro inhibition of human erythrocyte acetylcholinesterase by Salvia lavandulaefolia essential oil and constituent terpenes. J Pharm Pharmacol. 2000 Jul;52(7):895-902. Erratum in: J Pharm Pharmacol. 2000 Dec;52(12):203.

Qin B, Nagasaki M, Ren M, Bajotto G, Oshida Y, Sato Y. Cinnamon extract prevents the insulin resistance induced by a high-fructose diet. Horm Metab Res. 2004 Feb;36(2):119-25.

Qin B, Nagasaki M, Ren M, Bajotto G, Oshida Y, Sato Y. Cinnamon extract (traditional herb) potentiates in vivo insulin-regulated glucose utilization via enhancing insulin signaling in rats. Diabetes Res Clin Pract. 2003 Dec;62(3):139-48.

Quale JM, Landman D, Zaman MM, et al. In vitro activity of Cinnamomum zeylanicum against azole resistant and sensitive Candida species and a pilot study of cinnamon for oral candidiasis. Am J Chin Med. 1996;24(2):103-9.

Rasooli I, Mirmostafa SA. Bacterial susceptibility to and chemical composition of essential oils from Thymus kotschyanus and Thymus persicus. J Agric Food Chem. 2003 Apr 9;51(8) :2200-5.

Salh B, Assi K, Templeman V, Parhar K, Owen D, Gomez-Munoz A, Jacobson K. Curcumin attenuates DNB-induced murine colitis. Am J Physiol Gastrointest Liver Physiol. 2003 Jul;285(1):G235-43. Epub Match 13, 2003.

Shah BH, Nawaz Z, Pertani SA, et al. Inhibitory effect of curcumin, a food spice from turmeric, on platelet-activating factor- and arachidonic acid-mediated platelet aggregation through inhibition of thromboxane formation and Ca2+ signa. Biochem Pharmacol. 1999 Oct 1;58(7):1167-72.

Shoba G, Joy D, Joseph T, Majeed M, Rajendran R, Srinivas PS. Influence of piperine on the pharmacokinetics of curcumin in animals and human volunteers. Planta Med. 1998 May;64(4):353-6.

Singh A, Singh SP, Bamezai R. Modulatory potential of clocimum oil on mouse skin papillomagenesis and the xenobiotic detoxication system. Food Chem Toxicol. 1999 Jun;37(6):663-70.

Singh G, Kapoor IP, Pandey SK, et al. Studies on essential oils: part 10; antibacterial activity of volatile oils of some spices. Phytother Res. 2002 Nov;16(7):680-2.

Srivastava KC, Mustafa T. Ginger (Zingiber officinale) and rheumatic disorders. Med Hypothesis. 1989;29:25-8.

Srivastava KC, Mustafa T. Ginger (Zingiber officinale) in rheumatism and musculoskeletal disorders. Med Hypothesis. 1992;39:342-8.

Sunila ES, Kuttan G. Immunomodulatory and antitumor activity of Piper longum Linn. and piperine. J Ethnopharmacol. 2004 Feb;90(2-3):339-46.

Tabak M, Armon R, Potasman I, Neeman L In vitro inhibition of Heliobacter pylori by extracts of thyme. J Appl BacterioL 1996 Jun;80(6):667-72.

Takacsova M, Pribela A, Faktorova M. Study of the antioxidative effects of thyme, sage, juniper and oregano. Nahrung. 1995;39(3):241-3.

Takenaga M, Hirai A,Terano T, et al. In vitro effect of cinnamic aldehyde, a main component of Cinnamomi cortex, on human platelet aggregation and arachidonic acid metabolism. J Pharmacobiodyn. 1987 May;10(5):201-8.

Thirunavukkarasu V, Anuradha CV, Viswanathan P. Protective effect of fenugreek (Trigonella foenum graecum) seeds in experimental ethanol toxicity. Phytother Res. 2003 Aug,17(7):737-43.

Tildesley NT, Kennedy DO, Perry EK, Ballard CG, Savelev S, Wesnes KA, Scholey AB. Salvia lavandulaefolia (Spanish sage) enhances memory in healthy young volunteers. Pharmacol Biochem Behav. 2003 Jun;75(3):669-74.

Uma Devi P. Radioprotective, anticarcinogenic and antioxidant properties of the Indian holy basil, Ocimum sanctum (Tulasi). Indian J Exp Biol. 2001 Mar;39(3):185-90.

374

Valenzuela A, Sanhueza J, Nieto S. Cholesterol oxidation: health hazard and the role of antioxidants in prevention. Biol Res. 2003;36(3-4):291-302. Review.

Valero M, Salmeron MC. Antibacterial activity of 11 essential oils against Bacillus cereus in tyndallized carrot broth. Int J Food Microbiol. Aug 15;85(1-2):73-81.

VanderEnde DS, Morrow JD. Release of markedly increased quantities of prostaglandin D2 from the skin in vivo in humans after the application of cinnamic aldehyde. J Am Acad Dermatol. 2001 Jul;45(1):62-7.

Vrinda B, Uma Devi P. Radiation protection of human lymphocyte chromosomes in vitro by orientin and vicenin. Mutat Res. 2001 Nov 15;498(1-2):39-46.

Wigler I, Grotto I, Caspi D, Yaron M. The effects of Zintona EC (a ginger extract) on symptomatic gonarthritis. Osteoarthritis Cartilage. 2003 Nov;11(11):783-9.

Wills RB, Scriven FM, Greenfield H. Nutrient composition of stone fruit (Prunus spp.) cultivars: apricot, cherry, nectarine, peach and plum. J Sci Food Agric. 1983 Dec;34(12):1383-9.

Wuthi-udomler M, Grisanapan W, Luanratana O, Caichompoo W. Antifungal activity of Curcuina longa grown in Thailand. Southeast Asian J Trop Med Public Health. 2000;31 Suppl 1:178-82.

Youdim KA, Deans SG. Beneficial effects of thyme oil on age-related changes in the phospholipid C20 and C22 polyunsaturated fatty acid composition of various rat tissues. Biochem Biophys Acta. 1999 Apr 19;1438(1):140-6.

Youdim KA, Deans SG. Dietary supplementation of thyme (Thymus vulgaris L.) essential oil during the lifetime of the rat: its effects on the antioxidant status in liver, kidney and heart tissues. Mech Ageing Dev. 1999 Sep 8;109(3):163-75.

Youdim KA, Deans SG. On the antioxidant status and fatty acid composition of the ageing rat brain. Br J Nutr. 2000 Jan;83(1):87-93.

Zeng HH, Tu PF, Zhou K, Wang H, Wang BH, Lu JF. Antioxidant properties of phenolic diterpenes from Rosmarinus officinalis. Acta Pharmacol Sin. 2001 Dec;22(12):1094-8.

Zheng GQ, Kenney PM, Lam LK. Anethofuran, carvone, and limonene: potential cancer chemopreventive agents from dill weed oil and caraway oil. Planta Med. 1992 Aug; 58(4):338-41.

Zheng W, Wang SY. Antioxidant activity and phenolic compounds in selected herbs. J Agric Food Chem. 2001 Nov;49(11):5165-70.

Zoladz P, Raudenbush B, Lilley S. Cinnamon perks performance. Paper presented at the animal meeting of the Association for Chemoreception Sciences, held in Sarasota, Florida, April 21-25, 2004.

Beal MF. Aging, energy, and oxidative stress in neurodegenerative diseases. Ann Neurol. 1995;38:357-66.

Beal MF. Does impairment of energy metabolism result in excitotoxic neuronal death in neurodegenerative diseases? Ann Neurol. 1992;31:119-23.

Blass JP, Gibson GE, Shimada M, Kihara T, Watanabe M, Kurinioto K. Brain carbohydrate metabolism and dementia. In: Biochemistry of dementia, Burman D, Pennock CA, eds. London, Wiley, 1980, 121-34.

Blass JP, Sheu K-FR, Cederbaum JM. Energy metabolism in disorders of the nervous system. Rev Neurol (Paris). 1988;144:543-63.

Blass JP, Sheu, K-FR, Tanzi R. a-Ketoglutarate dehydrogenase in Alzheimer's disease. In: Energy metabolism in neurodegenerative diseases, Fiskum G, ed. NewYork, Plenum, 1996,18592.

Borchers AT, Keen CL, Gershwin ME. Mushrooms, tumors, and immunity: an update. Exp Biol Med (Maywood). 2004 May;229(5):393-406. Review.

Davis PK, Johnson GV. Monoclonal antibody Alz-50 reacts with bovine and human ser albumin. J Neurosci Res. 1994;39(5):589-94.

Fabrizi C, Businaro R, Lauro GM, Starace G, Fumagalli L. Activated alpha2macroglobulin increase beta-amyloid (25-35)-induced toxicity in LA-N5 human neuroblastoma cells. Exp Neurol. 1999;155(2):252-9.

Huu Toan N, Ngan Tain L. The efficacy of alpha-PSP on coronary heart disease in the staff of Cho Ray Hospital with HDL-cholesterol and lipidernia disorders: an open-label, non-comparative study. Cho Ray Hospital, 201B-Nguyen Chi Thanh Street, 5th district. Ho Chi Minh City, Vietnam, 2001.

Kidd PM.The use of mushroom glucans and proteoglycans in cancer treatment. Altern Med Rev. 2000 Feb;S(1):4-27. Review.

Manohar V, Talpur NA, Echard BW, Lieberman S, Preuss HG. Effects of a water-soluble extract of maitake mushroom on circulating glucose/insulin concentrations in KK mice. Diabetes Obes Metab. 2002 Jan;4(1):43-5.

Mattson MP Mechanism of neuronal degeneration and preventive approaches: Quickening the pace of AD research. NeurobiolAging. 1994;15 Suppl 2:S121-S125.

Mayell M. Maitake extracts and their therapeutic potential. Altern Med Rev. 2001 Feb;6(1):48-60. Review.

Mesco ER, Timiras PS. Tau-ubiquitin protein conjugates la human cell Hine. Mech Ageing Dev. 1991;61(l):1-9.

Preuss U, Mandelhow EM. Mitotic phosphorylation of tau protein in neuronal cell lines resembles phosphorylation in Alzheimer's disease. Eur J Cell Biol. 1998;76(3):176-84.

Sawatsri S, Yankunthong W Neurofood may prevent neuron vulnerability in human neu roblastoma cells. (Preliminary Data)

376

Talpur N, Echard B, Dadgar A, Aggarwal S, Zhuang C, Bagchi D, Preuss HG. Effects of maitake mushroom fractions on blood pressure of Zucker fatty rats. Res Commun Mol Pathol Pharmacol. 2002;112(1-4):68-82.

Talpur NA, Echard BW, Fan AY, Jaffari O, Bagchi D, Preuss HG. Antihypertensive and meta bolic effects of whole maitake mushroom powder and its fractions in two rat strains. Mol Cell Biochem. 2002 Aug;237(1-2):129-36. Talpur N, Echard BW,Yasmin T, Bagchi D, Preuss HG. Effects of niacin-bound chromium, maitake mushroom fraction SX and (-)-hydroxycitric acid on the metabolic syndrome in aged diabetic Zucker fatty rats. Mol Cell Biochem. 2003 Oct;252(1-2):369-77.

Tasawat N, Tayraukham S. A study on alpha-PSP towards a better quality of life as a part of symptomatic changes in 767 Asian diabetic patients. Macro Food Tech Co. Ltd., 2002.

Wasser SE Medicinal mushrooms as a source of antitumor and immu-nomodulating polysac charides. Appl Microbiol Biotechnol. 2002 Nov;60(3):258-74. Epub September 10, 2002. Review

Chapitre 7

Alabovskii W, Boldyrev AA,Vinokurov AA, Gallant S, Chesnokov DN. Comparison of protective effects of carnosine and acetylcarnosine during cardioplegia. Biull Eksp Biol Med. 1999 Mar-,127 (3) :290-4.

Andrews M, Gallagher-Allred C. The role of zinc in wound healing. Adv Wound Care. 1999 Apr;12(3):137-8. Review.

Ayello EA,Thomas DR, Litchford MA. Nutritional aspects of wound healing. Home Health Nurse. 1999 Nov-Dec;17(11):719-29, quiz 730. Review.

Bakardjiev A, Bauer K. Biosynthesis, release, and uptake of carnosine in primary cultures. Biochemistry (Mosc). 2000 Ju1;65(7):779-82.

Belury MA. Inhibition of carcinogenesis by conjugated linoleic acid: potential mechanisms of action. J Nutr. 2002 Oct;132(10):2995-8. Review

Belury MA, Mahon A, Banni S.The conjugated linoleic acid (CLA) isomer, t10c12-CLA, is inversely associated with changes in body weight and serum leptin in subjects with type 2 diabetes mellitus. J Nutr. 2003 Jan; 133(1):2575-260S. Review.

Beyer RE. An analysis of the role of coenzyme Q in free radical generation and as an antioxidant. Biochem Cell Biol. 1992 Jun;70(6):390-403. Review.

Bierhaus A, Chevion S, Chevion M, Hofmann M, Quehenberger P, Illmer T, Luther T, Berentshtein E,Tritschler H, Muller M,Wahl P, Ziegler R, Nawroth PE Advanced glycation end product-induced activation of NF-kappaB is suppressed by alpha-lipoic acid in cultured endothelial cells. Diabetes. 1997 Sep;46(9):1481-90.

Cakatay U, Telci A, Kayali R, Sivas A, Akcay T. Effect of alpha-lipoic acid supplementation on oxidative protein damage in the streptozotocin-diabetic rat. Res Exp Med (Berl). 2000 Feb;199(4):243-51.

Crane FL. Biochemical functions of coenzyme Q10. J Am Coll Nutr. 2001 Dec;20(6):5918. Review.

Cuzzocrea S, Thiemerniann C, Salveniini D. Potential therapeutic effect of antioxidant therapy in shock and inflammation. Curr Med Chem. 2004 May,11(9):1147-62.

Dadmarz M, vd Burg C, Milakofsky L, Hofford JM, Vogel WH. Effects of stress on amino acids and related compounds in various tissues of fasted rats. Life Sci. 1998;63(16):1485-91.

Decker EA, Livisay SA, Zhou S. A re-evaluation of the antioxidant activity of purified carnosine. Biochemistry (Mosc). 2000 Ju1;65(7):766-70.

Deev LI, Goncharenko EN, Baizhumanov AA, Akhalaia MIa, Antonova SV, Shestakova SV Protective effect of carnosine in hyperthernlla. Biull Eksp Biol Med. 1997 Ju1;124(7):50-2.

Dollwet HH, Sorenson JR. Roles of copper in bone maintenance and healing. Biol Trace Elem Res. 1988 Dec;18:39-48. Review.

El-seweidy MM, El-Swefy SE, Ameen RS, Hashem RM. Effect of age receptor blocker and/or anti-inflammatory coadministration in relation to glycation, oxidative stress and cytokine production in stz diabetic rats. Pharmacol Res. 2002 May;45(5):391-8.

Evans JL, Goldfine ID. Alpha-lipoic acid: a multifunctional andoxidant that improves insulin sensitivity in patients with type 2 diabetes. Diabetes Technol Ther. 2000 Autunm;2(3):401-13. Review.

Fuchs J, Milbradt R. Antioxidant inhibition of skin inflammation induced by reactive oxidants: evaluation of the redox couple dihydrolipoate/lipoate. Skin Pharmacol. 1994;7(5):278-84.

Gaullier JM, Halse J, Hoye K, Kristiansen K, Fagertun H,Vik H, Gudmundsen O. Conjugated linoleic acid supplementation for l y reduces body fat mass in healthy overweight humans. Am j Clin Nutr. 2004;79(6):1118-25.

Gutierrez A, Anderstam B, Alvestrand A. Amino acid concentration in the interstitium of human skeletal muscle: a microdialysis study. Eur J Clin Invest. 1999 Nov;29(11):947-52.

Hagen TM, Liu J, Lykkesfeldt J, Wehr CM, Ingersoll RT, Vinarsky V, Bartholomew JC, Aines BN. Feeding acetyl-L-carnitine and lipoic acid to old rats significantly improves metabolic function while decreasing oxidative stress. Proc Natl Acad Sci USA. 2002 Feb 19;99(4):1870-5. Erratum in: Proc Nat1 Acad Sci USA. 2002 May 14;99(10):7184.

Hammes HP, Du X, Edelstein D, Taguchi T, Matsumura T, Ju Q, Lin J, Bierhaus A, Nawroth P, Hannak D, Neumaier M, Bergfeld R, Giardino I, Brownlee M. Benfotiamine blocks three major pathways of hyperglycemic damage and prevents

378

experimental diabetic retinopathy. Nat Med. 2003 Mar;9(3):294-9. Epub February 18, 2003.

Han D, Handelman G, Marcocci L, Sen CK, Roy S, Kobuchi H, Tritschler HJ, Flohe L, Packer L. Lipoic acid increases de novo synthesis of cellular glutathione by improving cystine utilization. Biofactors. 1997;6(3):321-38.

Hannappel E, Huff T.The thymosins. Prothymosin alpha, parathymosin, and beta-thymosins: structure and function.Vitam Horm. 2003;66257-96. Review.

Hipkiss AR, Preston JE, Himsworth DT, Worthington VC, Keown M, Michaelis J, Lawrence J, Mateen A, Allende L, Eagles PA, Abbott NJ. Pluripotent protective effects of carnosine, a nat urally occurring dipeptide. Ann NY Acad Sci. 1998 Nov 20;854:37-53.

Hoppel C. The role of carnitine in normal and altered fatty acid metabolism. Am J Kidney Dis. 2003 Apr;41(4 Suppl 4):S4-S12. Review.

Houseknecht KL,Vanden Heuvel JP, Moya-Camarena SY, Portocarrero CP, Peck LW, Nickel KP, Belury MA. Dietary conjugated linoleic acid normalizes impaired glucose tolerance in the Zucker diabetic fatty fa/fa rat. Biochem Biophys Res Commun. 1998 Mar 27;244(3):678-82. Erratum in: Biochem Biophys Res Commun. 1998 Jun 29;247(3):911.

Huff T, Muller CS, Otto AM, Netzker R, Hannappel E. Beta-thymosins, small acidic peptides with multiple functions. Int J Biochem Cell Biol. 2001 Mar;33(3):205-20. Review.

Ikeda S, Toyoshima K, Yamashita K. Dietary sesame seeds elevate alpha- and gammatocotrienol concentrations in skin and adipose tissue of rats fed the tocotrienol-rich fraction extracted from palm oil. J Nutr. 2001 Nov;131(11):2892-7.

Kagan VE, Shvedova A, Serbinova E, Khan S, Swanson C, Powell R, Packer L. Dihydrolipoic acid-a universal antioxidant both in the membrane and in the aqueous phase. Reduction of peroxyl, ascorbyl and chromanoxyl radicals. Biochem Pharmacol. 1992 Oct 20;44(8):1637-49.

Kamal-Eldin A, Appelqvist LA. The chemistry and antioxidant properties of tocopherols and tocotrienols. Lipids. 1996 Jul;31(7):671-70L Review.

Kocak G, Aktan F, Canbolat O, Ozogul C, Elbeg S,Yildizoglu-Ari N, Karasu C. Alpha-lipoic acid treatment ameliorates metabolic parameters, blood pressure, vascular reactivity and morphology of vessels already damaged by streptozotocin-diabetes. Diabetes Nutr Metab. 2000 Dec;13(6):308-18.

Komarcevic A. [The modern approach to wound treatment.] Med Pregl. 2000 Jul-Aug;53(78):363-8. Review. Croatian.

Kunt T, et al. Alpha-lipoic acid reduces expression of vascular cell adhesion molecule-1 and endothelial adhesion of human monocytes after stimulation with advanced glycation end products. Clin Sci (Lond). 1999 Jan;96(1):75-82.

Lee JW, Miyawaki H, Bobst EV, Hester JD, Ashraf M, Bobst AM. Improved functional recovery of ischemic rat hearts due to singlet oxygen scavengers histidine and carnosine. J Mol Cell Cardiol. 1999 Jan;31(1):113-21.

Linetsky M, James HL, Ortwerth BJ. Spontaneous generation of superoxide anion by human lens proteins and by calf lens proteins ascorbylated in vitro. Exp Eye Res. 1999 Aug;69(2):23948.

Malinda KM, Sidhu GS, Mani H, Banaudha K, Maheshwari RK, Goldstein AL, Kleinman HK.Thymosin beta4 accelerates wound healing. J Invest Dermatol. 1999 Sep; 113(3):364-8.

Melhem MF, Craven PA, DeRubertis FR. Effects of dietary supplementation of alpha-lipoic acid on early glomerular injury in diabetes mellitus. J Am Soc Nephrol. 2001 Jan;12(1):124-33.

Melhem MF, Craven PA, Liachenko J, DeRubertis FR. Alpha-lipoic acid attenuates hyperglycemia and prevents glomerular mesangial matrix expansion in diabetes. J Am Soc Nephrol. 2002 Jan; 13(l):108-16.

Meyer M, Pahl HL, Baeuerle PA. Regulation of the transcription factors NF-kappa B and AP-1 by redox changes. Chem Biol Interact. 1994 Jun;91(2-3):91-100.

Meyer M, Schreck R, Baeuerle PA. H2O2 and antioxidants have opposite effects on activation of NF-kappa B and AP-1 in intact cells: AP-1 as secondary antioxidant-responsive factor. EMBO J. 1993 May;12(5):2005-15.

Midaoui AE, Elimadi A, Wu L, Haddad PS, de Champlain J. Lipoic acid prevents hypertension, hyperglycemia, and the increase in heart mitochondrial superoxide production. Am J Hypertens. 2003 Mar;16(3):173-9.

Mzhel'skaia TI, Boldyrev AA.The biological role of carnosine in excitable tissues. Zh Obshch Biol. 1998 May Jun;59(3):263-78.

Nachbar F, Korting HC. The role of vitamin E in normal and damaged skin. J Mol Med. 1995 Jan;73(1):7-17. Review.

Naguib Y, Hari SP, Passwater R Jr, Huang D. Antioxidant activities of natural vitamin E formulations. J Nutr Sci Vitaminol (Tokyo). 2003 Aug;49(4):217-20.

Obrenovich ME, Monnier VM. Vitamin B1 blocks damage caused by hyperglycemia. Sci Aging Knowledge Environ. 2003 Mar 12;2003(10):PE6.

Ookawara T, Kawamura N, KitagawaY, Taniguchi N. Site-specific and random fragmentation of Cu,Zn-superoxide dismutase by glycation reaction. Implication of reactive oxygen species. J Biol Chem. 1992 Sep 15;267(26):18505-10.

Packer L, Kraemer K, Rimbach G. Molecular aspects of lipoic acid in the prevention of diabetes complications. Nutrition. 2001 Oct;17(10):888-95. Review.

Packer L, Roy S, Sen CK. A-lipoic acid: a metabolic antioxidant and potential redox modulator of transcription. Adv Pharmacol. 1996;38:79-101.

Packer L, Witt EH, Tritschler HJ. Alpha-lipoic acid as a biological antioxidant. Free Radic Biol Med. 1995 Aug;19(2):227-50. Review.

Pani G, Colavitti R, Bedogni B, Fusco S, Ferraro D, Borrello S, Galeotti T. Mitochondrial superoxide dismutase: a promising target for new anticancer therapies. Curr Med Chem. 2004 May;11(10) :1299-308.

Perricone NV. Topical 5 % alpha lipoic acid cream in the treatment of cutaneous rhytids. Aesthetic Surgery journal. May/June 2000;20(3):218-22.

380

Perricone N, Nagy K, Horvath F, Dajko G, Uray I, Zs. Nagy I. Alpha lipoic acid (ALA) protects proteins against the hydroxyl free radical-induced alterations: rationale for its geriatric application. Arch Gerontol Geriatr. 1999 Jul-Aug;29(1):45-56.

Phillips SJ. Physiology of wound healing and surgical wound care. ASAIO J. 2000 NovDec;46(6):S2-S5. Review.

Pobezhimova TP, Voinikov VK. Biochemical and physiological aspects of ubiquinone function. Membr Gel Biol. 2000;13(5):595-602. Review.

Podda M, Rallis M,Traber MG, Packer L, Maibach HI. Kinetic study of cutaneous and subcutaneous distribution following topical application of [7,8-14C] rac-alpha-lipoic acid onto hairless mice. Biochem Pharmacol. 1996 Aug 23;52(4):627-33.

Podda M, Tritschler HJ, Ulrich H, Packer L. Alpha-lipoic acid supplementation prevents symptoms of vitamin E deficiency. Biochem Biophys Res Commun. 1994 Oct 14;204(1):98104.

Podda M, Zollner TM, Grundmann-Kollmann M,Thiele JJ, Packer L, Kaufmann R. Activity of alpha-lipoic acid in the protection against oxidative stress in skin. Curr Probl Dermatol. 2001;29:43-51.

Preedy VR, Patel VB, Reilly ME, Richardson PJ, Falkous G, Mantle D. Oxidants, antioxidants and alcohol: implications for skeletal and cardiac muscle. Front Biosci. 1999 Aug 1;4:e58-e66.

Price DL, Rhett PM, Thorpe SR, Baynes JW Chelating activity of advanced glycation endproduct inhibitors. J Biol Chem. 2001 Dec 28;276(52):48967-72. Epub October 24, 2001.

Quinn PJ, Boldyrev AA, Formazuyk VE. Carnosine: its properties, functions and potential therapeutic applications. Mol Aspects Med. 1992;13(5):379-444.

Reber F, Geffarth R, Kasper M, Reichenbach A, Schleicher ED, Siegner A, Funk RH. Graded sensitiveness of the various retinal neuron populations on the glyoxal-mediated formation of advanced glycation end products and ways of protection. Graefes Arch Clin Exp Ophthalmol. 2003 Mar;241(3):213-25. Epub February 7, 2003.

Reynolds TM. The future of nutrition and wound healing. J Tissue Viability. 2001 Jan; 11(1):5-13. Review.

Riserus U, Berglund L,Vessby B. Conjugated linoleic acid (CLA) reduced abdominal adipose tissue in obese middle-aged men with signs of the metabolic syndrome: a randomised controlled trial. Int J Obes Relat Metab Disord. 2001 Aug;25(8):1129-35.

Roberts PR, Zaloga GP. Cardiovascular effects of carnosine. Biochemistry (Mosc). 2000 Jul;65(7):856-61.

Rosenfeldt F, Hilton D, Pepe S, Krum H. Systematic review of effect of coenzyme Q10 in physical exercise, hypertension and heart failure. Biofactors. 2003;18(1-4):91-100. Review.

Roy S, Sen CK, Tritschler HJ, Packer L. Modulation of cellular reducing equivalent homeostasis by alpha-lipoic acid. Mechanisms and implications for diabetes and ischemic injury. Biochem Pharmacol. 1997 Feb 7;53(3):393-9.

Saliou C, Kitazawa M, McLaughlin L, Yang JP, Lodge JK, Tetsuka T, Iwasaki K, Cillard J, Okamoto T, Packer L. Antioxidants modulate acute solar ultraviolet radiation-induced NFkappa-B activation in a human keratinocyte cell line. Free Radic Biol Med. 1999 Jan;26(12):174-83.

Sen CK, Packer L. Antioxidant and redox regulation of gene transcription. FASEB J. 1996;10:709-20.

Serbinova E, Kagan V, Han D, Packer L. Free radical recycling and intramembrane mobility in the antioxidant properties of alpha-tocopherol and alpha-tocotrienol. Free Radic Biol Med. 1991;10(5):263-75.

Serbinova EA, Packer L. Antioxidant properties of alpha-tocopherol and alpha-tocotrienol. Methods Enzymol. 1994;234:354-66.

Shewmake KB, Talbert GE, Bowser-Wallace BH, Caldwell FT Jr, Cone JB. Alterations in plasma copper, zinc, and ceruloplasmin levels in patients with thermal trauma. J Burn Care Rehabil. 1988 Jan-Feb;9(1):13-7.

Simeonov S, Pavlova M, Mitkov M, Mincheva L, Troev D. Therapeutic efficacy of "Milgamma" in patients with painful diabetic neuropathy. Folia Med (Plovdiv). 1997;39(4):5-10.

Stracke H, Lindemann A, Federlin K. A benfotiamine-vitamin B combination in treatment of diabetic polyneuropathy. Exp Clin Endocrinol Diabetes. 1996;104(4):311-6.

Stuerenburg HJ. The roles of carnosine in aging of skeletal muscle and in neuromuscular diseases. Biochemistry (Mosc). 2000 Jul;65(7):862-5.

Suzuki YJ, Aggarwal BB, Packer L. Alpha-lipoic acid is a potent inhibitor of NF-kappa B activation in human T cells. Biochem Biophys Res Commun. 1992 Dec 30;189(3):1709-15.

Suzuki YJ, Mizuno M, Tritschler HJ, Packer L. Redox regulation of NF-kappa B DNA binding activity by dihydrolipoate. Biochem Mol Biol Int. 1995 Jun;36(2):241-6.

Suzuki YJ, Tsuchiya M, Packer L. Lipoate prevents glucose-induced protein modifications. Free Radic Res Commun. 1992;17(3):211-7.

Swearengin TA, Fitzgerald C, Seidler NW. Carnosine prevents glyceraldehyde 3-phosphatemediated inhibition of aspartate aminotransferase. Arch Toxicol. 1999 Aug;73(6):307-9.

Thiele JJ, Traber MG, Packer L. Depletion of human stratum corneum vitamin E: an early and sensitive in vivo marker of W induced photo-oxidation. J Invest Dermatol. 1998 May;110(5):756-6 1.

Traber MG, Rallis M, Podda M, Weber C, Maibach HI, Packer L. Penetration and distribution of alpha-tocopherol, alpha- or gamma-tocotrienols applied individually onto murine skin. Lipids. 1998 Jan;33(1):87-91.

382

Traber, MG, et al. Diet derived topically applied tocotrienols accumulate in skin and protect the tissue against LJV light-induced oxidative stress. Asia Pac J Clin Nutr. 1997;6:63-7.

Vaxman F, Olender S, Lambert A, Nisand G, Grenier JF. Can the wound healing process be improved by vitamin supplementation? Experimental study on humans. Eur Surg Res. 1996 JulAug;28 (4) :306-14.

Wahle KW, Heys SD. Cell signal mechanisms, conjugated linoleic acids (CLAs) and antitumorigenesis. Prostaglandins Leukot Essent Fatty Acids. 2002 Aug-Sep;67(2-3):183-6. Review.

Weimann BI, Hermann D. Studies on wound healing: effects of calcium D-pantothenate on the migration, proliferation and protein synthesis of human dermal fibroblasts in culture. Int J Vitam Nutr Res. 1999 Mar;69(2):113-9.

Williams L. Assessing patients' nutritional needs in the wound-healing process. J Wound Care. 2002 Jun;11(6):225-8. Review.

Winkler G, Pal B, Nagybeganyi E, Ory I, Porochnavec M, Kempler P. Effectiveness of different benfotiamine dosage regimens in the treatment of painful diabetic neuropathy. Arzneimittelforschung. 1999 Mar;49(3):220-4.

Yoshida Y, Niki E, Noguchi N. Comparative study on the action of tocopherols and tocotrienols as antioxidant: chemical and physical effects. Chem Phys Lipids. 2003 Mar;123(1):63-75.

Zaloga GP, Roberts PR, Black KW, Lin M, Zapata-Sudo G, Sudo RT, Nelson TE. Carno sine is a novel peptide modulator of intracellular calcium and contractiliry in cardiac cens. Am J Physiol. 1997 Jan;272(1 Pt 2):H462-H468.

Ziegler D, Reljanovic M, Mehnert H, Gries FA. Alpha-lipoic acid in the treatment of diabetic polyneuropathy in Germany: current evidence from clinical trials. Exp Clin Endocrinol Diabetes. 1999;107(7):421-30. Review.

Chapitre 8

Arion VY, Zimina IV, Lopuchin YM. Contemporary views on the nature and clinical application of thymus preparations. Russ J Immunol. 1997 Dec;2(3-4):157-66.

Association of Early Childhood Educators, Ontario, Canada. The importance of touch for children. Posted August 1997 at http://collections.ic.gc.ca/child/docs/00000949.htm.

Balasubramaniam A. Clinical potentials of neuropeptide Y family of hormones. Am J Surg. 2002 Apr;183(4):430-4. Review.

Ben-Efraim S, Keisari Y, Ophir R, Pecht M, Trainin N, Burstein Y. Immunopotentiating and immunotherapeutic effects of thymic hormones and factors with special emphasis on thymic humoral factor THF-gamma2. Crit Rev Immunol. 1999;19(4):261-84. Review.

Berczi I, Chalmers IM, Nagy E, Warrington RJ. The immune effects of neuropeptides. Baillieres Clin Rheumatol. 1996 May;10(2):227-57. Review.

Bierhaus A, Chevion S, Chevion M, Hofmann M, Quehenberger P, Illmer T, Luther T, Berentshtein E,Tritschler H, Muller M, Wahl P, Ziegler R, Nawroth PP. Advanced glycation end product-induced activation of NF-kappaB is suppressed by alpha-lipoic acid in cultured endothelial cells. Diabetes. 1997 Sep;46(9):1481-90.

Black PH. Stress and the inflammatory response: a review of neurogenic inflammation. Brain Behav Immun. 2002 Dec;16(6):622-53. Review.

Bodey B. Thymic hormones in cancer diagnostics and treatment. Expert Opin Biol Ther. 2001 Jan; 1(1):93-107. Review.

Bodey B, Bodey B Jr, Siegel SE, Kaiser HE. Review of thymic hormones in cancer diagnosis and treatment. Int J Immunopharmacol. 2000 Apr,22(4):261-73. Review.

Cakatay U, Telci A, Kayali R, Sivas A, Akcay T. Effect of alpha-lipoic acid supplementation on oxidative protein damage in the streptozotocin-diabetic rat. Res Exp Med (Berl). 2000 Feb;199 (4) :243-51.

Datar P, Srivastava S, Coutinho E, Govil G. Substance P: structure, function, and therapeutics. Curr Top Med Chem. 2004;4(1):75-103. Review.

Davis TP, Konings PN. Peptidases in the CNS: formation of biologically active, receptor-specific peptide fragments. Crit Rev Neurobiol. 1993;7(3-4):163-74. Review.

Evans JL, Goldfine ID. Alpha-lipoic acid: a multifunctional antioxidant that improves insulin sensitivity in patients with type 2 diabetes. Diabetes Technol Ther. 2000 Autumn;2(3):401-13. Review.

Friedman MJ. What might the psychobiology of posttraumatic stress disorder teach us about future approaches to pharmacotherapy? J Clin Psychiatry. 2000;61 Suppl 7:44-51. Review.

Frucht-Pery J, Feldman ST, Brown SI. The use of capsaicin in herpes zoster ophthalmicus neuralgia. Acta Ophthalmol Scand. 1997 Jun;75(3):311-3.

Fuchs J, Milbradt R. Antioxidant inhibition of skin inflammation induced by reactive oxidants: evaluation of the redox couple dihydrolipoate/lipoate. Skin Pharmacol. 1994;7(5):278-84.

Galli L, de Martino M, Azzari C, Bernardini R, Cozza G, de Marco A, Lucarini D, Sabatini C, Vierucci A. [Preventive effect of thymomodulin in recurrent respiratory infections in children.] Pediatr Med Chir. 1990 May Jun;12(3):229-32. Italian.

Gambert SR, Garthwaite TL, Pontzer CH, Cook EE, Tristani FE, Duthie EH, Martinson DR, Hagen TC, McCarty DJ. Running elevates plasma beta-endorphin immunoreactivity and ACTH in untrained human subjects. Proc Soc Exp Biol Med. 1981 Oct;168(1):1-4.

Geenen V, Kecha O, Brilot F, Hansenne I, Renard C, Martens H. Thymic T-cell tolerance of neuroendocrine functions: physiology and pathophysiology. Cell Mol Biol (Noisy-le-grand). 2001 Feb;47(1):179-88. Review.

384

Gianoulakis C. Implications of endogenous opioids and dopamine in alcoholism: human and basic science studies. Alcohol Alcohol Suppl. 1996 Mar;1:33-42. Review.

Girolomoni G, Giannetti A. [Neuropeptides and the skin: morphological, functional and physiopathological aspects.] G Ital DermatolUenereol. 1989 Apr;124(4):121-40. Review. Italian.

Goldstein AL, Badamchian M. Thymosins: chemistry and biological properties in health and disease. Expert Opin Biol Ther. 2004 Apr;4(4):559-73.

Goldstein AL, Schulof RS, Naylor PH, Hall NR. Thymosins and anti-thymosins: properties and clinical applications. Med Oncol Tumor Pharmacother. 1986;3(3-4):211-21. Review.

Goya RG, Console GM, Herenu CB, Brown OA, Rimoldi OJ. Thymus and aging: potential of gene therapy for restoration of endocrine thymic function in thymus-deficient animal models. Gerontology. 2002 Sep-Oct;48(5):325-8.

Gutzwiller JP, Degen L, Matzinger D, Prestin S, Beglinger C. Interaction between GLP-1 and CCK33 in inhibiting food intake and appetite in men. Am J Physiol Regul Integr Comp Physiol. 2004 Apr 22.

Hagen TM, Liu J, Lykkesfeldt J, Wehr CM, Ingersoll RT,Vinarsky V, Bartholomew JC, Ames BN. Feeding acetyl-L-carnitine and lipoic acid to old rats significantly improves metabolic function while decreasing oxidative stress. Proc Natl Acad Sci USA. 2002 Feb 19;99(4):1870-5. Erratum in: Proc Natl Acad Sci USA. 2002 May 14;99(10):7184.

Han D, Handelman G, Marcocci L, Sen CK, Roy S, Kobuchi H, Tritschler HJ, Flohe L, Packer L. Lipoic acid increases de novo synthesis of cellular glutathione by improving cystine utilization. Biofactors. 1997;6(3):321-38.

Hill AJ, Peikin SR, Ryan CA, Blundell JE. Oral administration of proteinase inhibitor II from potatoes reduces energy intake in man. Physiol Behav. 1990 Aug;48(2):241-6.

Holmes A, Heilig M, Rupniak NM, Steckler T, Griebel G. Neuropeptide systems as novel therapeutic targets for depression and anxiety disorders. Trends Pharmacol Sci. 2003 Nov;24(11):580-8.

Hughes J, Kosterlitz HW, Smith TW. The distribution of methionine-enkephalin and leucine-enkephalin in the brain and peripheral tissues. 1977. Br J Pharmacol. 1997 Feb;120 (Suppl 4):428-36, discussion 426-7.

Jarvikallio A, Harvima IT, Naukkarinen A. Mast cells, nerves and neuropeptides in atopic dermatitis and nummular eczema. Arch Dermatol Res. 2003 Apr,295(1):2-7. Epub January 31, 2003.

Jessop DS, Harbuz MS, Lightman SL. CRH in chronic inflarrunatory stress. Peptides. 2001 May;22(5):803-7. Review.

Kagan VE, Shvedova A, Serbinova E, Khan S, Swanson C, Powell R, Packer L. Dihydrolipoic acid-a universal antioxidant both in the membrane and in the aqueous phase. Reduction of peroxyl, ascorbyl and chromanoxyl radicals. Biochem Pharmacol. 1992 Oct 20;44(8):1637-49.

Kastin AJ, Zadina JE, Olson RD, Banks WA. The history of neuropeptide research: version 5.a. Ami NY Acad Sci. 1996 Mar 22;780:1-18. Review.

Katsuno M, Aihara M, Kojima M, Osuna H, Hosoi J, Nakamura M, Toyoda M, Matsuda H, Ikezawa Z. Neuropeptide concentrations in the skin of a murine (NC/Nga mice) inodel of atopic dermatitis. J Dermatol Sci. 2003 Oct;33(l):55-65.

Khavinson VKh. Peptides and ageing. Neuroendocrinol Lett. 2002;23 Suppl 3:11-144. Review.

Khavinson VKh, MorozovVG. Peptides of pineal gland and thymus prolong human life. Neuroendocrinol Lett. 2003 Jun-Aug,24(3-4):233-40.

Kocak G, Aktan F, Canbolat O, Ozogul C, Elbeg S,Yildizoglu-Ari N, Karasu C. Alpha-lipoic acid treatment ameliorates metabolic parameters, blood pressure, vascular reactivity and morphology of vessels already damaged by streptozotocin-diabetes. Diabetes Nutr Metab. 2000 Dec;13(6):308-18.

Komarcevic A. [The modern approach to wound treatment.] Med PregL 2000 Jul-Aug;53(78):363-8. Review. Croatian.

Kosterlitz HW, Corbett AD, Paterson SJ. Opioid receptors and ligands. NIDA Res Monogr. 1989;95:159-66. Review.

Kouttab NM, Prada M, Cazzola P. Thymomodulin: biological properties and clinical applications. Med Oncol Tumor Pharmacother. 1989;6(1):5-9. Review.

Kramer MS, Winokur A, Kelsey J, Preskorn SH, Rothschild AJ, Snavely D, Ghosh K, Ball WA, Reines SA, Munjack D, Apter JT, Cunningham L, Kling M, Bari M, Getson A, Lee Y. Demonstration of the efficacy and safety of a novel Substance P(NK1) receptor antagonist in major depression. Neuropsychopharmacology 2004 Feb;29(2):385-92.

Kunt T, et al. Alpha-lipoic acid reduces expression of vascular cell adhesion molecule-1 and endothelial adhesion of human monocytes after stimulation with advanced glycation end products. Clin Sci (Lond). 1999 Jan;96(1):75-82.

Li L, Zhou JH, Xing ST, Chen ZR. [Effect of thymic factor D on lipid peroxide, glutathione, and membrane fluidity in liver of aged rats.] ZhongguoYao Li Xue Bao. 1993 Ju1;14(4):382-4. Chinese.

Linetsky M, James HL, Ortwerth BJ. Spontaneous generation of superoxide anion by human lens proteins and by calf lens proteins ascorbylated in vitro. Exp Eye Res.1999 Aug;69(2):239-48.

Low TL, Goldstein AL. Thymosins: structure, function and therapeutic applications. Thymus. 1984;6(l-2):27-42. Review.

Maiorano V, Chianese R, Fumarulo R, Costantino E, Contini M, Carnimeo R, Cazzola P. Thymomodulin increases the depressed production of superoxide anion by alveolar macrophages in patients with chronic bronchitis. Int J Tissue React. 1989;11(1):21-5.

386   Martin-Du-Pan RC. [Thymic hormones. Neuroendocrine interactions and clinical use in congenital and acquired immune deficiencies.] Ann Endocrinol (Paris). 1984;45(6):355-68. Review. French.

Melhern MF, Craven PA, DeRubertis FR. Effects of dietary supplementation of alpha-lipoic acid on early glomerular injury in diabetes mellitus. J Am Soc Nephrol. 2001 Jan; 12(1):124-33.

Melhem MF, Craven PA, Liachenko J, DeRubertis FR. Alpha-lipoic acid attenuates hyperglycemia and prevents glomerular mesangial matrix expansion in diabetes. J Am Soc Nephrol. 2002 Jan; 13(l):108-16.

Meyer M, Pahl HL, Baeuerle PA. Regulation of the transcription factors NF-kappa B and AP-1 by redox changes. Chem Biol Interact. 1994 Jun;91(2-3):91-100.

Meyer M, Schreck R, Baeuerle PA. H2O2 and antioxidants have opposite effects on activation of NF-kappa B and AP-1 in intact cells: AY-1 as secondary antioxidant-responsive factor. EMBO J. 1993 May;12(5):2005-15.

Midaoui AE, Elimadi A, Wu L, Haddad PS, de Champlain J. Lipoic acid prevents hypertension, hyperglycemia, and the increase in heart mitochondrial superoxide production. Am J Hypertens. 2003 Mar;16(3):173-9.

Misery L. Skin, immunity and the nervous system. Br J DermatoL 1997 Dec;137(6):843-50. Review.

Morgan CA 3rd, Wang S, Southwick SM, Rasmusson A, Hazlett G, Hauger RL, Charney DS. Plasma Neuropeptide-Y concentrations in humans exposed to military survival training. Biol Psychiatry. 2000 May 15;47(10):902-9.

Obrenovich ME, Monnier VM. Vitamin B, blocks damage caused by hyperglycernia. Sci Aging Knowledge Environ. 2003 Mar 12;2003(10):PE6.

OokawaraT, Kawamura N, KitagawaY,Taniguchi N. Site-specific and random fragmentation of Cu,Zn-superoxide dismutase by glycation reaction. Implication of reactive oxygen species. J Biol Chem. 1992 Sep 15;267(26):18505-10.

Pacher P, Kecskemeti V Trends in the development of new antidepressants. Is there a light ai the end of the tunnel? Curr Med Chem. 2004 Apr;11(7) :925-43.

Pacher P, Kohegyi E, KecskemetiV, Furst S. Current trends in the development of new antidepressants. Curr Med Chem. 2001 Feb;8(2):89-100. Review.

Packer L, Kraemer K, Rimbach G. Molecular aspects of lipoic acid in the prevention of diabetes complications. Nutrition. 2001 Oct;17(10):888-95. Review.

Packer L, Roy S, Sen CK. A-lipoic acid: a metabolic antioxidant and potential redox modulator of transcription. Adv Pharmacol. 1996;38:79-101.

Packer L, Witt EH, Tritschler HJ. Alpha-lipoic acid as a biological antioxidant. Free Radic Biol Med. 1995 Aug;19(2):227-50. Review.

Paez X, Hernandez L, Baptista T. [Advances in the molecular treatment of depression.] Rev Neurol. 2003 Sep 1-15;37(5):459-70. Review. Spanish.

Pani G, Colavitti R, Bedogni B, Fusco S, Ferraro D, Borrello S, Galeotti T. Mitochondrial superoxide dismutase: a promising target for new anticancer therapies. Curr Med Chem. 2004 May; 11 (10): 1299-308.

Parker J. Do It Now Foundation. http://www.doitnow.org/.

Perricone NV. Topical 5 % alpha lipoic acid cream in the treatment of cutaneous rhytids. Aesthetic Surg J. 2000 May June; 20(3):218-22.

Perricone N, Nagy K, Horvath F, Dajko G, Uray I, Zs. Nagy I. Alpha lipoic acid (ALA) protects proteins against the hydroxyl free radical-induced alterations: rationale for its geriatric application. Arch Gerontol Geriatr. 1999 Jul-Aug;29(1):45-56.

Pert CB, Pasternak G, Snyder SH. Opiate agonists and antagonists discriminated by receptor binding in brain. Science. 1973 Dec 28;182(119):1359-61.

Podda M, Rallis M, Traber MG, Packer L, Maibach HI. Kinetic study of cutaneous and subcutaneous distribution following topical application of [7,8-14C]rac-alpha -lipoic acid onto hairless mice. Biochem Pharmacol. 1996 Aug 23;52(4):627-33.

Podda M, Tritschler HJ, Ulrich H, Packer L. Alpha-lipoic acid supplementation prevents symptoms of vitamin E deficiency. Biochem Biophys Res Commun. 1994 Oct 14;204(1):98-104.

Podda M, Zollner TM, Grundmann-Kollmann M, Thiele JJ, Packer L, Kaufmann R. Activity of alpha-lipoic acid in the protection against oxidative stress in skin. Curr Probl Dermatol. 2001;29:43-51.

Rains C, Bryson HM. Topical capsaicin. A review of its pharmacological properties and therapeutic potential in post-herpetic neuralgia, diabetic neuropathy and osteoarthritis. Drugs Aging. 1995 Oct;7(4):317-28. Review.

Rasmusson AM, Hauger RL, Morgan CA, Bremner JD, Charney DS, Southwick SM. Low baseline and yohimbine-stimulated plasma Neuropeptide Y (NPY) levels in combat-related PTSD. Biol Psychiatry. 2000 Mar 15;47(6):526-39.

Reber F, Geffarth R, Kasper M, Reichenbach A, Schleicher ED, Siegner A, Funk RH. Graded sensitiveness of the various retinal neuron populations on the glyoxal-mediated formation of advanced glycation end products and ways of protection. Graefes Arch Clin Exp Ophthalmol. 2003 Mar;241(3):213-25. Epub February 7, 2003.

Roy S, Sen CK, Tritschler HJ, Packer L. Modulation of cellular reducing equivalent homeostasis by alpha-lipoic acid. Mechanisms and implications for diabetes and ischemic injury. Biochem PharmacoL 1997 Feb 7;53(3):393-9.

Saliou C, Kitazawa M, McLaughlin L, Yang JP, Lodge JK, Tetsuka T, Iwasaki K, Cillard J, Okamoto T, Packer L. Antioxidants modulate acute solar ultraviolet radiation-induced NFkappa-B activation in a human keratinocyte cell line. Free Radic Biol Med. 1999 Jan;26(12):174-83.

Schulof RS. Thymic peptide hormones: basic properties and clinical applications in cancer. Crit Rev Oncol Hematol. 1985;3(4):309-76. Review.

Sen CK, Packer L. Antioxidant and redox regulation of gene transcription. FASEB J. 1996;10:709-20.

Silva AP, Cavadas C, Grouzmann E. NeuropeptideY and its receptors as potential therapeutic drug targets. Clin Chim Acta. 2002 Dec;326(1-2):3-25. Review.

388

Suzuki YJ, Aggarwal BB, Packer L. Alpha-lipoic acid is a potent inhibitor of NF-kappa B activation in human T cells. Biochem Biophys Res Commun. 1992 Dec 30;189(3):1709-15.

Suzuki YJ, Mizuno M, Tritschler HJ, Packer L. Redox regulation of NF-kappa B DNA binding activity by dihydrolipoate. Biochem Mol Biol Int. 1995 Jun;36(2):241-6.

Suzuki YJ, Tsuchiya M, Packer L. Lipoate prevents glucose-induced protein modifications. Free Radic Res Commun. 1992;17(3):211-7.

Tada H, Nakashima A, Awaya A, Fujisaki A, Inoue K, Kawamura K, Itoh K, Masuda H, Suzuki T. Effects of thymic hormone on reactive oxygen species-scavengers and renal function in tacrolimus-induced nephrotoxicity. Life Sci. 2002 Jan 25;70(10):1213-23.

Toyoda M, Morohashi M. New aspects in acne inflammation. Dermatology. 2003;206(1):1723. Review.

Toyoda M, Nakamura M, Makino T, Hino T, Kagoura M, Morohashi M. Nerve growth factor and Substance P are useful plasma markers of disease activity in atopic dermatitis. Br J Dermatol. 2002 Ju1;147(1):71-9.

Toyoda M, Nakamura M, Morohashi M. Neuropeptides and sebaceous glands. Fur J Dermatol. 2002 Sep-Oct;12(5):422-7. Review.

Ziegler D, Reljanovic M, Mehnert H, Gries FA. Alpha-lipoic acid in the treatment of diabetic polyneuropathy in Germany: current evidence from clinical trials. Exp Clin Endocrinol Diabetes. 1999;107(7):421-30. Review.

Index

À propos de l'auteur

Le Dr Nicholas Perricone, M.D., est membre de l'American Board of Dermatology et professeur adjoint au Collège de médecine humaine de l'Université d'État du Michigan. Il est également l'auteur des best-sellers *The Wrinkle Cure* et *The Perricone Prescription*. Le Dr Perricone vit dans le Connecticut.

Pour obtenir une copie
de notre catalogue
veuillez nous contacter :

AdA

1385, boul. Lionel-Boulet
Varennes, Québec
J3X 1P7
Fax : 450.929.0220
info@ada-inc.com
www.ada-inc.com